DU MÊME AUTEUR

En langue créole

JIK DÈYÈ DO BONDYÉ, *nouvelles*, Grif An Tè, 1979 (traduction française ae l'auteur : *La Lessive du Diable*, Écriture, 2000).

JOU BARÉ, *poèmes*, Grif An Tè, 1981.

BITAKO-A, *roman*, GEREC, 1985 (traduction française de J.-P. Arsaye : *Chimères d'En-Ville*, Ramsay, 1997).

KOD YANM, *roman*, K. D. P., 1986 (traduction française de G. L'Étang : *Le Gouverneur des dés*, Stock, 1995).

MARISOSÉ, *roman*, Presses Universitaires Créoles, 1987 (traduction française de l'auteur : *Mamzelle Libellule*, Le Serpent à Plumes, 1995).

DICTIONNAIRE DES TITIM ET SIRANDANES (devinettes et jeux de mots du monde créole), *ethnolinguistique*, Ibis Rouge, 1998.

LA VERSION CRÉOLE, *didactique*, Ibis Rouge, 2001.

MÉMWÈ AN FONSÉYÈ, *ethnographie*, Ibis Rouge, 2002.

En langue française

LE NÈGRE ET L'AMIRAL, *roman*, Grasset, 1988 (Prix Antigone).

ÉLOGE DE LA CRÉOLITÉ, *essai*, en collaboration avec Patrick Chamoiseau et Jean Bernabé, Gallimard, 1989.

EAU DE CAFÉ, *roman*, Grasset, 1991 (Prix Novembre).

LETTRES CRÉOLES : TRACÉES ANTILLAISES ET CONTINENTALES DE LA LITTÉRATURE, *essai*, en collaboration avec Patrick Chamoiseau, Hatier, 1991.

RAVINES DU DEVANT-JOUR, *récit*, Gallimard, 1993 (Prix Casa de las Americas).

COMMANDEUR DU SUCRE, *récit*, Écriture, 1994.

BASSIN DES OURAGANS, *récit*, Mille et Une Nuits, 1994.

LES MAÎTRES DE LA PAROLE CRÉOLE, *contes*, Gallimard, 1995.

LA SAVANE DES PÉTRIFICATIONS, *récit*, Mille et Une Nuits, 1995.

L'ALLÉE DES SOUPIRS, *roman*, Grasset, 1994 (Prix Carbet de la Caraïbe).

Suite de la bibliographie en fin de volume.

ADÈLE ET LA PACOTILLEUSE

Raphaël Confiant

ADÈLE ET LA PACOTILLEUSE

ROMAN

MERCVRE DE FRANCE

À Carine

LA VIE DÉCHIRÉE

« Lequel d'entre nous, en s'examinant, pourrait affirmer qu'il n'a pas sacrifié les convenances et risqué son honneur devant la passion ? »

Lettre d'Adèle (mère) Hugo
à Victor Hugo
(24 octobre 1863)

1

Il n'est pas vrai qu'il suffit de porter à l'oreille une conque de lambi au rose nacré pour entendre les rumeurs de l'Archipel. On n'y perçoit que musiques indéchiffrables et douleurs inapaisées. Celles-ci jaillissent du Tout-Monde, de l'Afrique-Guinée à jamais perdue, de l'Europe, implacable vigie qui n'a de cesse de ricaner avec tant et tellement de hautaineté. D'autres terres aussi dont j'ai peine à prononcer les noms et à imaginer l'étendue. Il n'est pas vrai non plus que l'immense houle, née des cyclones de septembre, furibonde depuis l'île de la Barbade jusqu'à Jacmel, en Haïti, ou bien encore Santiago de Cuba où ma mère, ô incertain de la rumeur, aurait fini ses jours en sainte femme. À ce qu'il paraît, un petit autel honore sa mémoire parmi les divinités féminines du vaudou, à la droite d'Erzulie, je présume, celle dont la belleté est un défi à l'arc-en-ciel. Pourtant, elle s'appelait en toute simplicité Carmen Conchita Alvarez, n'ayant jamais voulu, en dépit de quatre mariages — contractés à la vivement-dépêché, il est vrai —, brocanter de papiers d'identité. Je me souviens d'elle si fière qui s'en allait proclamant sur les ports et les places publiques : « Je suis tout entière dans mon nom ! Je suis mon nom. Avilissez mon corps, enfermez-moi dans vos geôles fétides, accusez-moi de tous les péchés véniels et mortels de la terre, mais ne touchez pas à ce qui me vient des Royaumes de Castille et d'Aragon. » C'est que ma mère, quand son négoce de pacotille donnait des signes d'essoufflement, vendait son devant au plus offrant (ce qui ne veut pas dire au premier venu, non !), la bouche pleine de morgue, les poings sempiternellement fichés sur les hanches, tout en supportant sans broncher les avanies de bourgeois en goguette qui, une fois satisfaits, lui éructaient au beau mitan de la figure : « Hors de ma vue, Négresse noire comme hier soir ! Où a-t-on jamais vu des créatures aussi démoniaques que toi dans la blanche Espagne ? »

Il est vrai, par contre, que mon nom à moi est Céline Alvarez Bàà et que, moi aussi, je l'habite tout entier. Chacun des mots qui le compose est une histoire. Celle de mes aïeux d'abord — honneur et respect sur leur tête ! — tous, quels qu'ils soient. Celle de l'Archipel ensuite où toutes les nations de la terre se sont ruées. La mienne enfin, mon histoire faite de drivailles, d'errances, d'espoirs irraisonnés, de déceptions sans-manman. Je n'ai eu cesse de te conter tout cela, pauvre chère Adèle, n'ayant jamais désespéré qu'un jour la raison se déciderait à regagner ton esprit, y chassant du même coup les miasmes de cette funeste passion qui le dévorait. Je ne t'ai pas crue une miette de seconde lorsque, t'ayant recueillie, errante dans une ruelle du port de Bridgetown, en l'île de Barbade, tu m'as déclaré avoir pour père le plus grand poète de ce pays aux contours pour moi irréels qu'est la France. Haillonneuse, maigre jusqu'à l'os, tremblotante des lèvres et des mains, un feu inconnu brillait dans le grain de tes yeux qui m'a, irrésistiblement, attirée vers toi, spectre égaré en plein jour. La foule s'esclaffait, te voltigeait des chapelets de moqueries dans cet anglais rauque de la Barbade qu'on affirme hérité des premiers colons écossais. Indifférente à ses criailleries, tu tournevirais et tournevirais, bras à l'horizontale dans ce qui te restait de vêture — une robe de mariée cent fois rapiécetée mais, incroyable plus qu'incroyable, immaculée ainsi qu'un incongru manteau d'hiver — et tout cela baillait l'impression que tu étais sur le point de prendre ton envol, flap ! Il était midi, heure préférée du Diable sous le soleil raide des îles, et le spectacle que tu offrais était fascinant. « Je ne suis pas la pauvresse que vous croyez, *ladies and gentlemen*, ressassais-tu, le coin des lèvres dégoulinant d'une bave mauvaise. Je ne suis non plus ni une pécheresse condamnée à l'exil perpétuel ni une de ces orphelines brusquement happées par le dénantissement, ce qui rassure quant à leur humanité vos faces de Nègres hilares, vous qui n'aimez rien tant, n'est-ce pas, que de voir la race supérieure chuter de son piédestal. Je ne suis rien de tout cela. Je suis Adèle Hugo, la fille du plus éminent versificateur de l'univers, celui dont on chuchote les poèmes dans les plus humbles chaumières comme dans les cours royales. Celui dont tous les marins du monde égrènent en leur for intérieur l'*Oceano Nox* chaque fois qu'ils prennent la mer. »

Deux Nègres se gourmaient pour ta personne. Deux Nègres chargés d'enrageaison. Deux chiens qui éructaient. Un colosse quinquagénaire armé d'un bec d'espadon-mère, l'air redoutable, le crâne à moitié chauve et un jeune gandin plutôt mince et beau garçon qui fiéraudait, muni pourtant d'un misérable canif qui avait tout l'air d'un jouet. Ils tournoyaient sur un ring invisible, cherchant à s'approprier ta personne, la tirant sans ménagement vers eux, la perdant, puis la rattrapant, tout en faisant mine de se frapper avec leurs armes respectives. Dans l'envoyer-monter de leurs invectives, ils révélaient au public, par bribes, dans quelles circonstances chacun d'eux avait trouvé « cette jeune Blanche » et se l'était arrogée. Selon le premier, elle s'était assommeillée dans son canot de pêche où il l'avait découverte un beau matin, transie par la rosée, tandis que le second racontait une histoire de bal populaire au cours duquel vous auriez dansé toute la nuit bras-dans-bras. N'ayant cure de leurs bravacheries, indifférente aux menaces qu'ils proféraient et aux armes qu'ils brandissaient, tu leur répétais sans arrêt :

« Les mots de mon père font trembler la Muraille de Chine, déborder le fleuve Congo, vaciller le Chimborazo, tressaillir la mer d'Irlande et c'est pourquoi je me trouve ici parmi vous. J'ai voyagé jusqu'à la Barbade sur les ailes de ses muses ! »

Il a suffi de ces quelques mots comiquement assenés pour que je me décide à t'adopter. Il y avait beau temps que je rêvais d'avoir un enfant à moi. Chaque homme rencontré m'était un espoir fou. Dans chaque île, j'en possédais un qui se morfondait de m'attendre des semaines, voire des mois durant. Il y eut le bel Anthony MacAllister, Nègre de Trinidad à la taille de pied-coco qui promenait sa tristesse dans les caboulots de Port of Spain, guettant quelque nouvelle par-ci par-là. La preuve que j'étais encore en vie. « Car comment Céline Alvarez Bàà peut-elle passer inaperçue ? » tonnait-il lorsqu'il était fin saoul au tafia-gin-absinthe. « Sa membrature est si puissante qu'elle vous barre la lumière dès qu'elle se tient en face de vous. Ses hanches sont si larges et fermes, son giron si tentateur qu'on meurt d'envie de s'y plonger séance tenante. Et je n'évoque même pas ses bras d'ébène pur, ses seins si haut dressés qu'ils intimident l'homme le plus guerrier et quant à l'étalage de ses dents, on jurerait des éclats de lune ! » Habitué à ce batelage d'amoureux au désespoir, la faune des bas quartiers haussait les épaules quand elle ne se gaussait pas de lui. Parfois, mon Anthony se faisait rosser par quelque matelot vénézuélien au sang chaud sans que cela infligeât un coup d'arrêt à sa litanie. Il insistait au contraire : « Baillez-moi des nouvelles de ma Négresse, *goddam* ! Je sais que vous la connaissez. Elle charroie dans ses paniers l'inouï des richesses du monde. » Tout cela m'était rapporté à chacune de mes escales dans son pays et avait, bien entendu, le pouvoir de m'attendrir.

Il y eut Michel Audibert, un mulâtre de la Martinique, toujours vêtu en dimanche, qui se déplaçait avec une canne à pommeau argenté tout en brodant un français Grand Siècle. Il distribuait avec libéralité sa carte, ornée de lauriers, qui portait la sobre inscription suivante : *M. Audibert, homme de lettres, 37, rue du Petit-Versailles (1er étage), ville de Saint-Pierre, Antilles françaises*. Dès qu'il venait m'accueillir au port, je le reconnaissais à son panama curieusement enrubanné de mauve parmi la badaudaille qui se pressait sur les quais. Il me taquinait avec gentillesse sur ma prononciation du *r*, tantôt trop hispanique à son gré, tantôt trop feutrée, trop britannique. « De retour déjà ! » me lançait-il en me faisant un baisemain et en grasseyant le début du deuxième mot comme pour insinuer, une fois de plus, que toute Céline que je me prénommais, ma lointaine ascendance française du côté paternel était pure vantardise. Il m'écrivait, de loin en loin, des poèmes sibyllins que je portais sur moi en guise de viatiques.

Il y eut aussi Diego, natif de San Juan, roi de Porto Rico et de ses casinos avec sa fine moustache qu'il taillait avec soin au réveil avant même d'avaler son sacro-saint café cueilli dans les montagnes de son île. Il insistait pour que je lui tire les cartes, me croyant, malgré mes véhémentes dénégations, liseuse d'avenir. Moi qui ne suis, résistais-je, que pacotilleuse, modeste marchande de miroirs ciselés, de fers à défriser les cheveux, de tissus en calicot ou en popeline, de poudres réputées guérir en six-quatre-deux diarrhées, maux de tête et chagrins d'amour, de coutelas et de canifs-Sheffield, de farine de manioc et de cigares gros comme l'avant-bras. Je déballais alors mes paniers caraïbes à même le trottoir et brandissais triomphalement, tour à tour, d'autres trésors : culottes noires qui protègent contre les assauts des incubes pour peu qu'on les porte à l'envers, bibles reliées de cuir, *Petit Albert* et *Grand Albert,* pots de vaseline, colliers de vraies et fausses perles ou almanachs aux couleurs criardes. Incrédule, Diego, qui se vantait d'être l'arrière-arrière-arrière-petit-neveu de Christophe Colomb, me regardait faire et, attendant que les passants aient fini de me dévaliser, caressait d'un geste rêveur ma bourse lestée de pesos et se mettait à me chanter un boléro. Puis, retrouvant soudain sa sérieusité, il m'entraînait au mausolée du Grand Amiral de la Mer océane où il tenait à se recueillir au moins une fois par semaine.

Et que je n'oublie point Ti Jacques, natif-natal d'Haïti, étudiant en philosophie le jour qui portait aux nues un certain Schopenhauer, gardien, à la nuit close, de la vaste demeure patricienne d'un juge de paix, sur les hauteurs de Kenscoff, là où il règne une telle freidure qu'on est obligé de se draper d'une couverture en laine. Il s'acharnait à m'enseigner l'histoire, à ses yeux glorieuse, de son pays, deuxième de toute l'Amérique à s'être libéré du joug européen, juste après les États-Unis, et première république noire du monde moderne. « Le 1er janvier 1804, soliloquait-il, quand le généralissime Jean-Jacques Dessalines décréta l'indépendance de notre patrie en la ville de Gonaïves, le petit Napoléon connut sa première grande défaite. Ha-ha-ha ! Cinquante mille soldats en déroute. Son beau-frère, le général Leclerc, époux de Pauline Bonaparte, contraint de s'enfuir comme une mangouste sur ce qui lui restait de flotte. L'esclavage définitivement aboli ! » Voyant que je buvais ses paroles, il tempérait aussitôt mon admiration en ajoutant à voix basse, non sans avoir jeté un regard circulaire et inquiet autour de nous : « Pourtant, rien n'a vraiment changé pour les Nègres de petite extraction comme moi. Rien. Seule la figure de nos maîtres est devenue différente, hélas. Heureusement qu'il nous reste la force vaudoue ! » Puis, reprenant une voix normale : « Tu n'aurais pas dix gourdes à me prêter, chérie-cocotte-l'amour ? Ou bien dix shillings, si tu préfères. Seulement dix, s'il te plaît... »

Et puis, il y eut tant d'autres ! Ceux qui continuent à me hanter : John-Thomas, chercheur d'or dans les entrailles de l'Amazonie ; le marquis de Châteaureynaud qui voulut, fol d'entre les fols, restaurer la plantation de ses aïeux au cœur de l'Artibonite. Ceux dont j'ai parfois enterré les noms sous les cendres de mes souvenirs. Aujourd'hui que je suis vieille et cassée, à la veille de mon retour définitif aux Antilles — sans doute mon dernier grand voyage —, j'avoue ne retenir de mes inumérables ébats que la fougue de ton père, Victor Hugo, pourtant déjà accablé par les ans et chenu, qui m'obligeait à l'appeler le Centaure lorsqu'il me labourait les chairs sur la table de la cuisine sans même se dévêtir. Je frémis au seul souvenir de la rage sourde qui émanait de ses coups de reins, aux grognements de satisfaction qu'il laissait échapper au moment de l'extase charnelle. Tant de sauvagerie et de bonté à la fois chez un seul et même homme me stupéfiait et j'ai gardé en tête, l'intact des versets qu'il m'avait enseignés afin d'agrémenter nos fortuites étreintes :

Je me fais bien petite, en mon coin, près de vous;
Vous êtes mon lion, je suis votre colombe;
J'entends de vos papiers le bruit paisible et doux;
Je ramasse parfois votre plume qui tombe;

Simplement, si Hugo soutenait bien la comparaison avec le roi de la forêt, moi, Céline Alvarez Bàà, j'étais loin d'être ce volatile pétri d'innocence qu'il voyait en moi. J'étais tout au contraire l'oiseau-mensfenil. Celui qui parade si-tellement haut qu'on le croirait fils du soleil, mais, attention, foutre!, en un battement d'yeux, il peut fondre sur sa proie, à la verticale de quelque savane isolée, et l'emporter entre ses griffes. La chiquetailler et la dévorer même en plein vol. Seulement, le poète a-t-il jamais su qui j'étais vraiment? Dans ses rares moments de tendresse, il me murmurait aussi des paroles sirop-miel, telles que « ma Mauresque au regard d'ambre », que j'avais la faiblesse de prendre pour une marque d'amour.

À son arrivée à Charleston, le détective Henry de Montaigue s'inquiéta, comme à chacune de ses étapes, de l'état de ses bagages, non qu'il voyageât lourd mais bien parce que ses deux sacs en cuir, fermés par des cadenas, intriguaient marins, portefaix, douaniers et bien sûr gens de police. Dans le premier, il transportait ce qu'il répugnait à qualifier de garde-robe, par dignité masculine, quoiqu'il contînt chemises en soie, pantalons de flanelle, lavallières à l'anglaise, caleçons de pur coton et socquettes blanches filées par sa mère pour le confort de son fils unique, l'ultime héritier de la famille, l'honneur des De Montaigue, comme le serinait un grand-oncle que la mort avait oublié. En fait, ceux-ci n'avaient plus, depuis beau temps, de nobliau que le patronyme et un restant de respect de la part des villageois de Fortenelle dont certains continuaient, la belle saison venue, à apporter à ce qu'ils nommaient encore le « manoir » — bâtisse certes vaste mais plutôt décrépie — les premiers fruits de leurs jardins. Henry avait donc été élevé dans une atmosphère de lente mais inexorable décadence familiale, non qu'il eût jamais à souffrir de la moindre privation, mais parce qu'il lui arrivait de surprendre sa mère, tard dans la nuit, en train de faire et de refaire les comptes de leurs propriétés, le front soucieux, inconsolable de la perte précoce de son mari. Il n'en restait pourtant plus grand-chose : une quinzaine d'hectares plantés en vignes qu'il avait fallu placer en métayage, un étang poissonneux que fréquentaient, contre une modeste contribution financière, des pêcheurs du dimanche et des commerçants fraîchement enrichis. Plus une demeure à étages, en plein centre de Fortenelle, dont les deux premiers étaient loués, le troisième servant de dépôt à tout ce que la famille de Montaigue avait accumulé pendant près de deux siècles et demi. C'est en jouant dans un galetas, un jour que sa mère y rangeait des gravures pieuses achetées au cours d'une foire, une trentaine d'années auparavant, ce fameux jour au cours duquel elle avait rencontré celui qui deviendrait son homme, que le petit Henry avait découvert sa vocation. Un premier objet insolite attira son attention : une grosse loupe un peu ébréchée qui traînait au fond d'un carton de livres de colportage. Fasciné, l'enfant parcourut le grenier, l'appareil rivé à son œil droit, s'étonnant de découvrir tant de choses invisibles à l'œil nu, y compris de minuscules poils au menton de sa mère, ce qui lui donnait l'air d'une sorcière. Fouinant de boîte en valise et de penderie en armoire en bois de chêne, Henry mit la main sur un objet encore plus étrange. Une sorte de montre de gousset attachée à une chaînette en argent dont l'éclat avait terni. Sa mère s'en empara, l'air très fâché, et refusa de lui en révéler le nom. Ni à quoi cela pouvait bien servir. Les années passèrent jusqu'au jour où Henry retrouva ce qu'il savait être maintenant un pendule, au fond du tiroir d'une table de nuit. Lecteur avide des feuilletons policiers que publiait chaque lundi le journal de la région, Henry se jura de devenir un jour le meilleur détective de « France, de Navarre et de ses possessions ultramarines, y compris la

Cochinchine, les îles Tahiti, la Mitidja et les Antilles ». Cette bravacherie enfantine fit d'abord sourire sa mère. Elle acceptait de bonne grâce qu'il tapissât les murs de sa chambre, puis très vite, du vestibule et de la salle d'eau, de cartes de géographie colorées et de visages d'indigènes découpés dans des journaux. Elle s'imaginait qu'il deviendrait un grand marin. Ah ! Certes pas un Marco Polo ou un Christophe Colomb puisque le temps glorieux des découvreurs était bel et bien révolu, mais un honnête et courageux capitaine qui affronterait la colère des mers du Sud ou le calme effrayant des Sargasses. Elle prit donc l'habitude de lui acheter romans d'aventures et récits de voyages qu'elle lisait au préalable, désireuse d'écarter tout ce qui pût contrevenir à ses convictions religieuses, en bonne chrétienne qu'elle était. Henry fut un élève distrait mais qui donnait satisfaction à ses maîtres, se permettant même, en classe de Rhétorique, de décrocher un prix d'excellence en géographie. D'aucuns, oncles et amis, le voyaient déjà magistrat, médecin ou apothicaire. Il serait à nouveau la fierté des Montaigue et son éclat — à Paris évidemment ! — rejaillirait sur tout le village de Fortenelle que la construction d'une route nationale avait définitivement écarté de la marche du monde. « De la marche du progrès », tonnait le maire qui savait quelle force ce dernier mot possédait, dans l'esprit de la plupart des gens, en particulier ceux qui avaient eu l'insigne chance de voyager à bord d'une locomotive. Henry de Montaigue serait celui qui réveillerait son village natal de sa mortelle torpeur, pas moins ! Hélas, le jeune homme, une fois monté dans la capitale, devait décevoir et sa mère et ses concitoyens. Il ne s'inscrivit point à l'École de la Marine marchande comme l'avait souhaité la première, ni ne se préoccupa de ramener à Fortenelle ces merveilles qu'étaient les lampes à pétrole, la photographie ou encore les couteaux à cran d'arrêt. Le bougre s'était mis à l'école de la rue, au quartier des Halles, où il fit ses classes aux côtés d'un détective chevronné, Le Chartier, spécialiste en crocheteurs, maîtres ès larcins, aigrefins, mauvais larrons et autres gueux qui hantaient les lieux. Celui-ci tenait un cabinet dans une impasse sordide occupée en permanence par des ivrognes qu'il fallait enjamber ou auxquels il fallait bailler cinq sous pour qu'ils vous fassent la faveur de s'écarter. Une modeste plaque indiquait :

Honoré Le Chartier
Diplômé de l'École des Hautes Études criminelles d'Oxford
Détective assermenté près le Tribunal de Paris
Reçoit sur rendez-vous uniquement

Henry de Montaigue, un peu accablé par la chaleur de ce jour d'été — pourtant, on l'avait prévenu que la Caroline du Sud était l'exact contraire du Canada où il venait de passer six mois —, cherchait ses valises du regard dans l'amoncellement de balles de coton et de tabac, de caisses de morue séchée, de barriques de salaisons et de bagages qu'une nuée de porteurs avait déballés sur les quais du port de Charleston. Il ne voyait, pour l'heure, qu'un seul de ses sacs en cuir, sans savoir duquel il s'agissait, de celui qui contenait ses vêtements ou de l'autre, celui dans lequel il avait rassemblé, veillant à les entourer avec soin de papier journal, ce qu'il désignait sous le vocable, pour le moins alambiqué, d'attirail d'investigation légale : d'abord ceux qui avaient déterminé sa vocation précoce, sa chère vieille loupe dont le verre avait acquis, au fil du temps, une étrange patine, et son pendule, instrument infaillible, parfaitement insensible aux variations climatiques ainsi qu'aux humeurs, parfois exécrables, de son maître. Puis, un astrolabe, une équerre, une carte récente du continent américain éditée à Londres par la National Geographic Society (la plus fiable donc du moment), un dictionnaire d'anglais et un autre d'espagnol, un exemplaire annoté par ses soins de *La Légende des siècles* et enfin un pistolet. Oui, un pistolet, arme dont il n'avait jamais eu à se servir en Europe mais qui, ici, dans ces terres sauvages, lui semblait indispensable à sa sécurité, sinon à sa survie. Car le détective Henry de Montaigue n'avait pas enjambé l'Atlantique de gaieté de cœur mais par défi. À la mort de son patron, il avait tout naturellement recueilli sa clientèle, laquelle ne cessait de s'élargir, pour des raisons qu'il ne s'expliquait pas vraiment, le nombre de maris estimant être encornaillés par leurs tendres moitiés ou de grands-pères soupçonnant leurs héritiers d'avoir modifié à leur insu leur testament ne faiblissant jamais. Or, c'est au moment exact où il envisageait de quitter sa vie de célibataire, et donc de courir la gueuse, qu'un événement pour le moins extraordinaire, dont il sera question plus avant, modifia le cours jusque-là routinier de son existence.

Son deuxième sac fut le tout dernier bagage à sortir des cales du navire et surmontait désormais, telle une crête de coq un peu dérisoire, l'amoncellement de marchandises de toutes sortes et de malles en bois ouvragé que guettaient, eux aussi, le visage anxieux, des passagers que l'éprouvant voyage, depuis les eaux froides de la Nouvelle-Écosse, avait comme anesthésiés. Finis, les rires bruyants des femmes, les cavalcades d'enfants chamailleurs dans les coursives ou les éclats de voix de ces gentlemen à la perruque soignée qui disputaient des parties de cartes dans le salon-fumoir du pont avant. Comme pour se rassurer — sans doute parce que cette Caroline du Sud ne lui inspirait rien de bon à cause de tous ces grands Nègres au buste nu qui déchargeaient, en poussant des « ahan ! » gutturaux, chaque nouveau bateau qui accostait, à cause de ces nuées de moustiques qui n'avaient cesse de harceler son visage empourpré et dégoulinant de sueur, à cause, surtout, de l'accent de ces Américains, si empâté qu'il avait toutes les peines du monde à déchiffrer la moindre de leurs phrases, lui qui, pourtant, sur les conseils de son vénéré maître, s'était fait un devoir d'apprendre la langue de la perfide Albion — Henry de Montaigue tapota pour la énième fois la poche intérieure de sa veste. Ouf ! Elle se trouvait bien là, recouverte par un mouchoir de soie, cette photographie qu'il avait tant de fois regardée, retournée en tous sens, scrutée à la loupe, sans qu'il parvînt, hormis la splendide chevelure noire de la créature qu'elle représentait, à l'incruster dans sa mémoire. C'était là chose rare ! Il lui suffisait d'apercevoir un individu une seule fois, d'entendre le timbre d'une voix, pour qu'il sache les reconnaître à coup sûr des années plus tard.

« Pour entretenir son cerveau, rien de mieux que d'apprendre des poèmes ! » lui avait conseillé son maître, Le Chartier, qui affectionnait les émois amoureux de Ronsard et qui, à la demande ou pour épater ses clients, n'hésitait pas à en déclamer.

Prenant place dans la file de passagers que rudoyaient

des douaniers à l'uniforme vaguement prussien, il sortit la photographie avec précaution, affectant un air distrait, et la contempla à nouveau : cette jeune fille était d'une beauté banale. Avant que le père de celle-ci ne la lui eût confiée, quelques mois plus tôt, Henry de Montaigue était persuadé, comme tout un chacun, qu'un beau visage ne s'oubliait pas. Par la fenêtre du fiacre qui le ramenait chaque soir à son domicile de la rue de la Commanderie, dans le quartier du Temple, il prenait un infini plaisir à repérer, parmi les bougresses qui se hâtaient avant la tombée de la nuit, repasseuses, marchandes de fruits, servantes d'auberge ou simplement ribaudes aux atours rutilants, celles qu'Aphrodite n'eût pas dédaigné d'accepter à sa cour. Et quand l'une d'elles le frappait vraiment, il ne manquait pas de la reconnaître les jours suivants, n'hésitant pas à faire arrêter son fiacre pour la suivre, notant son adresse, ses habitudes, s'imprégnant de son parfum ou de sa voix, pour finir par l'aborder, un mois ou deux plus tard. Contre paroles flatteuses ou espèces sonnantes et trébuchantes, peu d'entre ces donzelles résistaient aux avances du détective. Quoique ces aventures fussent généralement brèves, les traits de celles dont il avait partagé la couche demeuraient à jamais gravés dans son esprit. Or, voici que le visage de cette Adèle, pourtant portraiturée avec art, se dérobait, le contraignant, de mauvais gré, à l'examiner sans cesse.

Quand le tour de Montaigue arriva, le douanier examina avec intérêt son passeport avant de battre le rappel de ses collègues qui s'exclamèrent d'une même voix : « *You're welcome, young gentleman!* » (Bienvenue, jeune homme!) en lui faisant une accolade à tour de rôle. Et sans lui poser la moindre question, il fut conduit à un bureau tenu par des militaires affairés. Le détective ne comprit ce qui lui arrivait qu'au moment où un sergent au regard sévère, qui l'avait fait asseoir, lui demanda s'il savait monter à cheval et dans quelle arme il préférait servir. On l'avait pris pour un volontaire français ! De ceux qui venaient combattre les Yankees dans les rangs des confédérés sudistes par nostalgie de l'esclavage. Les Américains, en effet, s'entre-déchiraient depuis bientôt trois ans. Henry de Montaigue se souvint alors qu'on en parlait beaucoup à la taverne O'Brady, à Halifax, où le fameux lieutenant Pinson était d'avis de les laisser s'entre-détruire afin que l'Angleterre puisse reconquérir ce territoire qu'elle avait découvert, qu'elle avait civilisé et qui s'était, mesquinement, soustrait à sa bénéfique emprise. Montaigue eut beau expliquer qu'il n'avait aucune intention de s'enrôler dans les troupes de la Caroline du Sud, supplier qu'on le laissât continuer sa route, il fut envoyé sans délai dans un régiment qui s'apprêtait à partir au combat...

Adèle accepte de poser son derrière sur une chaise. Enfin. Elle a cessé de trembler mais ses yeux continuent à papillonner dans le vide. Pendant l'affrontement entre les deux Nègres, elle n'en a pas profité pour s'escamper, se laissant même happer à tour de rôle par leurs bras couturés de coups de rasoir. Le plus âgé, simiesque à souhait, ne cessait de hurler :

« *Gi-me, my gal, you fucking black bastard!* » (Laisse-moi ma bonne femme ! Espèce de foutu bâtard de négro !)

Et d'avancer, arme au poing (un bec d'espadon-mère), trouant l'air surchauffé de midi, damant le sol avec une rage qui effrayait la foule, laquelle reculait au même rythme que son adversaire. Ce dernier, un freluquet vêtu à la dernière mode londonienne, n'avait pour se défendre qu'un dérisoire canif-Sheffield. Pourtant, il s'entêtait à morguer le colosse, à danser autour de lui, à esquiver ses attaques et, prenant les gens à témoin, il bravachait :

« *That white gal is mine! I've fucked her and fucked her and fucked her and she does love it... Hey, dont'y you love it, baby?* » (Cette fille blanche m'appartient! Je l'ai baisée-baisée-baisée et elle aime ça... N'est-ce pas que t'aimes ça, ma chérie?)

Ballottée d'un bougre à l'autre telle une poupée de chiffon, c'était miracle qu'Adèle ne reçût pas un coup fatal. Seule sa manche gauche fut déchirée par la pointe du bec d'espadon qui lui érafla aussi la peau. Quelques gouttes de sang maculèrent sa robe de mariée, ce qui provoqua un « Oooh! » d'effroi dans le public. Céline Alvarez Bàà se décida, à cet instant précis, à intervenir. Elle n'avait pas fini de haler la jeune fille hors du cercle des combattants que le colosse enfonçait son arme dans le bas-ventre du jeune Nègre, puis la retira tout aussi brutalement, ce qui eut pour effet d'éviscérer ce dernier net. Les dents du bec d'espadon ramenèrent au-dehors ses boyaux, son foie, sa rate ainsi qu'une sorte de bouillie informe à l'odeur nauséabonde. Céline prit la jeune fille par le bras et l'entraîna en six-quatre-deux à travers les ruelles qui reliaient les quais à la vieille ville. Curieusement, une partie de la badaudaille s'en prit à Adèle :

« *Fucking english whore! You've killed an innocent*

man! » (Espèce de putain anglaise! T'as tué un gars innocent!)

La blancheur stupéfiante d'Adèle, rehaussée par la demi-obscurité de la case, laisse Céline Alvarez Bàà sans voix. Adèle fait mine d'accepter une timbale d'eau fraîche mais ne fait qu'y tremper ses lèvres. Celles-ci sont fissurées par endroits, boursouflées en d'autres. Chose qui n'atténue en rien sa fragile belleté. Adèle se lève brusquement, se rue vers la porte, revient sur ses pas, triture son chapeau orné de plumes d'autruche. La Négresse s'approche d'elle et lui mignonne les poignets, puis l'avant-bras, ensuite le cou, enfin les joues. Avec une lenteur infinie, avec une tendresse presque maternelle pour quelqu'un qui n'a jamais enfanté. Adèle se laisse faire. Son corps se fait soudain flasque. Elle s'affaisse sur le dossier de la vieille berceuse en rotin qui se met à craquer de toutes parts.

« *Who are you? Who are you, madam?* » (Qui êtes-vous? Qui êtes-vous, madame?) répète-t-elle.

Céline ne parvient pas à articuler le moindre mot. Elle s'emploie à essuyer le front ruisselant de sueur de la jeune fille. Il n'y a pas un brin de vent pour adoucir le début de l'après-midi. Dehors, même les chiens sans maître ont cessé de se disputer les ordures. Adèle pose la tête sur la poitrine de sa protectrice, interminablement. Les deux êtres restent ainsi soudés jusqu'au soir, sans parler ni bouger. Seul le souffle puissant de Céline Alvarez Bàà, le monter-descendre de ses seins, insuffle un peu de vie à cet étrange assemblage. « Et toi, petite, qui es-tu? finit par s'agacer la pacotilleuse, un peu furieuse de s'être laissé ainsi attendrir. Tu m'as fait perdre un temps précieux et voici que mes pratiques vont me considérer comme une femme pas sérieuse ! J'avais promis un pot de vaseline de Curaçao à miss Wilkinson qui a les cheveux rebelles et du tabac à chiquer de la Jamaïque au révérend Andrew. Avec ce bougre-là, pas question de plaisanter ! Même au Bondieu il n'accorde la moindre faiblesse. Serais-tu une Blanche de la Martinique ? Ou alors de la Guadeloupe ? De la Louisiane peut-être ? Allez, n'aie crainte, tu peux t'ouvrir à moi ! Tu parles convenablement l'anglais, jusqu'à tromper ton monde, chère enfant, mais moi, j'ai deviné la pointe d'accent français que tu t'appliques à cacher. »

Adèle garde un front buté. Elle frotte sa robe de mariée élimée comme pour la débarrasser des assauts de trente-douze mille créatures invisibles auxquelles elle jette des regards féroces. Céline Alvarez Bàà se signe prestement. Cette petite serait-elle envoûtée ? Serait-elle la victime d'un de ces charmes maléfiques que les vieux Nègres aux mains sales lancent contre les créatures innocentes ? Lorsque la jeune Blanche s'endort enfin, sur le siège même où la pacotilleuse a passé tant d'années à méditer, le plat de sa main gauche s'ouvre doucement sur ses genoux. Céline s'agenouille alors. Écarte le pouce encore à moitié replié et tente d'en lire les lignes. Sursaute. Celle qui indique la durée de la vie est longue, exagérément longue. Par contre, toutes les autres n'expriment qu'insatisfaction et tourments.

Dans la poche de sa robe, Céline découvre une liasse de feuilles, quelque peu jaunies, couvertes d'une écriture torturée qui porte le titre de « Journal d'exil ».

« Est-ce donc cela le Nouveau Monde dont rêvent tant de jeunes âmes enfiévrées en Europe ? Cette Europe si lasse et vieille d'avoir porté seule, depuis tant de siècles, le fardeau de l'humaine grandeur. Canada, États-Unis et maintenant Barbade. Bientôt sept longues années d'absence. Chaque fois, un pas de plus dans l'obscure frénésie d'hommes et de femmes qui font fi de tout héritage, acharnés à vouloir tout recommencer comme si l'effroi de vos forêts, l'inouï de vos plaines où le soleil se couche précipitamment, l'éclat féroce de vos plages blanches et désertes où semblent battre en sourdine des tambours guerriers, comme si tout cela vous donnait le droit d'ignorer poésie, peinture, sculpture, tout ce qui enchante notre si bref passage sur terre. Ma logeuse, à Halifax, s'étonne de me voir écrire tout le jour. Entrée une fois à l'improviste dans ma chambre, elle a voulu, usant d'un ton plein de compassion, m'apprendre à tricoter !

« Ma sœur, ma sœur adorée Léopoldine, emportée à un âge tendre par la soudaine furie de la Seine, eût aimé connaître ces terres si singulières, aventureuse qu'elle était. Son souvenir me hante à toute heure du jour et de la nuit car si elle avait trouvé l'amour — et quelle vénération lui portait Charles ! — elle n'a guère eu le temps d'en profiter. Qui en est responsable ? Dieu ? La destinée ? Les forces obscures qui entravent notre existence, semant devant nos pas mille et une embûches ? Ou, au contraire, sa propre intrépidité. Je ne saurais le dire. En tout cas, mon père a eu, au moins une fois dans sa vie, ce bonheur désolant de marier sa fille, comme il l'a si joliment écrit. Quant à moi, si je suis bien vivante (et tout un chacun s'est toujours accordé, en dépit de ma maigreur, à me trouver une excellente santé physique), je suis loin, très loin, de mon but. Albert semble se jouer de moi. Tantôt il paraît très proche, presque à portée de mes mains, tantôt il se fait lointain, évanescent, quand il ne m'accable pas de sa mésestime. Qu'ai-je donc fait pour mériter semblable inconstance ? Moi à qui des hordes de prétendants, plus fortunés les uns que les autres, ont demandé la main et dans leurs plaidoyers il y avait tant d'adoration que j'en frémissais de colère. Pour qui se prenaient-ils, ces faquins qui croyaient pouvoir cueillir l'éclat de ma jeunesse ? Mon mariage ne se fera qu'avec une seule et unique personne. La seule à me mériter : le lieutenant Albert Pinson du 16e de ligne.

« Mon père s'est d'emblée montré circonspect, sinon réticent, envers cette attraction irrésistible qui n'avait de cesse de me pousser vers celui qu'il qualifiait de "fantasque officier saxon". J'ai dû quitter l'Europe à son insu, presque comme une voleuse, et je suis sûre que sa petite Dédé lui a brisé le cœur, lui qui souffre mille morts de ne pas se trouver à Paris parmi ses pairs, lui qui se morfond à Guernesey, îlot pas plus grand que la Conciergerie, cette sinistre prison où mes frères Charles et François-Victor furent, un temps, jetés. Mon père qui vit au ralenti au sein d'une population qui lui porte un grand respect sans rien connaître de ses œuvres. Qui, malgré l'affection dont nous l'entourions, vit dans la plus haute des solitudes. Solitude du poète, solitude du réprouvé surtout. Je sais qu'il n'en veut pas seulement à Napoléon le Petit mais au peuple français qui n'a pas encore daigné reconnaître son génie. Car, déterminé, dès la plus tendre enfance, à devenir Chateaubriand ou rien, il a largement dépassé son modèle.

Tout lui réussit : poésie, théâtre, pamphlet, roman. L'Europe entière nous envie un tel esprit et, pourtant, les Français l'oublient peu à peu. Flattent des plumitifs et des besogneux du vers. Des gens de lettres qui n'ont pas plus d'envergure que des garçons de ferme.

« Ah, que d'amour il nous portait, à Léopoldine et à moi, sa petite Dédé ! Et ce poème à nous dédié, ce poème qui porte ce titre d'une sublime simplicité, "Mes deux filles", que je me récite quand le désarroi menace de m'assaillir. Qui m'est une prière plus vivifiante que toutes ces litanies chrétiennes dont Annette, notre vieille servante, me voyant privée de catéchisme, avait bassiné mon enfance. Et surtout l'ultime vers de ce poème, pur joyau qui n'a de cesse qu'il me ravisse tout en m'étonnant :

Un vol de papillons arrêté dans l'extase

« Ah, si Hugo pouvait voir l'Amérique ! Comme la force sauvage qui l'habite eût trouvé à s'employer ! Je ne désespère pas qu'un jour, il traverse l'océan. Je le pressens à travers ses lettres chaque jour plus passionnées (auxquelles je me garde pourtant de répondre). Notre vieux continent est désormais trop étroit pour lui. »

Si donc, mesdames-messieurs de la compagnie, j'habite l'entièreté de mon nom, c'est par la fin qu'il convient de l'envisager si l'on veut comprendre qui je suis et le pourquoi du comment. Bàà ! Oui, Bàà avant d'être Céline et Alvarez. Nom que les douaniers ont toujours peiné à inscrire sur leurs fiches, qu'ils déforment en « Baha » ou « Bara » selon les îles et leurs parlures bien que je ne sois plus, depuis etcetera de temps, une inconnue pour personne. L'ai-je d'ailleurs jamais été ? Ma mère, Carmen Conchita Alvarez, native de Santo Domingo, la plus vieille cité des Amériques, était déjà fille de pacotilleuse et me lâchait, avec un sourire nerveux, lorsque nous devions affronter quelque avanie : « Inutile de nous affoler, *negrita mía,* partir-revenir est notre destin et rien ni personne ne nous arrêtera ! » Nous embarquions à bord de voiliers ou de goélettes qui semblaient ne pas avoir de destination définie à l'avance. Ils vous promettaient les fastes de Caracas et six ou huit jours plus tard, vous vous retrouviez sur les quais sordides de Roseau, en l'île de la Dominique où survivent les ultimes descendants des Indiens caraïbes. Ou, au contraire, bien plus au nord, dans la rutilante Havane où l'esclavage n'avait pas encore été aboli. On y voyait des Nègres en livrée, suant toute l'eau de leur corps, qui s'escrimaient à suivre au pas de course les calèches de leurs maîtres, ces derniers très fiers de leurs rouflaquettes poivre et sel, un fouet toujours haut levé à la main, considérant le monde à-quoi-dire des immortels. Ma mère et ses commères pacotilleuses avaient beau protester, exiger le remboursement de leur passage, rien n'y faisait. Les capitaines de ces navires surchargés de bœufs, de barriques de rhum et de salaisons, de caisses de morue séchée, de balles de tabac, se contentaient de hausser les épaules, l'esprit ailleurs. Que valaient ces quatre-cinq femmes et leurs paniers remplis de colifichets que l'on parquait durant le voyage dans un coin du pont avant, là où l'on reçoit en pleine figure la rudesse des vagues ?

C'est pourtant par la grâce de tels hasards que ma mère, l'Andalouse noire, s'accointa avec l'Africain Bàà. Cet événement eut lieu le 12 janvier 1812 si j'en crois son calendrier car les pacotilleuses étaient bien les seules et uniques personnes de tout l'Archipel à se soucier de l'exact du temps. Une pacotilleuse sans calendrier n'en mérite pas le titre, me ressassait ma mère. Et de fait, elle inscrivait sur le sien les lieux et les dates où elle devait s'approvisionner et ceux où elle devait effectuer ses livraisons bien qu'elle se trouvât, plus souvent que rarement, dans l'impossibilité de les respecter. Il y allait de son honneur! À ses clients — qu'elle préférait appeler « ses pratiques » — qui l'accablaient de reproches, il lui suffisait d'exhiber les encoches qu'elle y avait faites pour leur prouver que son retard n'était pas dû à de la négligence. Toutes ses consœurs ne s'en tiraient pas aussi bien. J'ai ainsi gardé en mémoire la fin tragique d'une câpresse de la Guadeloupe, Ariane, qui promettait depuis des mois à un commerçant en toilerie et quincaille de son pays un lot de coutelas de Saint-Domingue, les plus maniables qu'on pût trouver à cette époque. Leur lame fine et brillante ne glissait point sur la tige de la canne à sucre au moment de la sectionner et leur poids était très supportable pour les poignets trop frêles. Coûtant plus cher que ceux d'Angleterre ou de France, les planteurs guadeloupéens rechignaient à en importer et nombre de coupeurs de canne s'en procuraient eux-mêmes sur leur maigre solde. Le commerçant, avec lequel Ariane était emmanchée, se trouvait être le seul de toute l'île à en vendre et ne se privait pas de forcer sur le prix. Jusqu'au jour où le bateau nous déposa en Haïti et non en la ville de Basse-Terre où la câpresse était très attendue. À ce que me raconta ma mère, le commerçant hanta le port, des semaines durant, guettant notre arrivée. En vain. Sa colère finit par être connue de tous les marins qui pérégrinaient à travers l'Archipel, ses menaces aussi. Ariane n'en eut cure. Elle était sûre de son bon droit. Elle pressait son calendrier sur sa poitrine tel un protègement et déclarait à ceux qui tentaient de la dissuader d'accoster un jour dans la capitale de la Guadeloupe :

« Ma livraison était prévue pour la deuxième quinzaine de mars, ce n'est pas de ma faute si nous sommes déjà au début du mois de mai. Voyez vous-mêmes, c'est inscrit là ! »

Ma mère était fort inquiète pour sa commère. Je la surprenais la nuit à marmonner des prières à la Vierge Marie, égrenant avec frénésie un petit chapelet en argent qu'elle tenait ordinairement caché dans les replis de sa grand'robe. Carmen Conchita Alvarez était une bondieuseuse et croyait que tout ce qui lui arrivait était le résultat de la volonté divine. Elle s'adressait à Marie en espagnol, à Dieu le père en anglais ou en hollandais et à Jésus en français sans que jamais elle ne m'expliquât les raisons d'un tel choix. Certaines nuits sans lune où l'équipage s'était assoupi plus tôt que de coutume et où notre navire semblait dériver sur un immense nuage noir, je la surprenais à invoquer Papa Legba en créole d'Haïti. À l'approche de Basse-Terre, un vol d'oiseaux-mensfenils lui parut un sinistre présage. Elle prit Ariane par le bras et la supplia de ne pas mettre pied à terre. « Ma sœur, j'ai plus d'expérience que toi et je sens les choses. Il n'y a rien de bon pour toi dans les jours qui viennent. Reste à bord, nous descendrons ensemble à Castries. Là, je connais quelqu'un qui t'achètera tes coutelas à un prix raisonnable. Ariane, écoute mes paroles ! Ce n'est pas la peine de jouer à la tête-raide devant le destin. » La câpresse fit la sourde oreille. Mieux : elle se para de ses plus beaux atours, se farda, se pomponna les joues avec de la poudre couleur d'abricot-pays à la mode à cette époque-là, se chaussa de talons extravagants, de ceux que portent les jours de fête les mamzelles de petite vertu de Carthagène des Indes. Lorsque notre navire fut amarré à quai, elle alluma un imposant cigare et, entrevisageant l'équipage d'un air dédaigneux, s'écria : deux bouteilles de rhum à celui qui me débarquera mes paniers !

Puis, elle se mit à tirer sur son cigare en lâchant d'énormes volutes de fumée bleutée, première passagère à se présenter à l'échelle de coupée. Ariane n'y avait pas posé le pied qu'une détonation figea le monde d'un seul coup. Les mensfenils qui tournoyaient au-dessus de notre navire s'égaillèrent. Marins et passagers s'arrêtèrent dans une stupeur. Personne n'ouvrit la bouche pendant un siècle de temps. À hauteur de la poitrine d'Ariane, un filet de sang se mua en un flot bouillonnant qui envahit son beau corsage brodé et sa jupe d'organdi. Incrédule, elle demeura un instant immobile, la main droite agrippée au bastingage, la gauche tenant encore à mi-corps son cigare avant de s'effondrer comme une masse dans l'eau sale du port. La suite ne m'est pas connue avec exactitude. J'avais à peine huit ans quand ce drame se produisit. Ma mère m'enveloppa prestement entre ses jupes et regagna le pont avant d'où elle ne voulut point s'éloigner tant que notre navire fit escale à la Guadeloupe. Je la voyais pleurer pour la première fois, elle que j'avais toujours connue serrant les dents et bandant les muscles — qu'elle avait presque aussi saillants que ceux d'un homme — lorsqu'elle était victime de quelque macaquerie de la vie. Ainsi qualifiait-elle toutes les mauvaises passes qu'elle avait eu à subir en trente-sept années d'aller-venir. C'est ainsi qu'à ses yeux ni la Vierge Marie ni aucune autre créature divine n'était responsable du viol que lui avait fait subir deux jours durant un équipage entier qui s'était mis à s'enivrer parce que son capitaine, atteint de la fièvre jaune, était constamment alité et lui baillait des ordres contradictoires. Telle était ma mère qui disait sa bisaïeule native d'Andalousie, descendante de ces Maures qui avaient choisi de se convertir à la religion chrétienne pour n'avoir pas à retraverser le détroit de Gibraltar. Notre ancêtre, Luisa de Navarette, était princesse à la cour du roi Boabdil, commandeur des croyants, vantardisait-elle. Tous ces noms somptueux — Espagne, Andalousie, Gibraltar, Boabdil — hantaient mes songes lorsque, à la nuit venue, ma mère s'asseyait à même le sol et m'attirait entre ses cuisses pour me papilloter les cheveux. Mais tout ceci n'explique pas pourquoi je porte ce nom venu de Haute-Guinée qu'est Bàà et pourquoi, voulant parler de celui qui me l'a offert, ma parole a déviré de chemin, faisant la part belle à ma mère et à sa confrérie de marchandes caquetantes. J'y reviendrai forcément...

La Nouvelle-Écosse ne mérite son nom qu'au regard de son seul climat (encore qu'on eût dû la nommer l'Extrême-Écosse). Halifax est emprisonnée dans un impressionnant manteau de neige et de glace. Des vents violents en balayent les rues trop larges où les rares passants ressemblent à des oiseaux migrateurs en perdition. Adèle Hugo trouve à se loger dans une auberge au confort plus que fruste où les propriétaires la traitent sans ménagement, croyant avoir affaire à une native du Québec, ou pire à leurs yeux, d'Acadie, l'ancienne dénomination du pays. *Bloody frenchies!* est leur juron favori, bien qu'ils ne portent pas non plus les Américains dans leur cœur. Adèle parvient à faire tenir un billet au lieutenant Pinson dont la garnison a pourtant des airs de camp retranché. Malgré le froid polaire, des gardes britanniques, vêtus de rouge, un bonnet d'astrakan sur la tête, montent la garde à chacune de ses trois entrées, tenant les curieux à bonne distance. Ce mot, transporté contre force shillings, par le boulanger qui approvisionne le district, se veut laconique :

« Mon Albert, mon ange, ton Adèle t'a enfin rejoint. L'océan ne nous sépare plus. Je suis là à t'attendre, prête à fixer la date de notre union. Celle qui ne vit que pour toi. »

Les jours s'enfuient sans lui apporter de réponse. Elle a beau guetter, au petit matin, la charrette du boulanger, ce dernier ne lève même pas les yeux jusqu'à sa fenêtre. Il décharge ses sacs de pain avec force injuriées qui font pouffer de rire les servantes. Au début, Adèle s'adonne à une promenade dans le parc qui fait face à la caserne, à la fois pour tenter d'apercevoir Pinson et pour tromper l'ennui. Son piano lui manque, ce beau piano que son père avait fait installer dans le salon de Hauteville House et sur lequel elle jouait du Brahms avec un talent que célébraient tous leurs invités. Et ce n'est pas à dire qu'ils étaient rares ! La maison Hugo était sans cesse agitée par les visites de proscrits et de réprouvés, fuyant Napoléon le Petit ou quelque tyran d'Europe centrale, de poètes en herbe émerveillés à l'idée d'approcher le grand homme, d'officiers de marine en escale et de bons bourgeois de Guernesey, plutôt intimidés.

Adèle tapote le montant de son lit, griffe avec nervosité le rebord de sa fenêtre, murmure des oraisons de son cru en fermant les yeux. La nuit, elle se couvre la tête de son oreiller pour ne pas entendre le vacarme des ritournelles écossaises ou irlandaises qu'entonnent, dans la salle principale de l'auberge, des cohortes d'ivrognes, ouvriers des manufactures, soldats et marins mêlés. Adèle attend et son attente n'a pas de fin. Elle sait qu'Albert lui répondra, qu'il doit être en train d'envisager les détails de leur vie commune, de chercher un cottage, sans doute à l'écart de la ville, aux abords de cette sombre et belle forêt que la jeune femme n'a fait qu'apercevoir à son arrivée. Aucun doute ne la ronge tant elle est sûre de la réciprocité de leurs sentiments.

Chaque semaine, elle se rend au bureau de la société des changes afin d'y percevoir la pension que continue à lui verser son père. L'employée l'accueille toujours avec un sourire avenant mais scrute longuement le passeport de cette miss Neuville, Laure de son prénom. « *There're so many Yankee spies around here !* » (Il y a tant d'espions yankees dans les parages !) s'excuse-t-elle. Pour tromper l'ennui, Adèle tente de se procurer du papier à dessin et des crayons. On lui rit au nez. Dessin et peinture sont inconnus dans cette partie de l'Amérique ! Elle ne parvient à dénicher qu'un papier grossier à la vilaine couleur marron qui sert à emmailloter les bouteilles de sirop d'érable et quelques plumes d'écolier qui menacent de se casser pour peu qu'on appuie trop sur leur pointe. C'est qu'Adèle faisait aussi l'admiration des visiteurs qui se pressaient autour de Victor Hugo pour le talent avec lequel elle croquait bouquets de fleurs, paysages marins et, plus rarement, visages de femmes pensives tout droit sorties de son imagination. « Ma petite Dédé a hérité des pouvoirs des Neuf Grâces ! » s'exclamait Hugo, admiratif, à un auditoire sous le charme. Pourtant, Adèle se sait fort modeste dessinatrice par rapport à son père.

Adèle attend. À Halifax. Et son attente n'a pas de fin.

[À ma voyageuse

Bel oiseau couleur de l'avant-monde
qui porte l'écho de nos douleurs inapaisées
La mer est ton miroir, le ciel ton langage
S'il faut t'attendre, j'interrogerai les cernes d'or
et les promesses du devant-jour et les décombres du soir
quand soudain, tout autour de moi me rappelle
les fardeaux d'une vie
les fleurs du corossolier qui se fanent
à notre insu, ô douleur qui sourd de la pierre, féroce !
Bel oiseau chamarré de songes, ta gloire m'émeut
Elle si impalpable, si roturière que nul ne songe à la chanter
Hormis ma plume en ses élans primesautiers.

MICHEL AUDIBERT]

L'événement sans précédent qui avait poussé le détective Henry de Montaigue à quitter son cabinet pourtant florissant des Halles pour s'aventurer aux Amériques

— « Elle se trouve quelque part là-bas, avait maugréé le vieux monsieur tout en s'efforçant de sourire. Entre le Grand Nord canadien et la Patagonie, vous voyez ? » — s'était produit au jardin des Tuileries, un lieu qui n'était point dans ses habitudes mais où il avait été contraint de faire le guet pour les besoins d'une enquête. Un certain M. Robillard, commerçant en vins et liqueurs fortes, aux manières frustes d'Auvergnat, nourrissait de vifs soupçons à l'endroit de sa jeune épouse, une prénommée Germaine, avec laquelle il avait convolé l'année d'avant, en troisièmes noces, pour la raison que la demoiselle était soudainement devenue rêveuse. Non seulement il lui arrivait de se tromper dans les commandes — elle était le bras droit de son établissement — mais elle prétextait des visites à une tante âgée et percluse pour s'absenter des heures durant dans un quartier éloigné dont elle s'était toujours refusé à préciser le nom. Germaine était, en effet, quelqu'un d'une susceptibilité à fleur de peau et exigeait de son mari une confiance absolue arguant du fait, chose parfaitement vraie, qu'elle s'était liée à lui bien avant qu'il ne fît fortune. Le commerçant avait dû se résoudre à faire appel à un détective, trop occupé qu'il était pour pouvoir la filer, « sans compter qu'elle est plus maligne qu'une musaraigne », avait-il ajouté au moment de remettre à Montaigue ses premiers émoluments. Il n'avait pas tort : le détective avait mis plusieurs semaines avant de découvrir le lieu de ses rendez-vous galants. C'est que la donzelle ne s'y rendait jamais directement, s'arrêtant ici et là à la devanture des magasins, visitant des amies de chez qui elle sortait par des portes dérobées quand elle n'y demeurait pas des heures entières. Mais en final de compte, le flair aidant, le détective l'avait surprise au jardin des Tuileries avec un gandin sur le retour qui lui baisait les mains jointes contre son cœur, l'abreuvant sans doute de paroles enflammées. L'apparente froideur de la jeune femme avait dissuadé Montaigue d'en avertir tout de suite le mari cocu. Il voulait en avoir le cœur net. Dès qu'elle se trouvait aux côtés de son amant, la Germaine n'était plus la jeune femme enjouée, un peu trop bavarde à son goût, qu'il avait appris à connaître. Elle se tenait assise toute droite sur un banc du jardin, rigide même, le visage impassible, et ne répondait presque jamais à celui qui, à vue d'œil, se mourait d'amour pour elle. Il y avait là un vrai mystère que le détective s'était fait fort de décrypter, dût-il y passer des mois et le commerçant en vins s'impatienter, menaçant de se passer de ses services.

Henry de Montaigue avait donc pris l'habitude d'aller attendre le couple directement aux Tuileries, même s'il avait appris de son maître, Le Chartier, qu'il fallait se défier des habitudes de ceux que l'on prenait en filature. En effet, se sachant, le plus souvent, en faute, ces personnes cherchaient à donner le change par pur réflexe de survie, quand ce n'était pas de manière délibérée. L'épouse volage de l'Auvergnat était une experte en la matière mais quelque chose disait au détective que le digne vieux monsieur avec lequel elle avait ses rendez-vous galants n'était pas du genre à se livrer à ce genre de facéties. D'ailleurs, s'il avait craint qu'on ne découvrît leur liaison, il eût évité de la rencontrer au beau milieu d'un parc très fréquenté l'après-midi. Or — et c'était là ce qui intriguait le plus Henry de Montaigue — il ne faisait absolument pas preuve de discrétion. Bien au contraire, une fois qu'il eut chastement baisé le front de la jeune femme et caressé sa longue chevelure, il s'adressait démonstrativement à elle, se déplaçait autour du banc où elle se tenait figée, le visage subjugué, prenait le ciel à témoin, s'arrêtant brusquement dans des poses de tragédien. Le même manège six ou sept fois recommencé, pendant un bon mois, finit par lasser Montaigue, d'autant que le commerçant montrait des signes de vive impatience face aux maigres résultats qu'il lui présentait. En fait, appliquant une règle d'or de sa profession, le détective ne lui avait pas révélé l'existence du vieux beau. Tant qu'il n'aurait pas percé l'identité de ce dernier, il se devait de le présumer père, oncle ou parrain. Voire banal ami. Pourquoi pas ? Le problème, c'est que le détective n'avait aucun moyen de s'approcher du couple, sauf à utiliser un procédé grossier auquel, au terme d'un mois et demi de vaine observation, il dut se résoudre. Il acheta un bracelet à vil prix, fort ressemblant à du vrai or, et crânement s'avança vers Germaine en lui lançant d'un ton traînant et aviné :

« M'âme, elle a p't-être perdu ça, hein ?... Faut faire attention à ses bijoux par ici ! Et puis, c'est pas bien pour c'lui qui t'l'a offert. »

Les deux roucouleurs ne l'avaient pas entendu arriver à cause des feuilles mortes qui tapissaient le sol. À la grande stupéfaction de Montaigue, il découvrit que le vieil homme, loin de déverser un flot de paroles enfiévrées sur sa jeune conquête, lui récitait des vers. Oui, fichtre ! Des vers. Il reconnut sur-le-champ du Victor Hugo. Aucun doute là-dessus. Le Chartier, son maître, avait pour habitude de déclamer de vastes pans de sa poésie pour entretenir sa mémoire, invitant son jeune élève à l'imiter. Les mots que le barbon adressait à l'épouse de l'Auvergnat d'une voix de stentor, que couvraient par instants les criailleries d'enfants qui jouaient à la poursuite dans les allées, étaient les suivants :

La tempête qui fuit d'un orage est suivie.
L'âme a peu de beaux jours; mais, dans son ciel obscur
L'amour, soleil divin, peut dorer d'un feu pur
Le nuage errant de la vie.

Hélas! ton beau nuage aux hommes est pareil.
Bientôt tu le verras, grondant sur notre tête,
Aux champs de la lumière amasser la tempête,
Et leur tendre en éclairs les rayons du soleil!

Et Germaine de le regarder, yeux écarquillés, comme si elle avait affaire à un spectre. Et Germaine de se tenir immobile, coite, l'air parfaitement imbécile. Et l'homme de continuer, sans sourciller, sa déclamation, s'adressant davantage aux oiseaux mutins et aux arbres qu'à celle dont, à l'évidence, il s'efforçait de gagner les faveurs. Puis fatigué, il se laissa tomber lourdement à côté d'elle, cela au moment où Montaigue présenta à la jeune femme le bracelet. Les deux amoureux n'y virent que du feu. Elle examina brièvement le bijou avant de déclarer qu'il ne lui appartenait pas. Volage mais honnête! se dit le détective. Hugo — car celui-ci eut confirmation qu'il s'agissait du grand homme et faillit tomber à la renverse — le remercia de sa sollicitude et lui tendit une pièce de cent sous, d'un geste distrait. Montaigue était partagé entre l'excitation et la perplexité. Traversant les Tuileries à grandes enjambées, il gagna une taverne toute proche où il avala deux pintes de bière brune d'affilée. Hugo ! Victor Hugo, l'immense poète, le héros national qui était revenu d'exil avec tous les honneurs et que d'aucuns voyaient un jour prochain prendre les rênes de la France. Comment annoncer une telle nouvelle au commerçant auvergnat ? Quelle serait sa réaction ? Le croirait-il même ? Pourtant, il faudrait bien qu'il acceptât de quitter son magasin un instant pour voir de ses yeux ce que le détective venait de découvrir. Une foultitude de questions se bousculaient dans la tête de ce dernier, questions qu'il avait bien du mal à ranger dans l'ordre logique que lui avait enseigné son maître, Le Chartier. Réciter des vers et se pâmer devant une créature, certes aguichante mais parfaitement inculte, en plein jardin des Tuileries, quand on était un ancien pair de France, n'était-ce pas un défi à la raison ?

Montaigue prit la décision de différer son rapport. L'Auvergnat attendrait, foutrebleu ! Sa Germaine lui avait baillé tellement de cornes qu'une de plus ou de moins ne changerait rien à l'affaire. Il continua donc, les jours suivants, à observer la petite comédie de Germaine et d'Hugo, lequel se répéta à l'identique trois mois durant. Le vieux beau ne semblait guère faire de progrès tangibles dans son entreprise : hormis quelques chastes baisés volés au moment où les tourtereaux se séparaient, il n'y avait dans cette relation rien qui contrevînt à la morale publique. Mais un après-midi, Hugo se retrouva seul sur le banc. Le lendemain et le surlendemain, point de mamzelle Germaine. Au quatrième jour, le détective se décida à porter l'estocade. Il s'assit aux côtés du poète, faisant semblant de lire un journal.

« Encore vous ! s'exclama Hugo d'une voix cassée, nullement étonné de le revoir.

— Vous... vous êtes monsieur Hugo, n'est-ce pas ?...

— Le vieil Hugo en personne, mon bon ami ! Hugo le délaissé, Hugo le désemparé, Hugo le tourmenté ! Sans doute aurez-vous quelque peine à me croire, jeune homme, mais le chagrin amoureux est plus vif à mon âge qu'au vôtre. Bien plus vif !... À quoi cela tient-il ? Hum... Au temps qui s'enfuit plus rapidement quand on s'apprête à rejoindre les rangs des septuagénaires, je suppose. Au corps qui ne répond plus. Paupières et jambes lourdes, cœur qui s'essouffle pour peu qu'on veuille presser le pas... »

Les jours suivants, les deux hommes se lièrent d'amitié. Ou presque. Car si le poète parlait beaucoup de sa personne, il ne posa aucune question personnelle à Montaigue, persuadé que le détective n'était qu'un de ces marauds qui hantaient les parcs à la recherche d'un bon coup. À chacune de leurs rencontres, Hugo lui tendait royalement cent sous. Il avait fait la connaissance de Germaine de manière tout à fait fortuite. Par le truchement d'une sienne servante qu'il avait aussi beaucoup aimée. Il avait cherché à engager l'épouse de l'Auvergnat mais elle avait décliné son offre, pourtant généreuse, n'acceptant que des rendez-vous au vu et au su de tout le monde dans ce parc où, n'eût été le chapeau qu'Hugo enfonçait jusqu'aux oreilles et ce lourd manteau dont il relevait le col, le premier quidam venu aurait pu l'identifier. Pour Germaine, il avait accepté de prendre ce risque parce qu'elle était « appétissante », mot qu'il prononçait en appuyant sur chacun des « p » avant d'ajouter, d'une voix lourde de regrets, « à souhait ». Montaigue le trouvait pitoyable et grandiose tout à la fois. Incorrigible même puisqu'en l'an 1845, Hugo avait été surpris en flagrant délit d'adultère avec une certaine Léonie Briard, scandale qui avait fait les choux gras de la presse de l'époque. Il avait présentement l'air d'un enfant qu'on avait privé sans raison de son jouet favori, mais dès qu'il quittait le sujet de son aventure inaboutie pour parler de poésie ou du destin de la France, il devenait impressionnant.

« J'ai connu vingt ans d'exil, comme vous le savez, fit-il un jour. C'est à la fois très long et très court. Mais il y a plus dur que la séparation d'avec la terre qui vous a vu naître, c'est... c'est la perte de la chair de sa chair...

— Léopoldine était...

— Je sais, je sais ! Les journaux en ont beaucoup parlé. Nul ne peut rien contre la destinée, mon bon ami. Au début, j'en ai voulu à ce mascaret, cette stupide vague qui déferle à l'intérieur des terres, défiant les lois de la physique, mais j'ai vite admis que ma colère n'était pas fondée. Léopoldine aurait tout aussi bien pu faire une chute de cheval ou périr d'une mauvaise grippe. Ce n'est pas l'arme qu'emploie la mort qu'il faudrait blâmer mais la mort elle-même... En fait, je n'évoquais pas Léopoldine, mais sa sœur, petite sœur, Adèle. Elle porte le même nom que ma défunte femme, c'est vous dire si nous la chérissions !... Eh bien, elle s'est enfuie aux Amériques, depuis bon nombre d'années, à la poursuite d'une chimère. D'un amour, là encore, non partagé. Celui qu'elle voue à un officier britannique que, pour ma part, je n'ai rencontré que deux ou trois fois quand nous vivions à Guernesey... »

Henry de Montaigue ne pouvait laisser filer une telle

occasion : se mettre au service de Victor Hugo était un grand honneur. Un honneur incommensurable. Toutefois, le détective fut bien obligé de lui avouer qu'il suivait Germaine pour le compte de son Auvergnat de mari, ce qui, contre toute attente, déclencha un rire tonitruant chez Hugo et le guérit d'un seul coup de son accès de chagrin.

« Savez-vous, madame Bàà, non, vous ne savez pas, vous ne pouvez pas savoir que le tout premier livre de mon vénéré père se déroule aux Antilles. Bien peu de gens le savent d'ailleurs en France même, tant *Bug-Jargal* — tel en est le titre — a été relégué aux oubliettes à cause de l'éclat des *Misérables* ou de *Notre-Dame de Paris*. Pourtant, mon père a toujours chéri cette œuvre rédigée à l'âge de seize ans, à une époque où gamin insoucieux mais déjà taraudé par le besoin d'écrire, il fréquentait un café où ses petits camarades et lui avaient l'audace d'organiser des banquets littéraires. Bug-Jargal ! Rien qu'en ce mot, disait-il, ce nom plutôt d'esclave révolté, résonne toute la véhémence de l'archipel des Antilles. Sa folie. Sa rage. Sa douceur aussi. À Jersey, lors de notre premier exil, alors que mon père doutait de son destin, je l'ai plusieurs fois surpris en train de le prononcer, debout sur notre terrasse, face à la mer, comme si par la seule grâce de ces syllabes barbares, il avait le pouvoir de se transporter dans l'île de Saint-Domingue ravagée jadis par une terrible révolution. Il nous décrivait les Noirs comme des créatures étranges, à peine sortis de l'animalité, sanguinaires pour tout dire, mais dotés d'un sens de la ruse si développé qu'il pouvait dérouter nos esprits européens trop engoncés dans la froide Raison magnifiée par Descartes. Mon père manifestait un souverain mépris pour ce philosophe — Céline, sais-tu ce qu'est un philosophe ? C'est un homme qui passe l'entièreté de sa vie au coin d'une cheminée à réfléchir au sens de la vie et à bâtir des échafaudages de pensées inaccessibles au commun des mortels — car, affirmait-il, les sensations de l'âme sont mille fois supérieures aux arguties de l'esprit. Nous vivons à côté de l'au-delà sans nous en rendre compte. Des forces invisibles nous entourent — que nous pouvons approcher en faisant tourner des tables —, guident nos actions, nous tourmentent ou bien, tout au contraire, nous poussent à l'exaltation, sans que nous comprenions bien de quoi il retourne. Les Nègres, à entendre mon père, étaient la seule race à ne leur avoir pas tourné le dos et c'est ce qui expliquait que sans mousquets ni canons, sans cartes militaires ni boussoles, ils étaient parvenus à vaincre la fine fleur des grognards du Rhin. À force de l'écouter, j'avais fini par m'imaginer qu'ils étaient tantôt des géants hirsutes, tantôt des nains contrefaits tels qu'Habibrah, sorcier nègre de la cour de Bug-Jargal, ancêtre de Quasimodo, en un mot des créatures aux yeux démesurés et à la dentition carnassière, qui s'exprimaient par borborygmes, à tout le moins dans des idiomes si grotesques qu'ils étaient dépourvus d'alphabets et de grammaires. Grande fut alors ma surprise lorsque posant le pied sur la terre d'Amérique pour la première fois, à Halifax, dans cette ville du Canada où la neige semble emprisonner le ciel et la terre depuis la Création, je vis un Nègre ! Il était solitaire sur les quais, emmitouflé dans un manteau en pelisse, et faisait les cent pas d'un air martial, observant avec attention les manœuvres d'accostage de notre navire. Sa peau, plus grisâtre que noire, me surprit et ma frayeur tomba quand, descendue à terre, je le vis se précipiter sur un homme âgé pour lui faire une accolade. L'Anglais semblait fort aise de voir celui qui devait être son laquais et lui laissa bien volontiers ses valises. Ils devisèrent un bref instant avant d'embarquer à bord d'une diligence. J'ouvris toutes grandes les oreilles : le frère de Bug-Jargal parlait un anglais parfait qui eût fait rougir les habitants de Jersey et leur rude patois. Je me rendis compte plus tard qu'il y en avait beaucoup au sein de l'armée de Sa Majesté britannique et que tous n'occupaient pas des fonctions subalternes, loin de là. Occupée à retrouver le lieutenant Pinson, je finis par me désintéresser d'eux mais parfois, il m'arrivait de resonger à mon père. Victor Hugo éprouvait à leur endroit des sentiments mitigés, voire contradictoires. Son romantisme le poussait à les peindre en vaillants guerriers restés proches des forces de la nature. Son sentiment de la supériorité de l'Europe sur le reste du monde le conduisait, tout au contraire, à ne voir en eux que des êtres primitifs.

« "Bug-Jargal, soliloquait-il, j'ignore vraiment s'il s'agit là d'un vocable africain tant il résonne de manière gothique mais il s'est imposé à moi. Dans 'Bug', il y a, je suppose, la rapidité de la sagaie, le sifflement de la flèche empoisonnée et dans 'Jargal', on entend le cri primal de la bête humaine émergeant des limbes..."

« Quand Hugo voulait effrayer mon frère Charles dont le tempérament turbulent l'agaçait, il le menaçait de l'expédier au Dahomey par le premier brick qui ferait escale à Jersey. Au seul nom de Dahomey, nous frissonnions et chacun se faisait tout petit ou rentrait dans sa chacunière, car, assurait mon père, ce vocable africain signifie “maison sur le ventre” et se réfère à l’histoire d’un ancien roi nègre qui avait refusé d’autoriser à un chef de ses voisins la construction de sa demeure sur son territoire. Et le roi avait tonné : vous ne bâtirez rien dans ce royaume que sur mon ventre ! Le chef fit alors la guerre au roi qu’il tua et, sur le tombeau de ce dernier, éleva un palais. Cet endroit est devenu depuis le royaume du Dahomey. “C’est là-bas que je t’expédierai, Charles, si tu continues à nous embêter !” Mon frère obtempérait mais aussitôt qu’Hugo avait le dos tourné, il nous faisait des grimaces horribles en marmonnant : “C’est moi Bug-Jargal ! Ou-ou-ouh ! Gare à vous, je m’en vais vous dévorer tout crus !”

« Me suis-tu, Céline Alvarez ? À la vérité, mon père était dans l’erreur complète. Au Canada, les Nègres se nommaient Georges, Marck ou Vincent comme tout le monde tandis qu’ici, à la Barbade, j’ai remarqué qu’ils affectionnent les prénoms bibliques comme Abraham ou Ismaël. Aucun qui arbore un nom de la trempe de Bug-Jargal ! Et toi, Négresse, tu es devenue presque une mère pour moi. Tu es la première personne à m’écouter sans me juger. Tu ne me traites point de folle à lier lorsque je te parle de l’amour que j’éprouve pour Albert Pinson. Tu me comprends, toi qui n’as jamais mangé dans une assiette en porcelaine ni dansé le menuet. Toi, Céline Alvarez Bàà ! Et comme Bug-Jargal adressant à D’Auverney, le colon blanc, cette requête sublime : “Puis-je t’appeler frère ?”, je te réclame désormais pour mère. Oui... »

Céline Alvarez Bàà a quarante-deux ans sur sa tête lorsqu'elle rencontre Adèle Hugo divaguant sur les quais du plus grand port de l'île de la Barbade. C'est une puissante bougresse mâtinée de tous les sangs de l'Archipel, ce qui se devine au plissé de ses yeux et à ses pommettes saillantes, à sa chevelure bouclée et à ses yeux de tabac clair. Elle est née en haute mer, au large de l'île d'Antigue, selon les dires de sa mère. À quelques encablures de celle de Tobago, petite dépendance de Trinidad, bien plus au sud donc, lui murmurait son père, un bougre avare de paroles et fort cousu et secret sur le chapitre de sa vie, quand, au devant-jour, il la présentait, telle une offrande, aux premiers rayons du soleil. « C'est une chance, petite, car comme ça tu n'es fille d'aucune terre en particulier, d'aucune de ces îles que se disputent depuis des siècles Espagnols, Anglais, Français et Hollandais. Et même Danois, Suédois et, depuis peu, Américains, hon ! Ces îles où Nègres et Indiens croupissent dans une déveine éternelle. Céline, tu es fille de la mer des Caraïbes, voilà ! Elle t'appartient et tu n'auras de cesse que tu ne l'arpentes de Cuba à Trinidad sans que quiconque fasse entrave à tes pas. De Caracas à Belize, sur la terre ferme, aussi. »

La jeune femme, pour de vrai, ne se sentit jamais tout à fait à l'aise lorsqu'elle devait s'arrêter en quelque endroit plus de deux semaines. « Je n'ai pas le pied terrien », lançait-elle, agacée, à ses pratiques qui se gaussaient de sa démarche chaloupée. Dans la rue, on pouvait croire qu'elle était légèrement ivre ou qu'elle se dandinait au son d'une musique qu'elle était seule à entendre. Il était coutumier, en effet, que certaines Négresses parlent toutes seules à haute voix et entendent ou distinguent des choses cachées au commun des mortels. C'était là le don d'Afrique. La revanche d'une culture piétinée, d'un peuple mis aux fers pendant etcetera de générations. Et pour de vrai, n'arborait-elle pas fièrement ce patronyme rugueux de Bàà ?

Quand la pacotilleuse aperçoit cette créature tournoyante vêtue d'une robe d'épousailles élimée, les yeux rouge sang et la peau couverte de plaques de crasse, elle en demeure le bec coué. On est encore loin du Carnaval ! À cette époque, les jeunes Blanches de la *gentry* barbadienne pouvaient s'encanailler sans que cela leur valût le moindre opprobre. Or, juin est en train de se draper de l'écarlate des flamboyants et les nuages ont été chassés du ciel pour un bon paquet de temps. L'hivernage devrait attendre encore quelques semaines. Qui est donc cette créature au visage d'ange, à la peau si translucide qu'on distingue le violacé de ses veines ? À son accent, la pacotilleuse, experte en la matière plus que toute autre personne, reconnaît immédiatement un timbre français étrangement enrobé de vibrations américaines. La jeune fille est éplorée. Ses mots s'entrechoquent, évoquant un amour impossible, de multiples trahisons, scandant le nom d'un homme : le lieutenant Albert Pinson. La négraille, hilare, ne fait point mine de lui porter secours. Bien au contraire, elle l'accable de sarcasmes, croyant avoir affaire à une folle évadée de l'hôpital, réservé aux Blancs, de Saint Joseph Parish.

« *My father, Victor Hugo, the greatest poet of the whole universe, has forgotten me!* » (Mon père, Victor Hugo, le plus grand poète de l'univers, m'a oubliée !) déclare-t-elle d'une voix soudain rassérénée à Céline Alvarez Bàà qui, après avoir joué des coudes, a réussi à s'approcher d'elle. Les deux femmes s'observent un long moment, comme frappées par ce qui les distingue. Comme stupéfaites d'être si différentes et si proches tout à la fois. Céline Alvarez si noire de peau, de cette noirceur magnifique, celle moirée de l'obsidienne qui baille à cette couleur une sensualité telle que les plus riches d'entre les Blancs, possesseurs de plantations de plusieurs centaines d'acres, ne pouvaient y résister. Il y a aussi cette lourde chevelure également noire qui lui tombe sur les épaules, en quoi l'on devine l'Espagne du Sud, chevelure qui accompagne chacun de ses mouvements lesquels, du même coup, en deviennent presque hiératiques. Elle fixe la jeune Blanche dans le coco des yeux et lui dit : « *come with me, darling!* » (Viens avec moi, chérie !) Lui saisit le poignet, le serre très fort jusqu'à lui faire mal sans que pourtant elle ne se rétracte et, craignant de ne s'être pas fait comprendre, lui lance : « *amiga mía, ¿ qué te pasa ? ¡ Dígame, por favor ! Te ofrece la hospitalidad de mi casa* » (Que t'arrive-t-il, mon amie ? Dis-le-moi, s'il te plaît ! Je t'offre l'hospitalité de ma maison).

Les deux femmes s'entrevisagent, ensouchées dans leur stupéfaction, avant de se sourire. Le châtain des boucles de la plus jeune, son regard intensément bleu, sa taille fine, ses fesses discrètes surmontées de hanches plutôt larges, tout cela est une énigme pour la plus âgée. À cet instant, elle comprend qu'elle a affaire à une Européenne. Ici, en effet, pas un Blanc n'a été épargné par le sang des peuples conquis ou mis en esclavage, même en très faible quantité, et ce seul fait les rend très familiers, très ordinaires pour tout dire. Adèle n'est pas native d'ici-là. Céline Alvarez Bàà en est maintenant sûre. Elles se touchent enfin. Leurs deux corps s'entremêlent tandis que la foule se désintéresse de leurs simagrées pour se ruer sur un quai où viennent d'accoster des barques remplies à ras bord de poissons gigotants. Elles sentent leur cœur chamader. Les veines des tempes d'Adèle trépident, Adèle qui halète tout contre la poitrine de la pacotilleuse. On aurait juré mère et fille.

Céline s'emploie, des semaines durant, à la grimer en dame de compagnie, en l'une de ces créatures auxquelles, parce que dotées de grâce naturelle et de vivacité d'esprit, les Blancs condescendent à bailler une teinture d'éducation. Elles se vêtent à la noble, portent bas et souliers vernis, perruques et ombrelles. Leurs journées se déroulent loin des travaux serviles, à apprendre le piano et à prononcer, les lèvres pincées, des poèmes dont elles ne comprennent pas un traître mot. Il ne fut, en fait, guère difficile de faire passer Adèle pour une quarteronne, le hâle qui lui couvrait le visage après plusieurs années d'errance dans les ruelles du port de Bridgetown aidant grandement à cette supercherie. Céline a dû s'y résoudre après que plusieurs lettres de sa part à Son Excellence le Gouverneur de la Barbade furent restées sans réponse. Apparemment, ce dignitaire n'avait que faire des tribulations d'une créature, sans doute folle à lier, qui se prétendait en plus fille de Victor Hugo, un homme qui avait causé bien des soucis à la diplomatie britannique du temps où il harcelait, dans des pamphlets dévastateurs, le nouveau Napoléon qui avait pris les rênes de la France. Hugo vivait d'ailleurs sous la protection du gouvernement britannique, à Jersey ou à Guernesey — d'ici, on ne savait pas où exactement — et n'avait aucunement signalé une quelconque disparition au sein de sa famille.

2

Y a-t-il, dans tous les dictionnaires du monde, un mot plus chatoyant qu'« exil » ? La charge de grandeur mêlée de nostalgie qu'il charroie, l'aérienne prestance de ses si brèves syllabes ne peuvent être égalées. Pourtant, il ne recouvre pas exactement le même sens dans la bouche d'Adèle Hugo (pas plus que dans son Journal) et dans la mienne. C'est que l'exil est notre condition, à nous les Amérindiens-Nègres-Blancs-Mulâtres-Chabins-Indiens-Chinois-Syriens de l'Archipel. L'exil nous a créés. Aussi la plupart d'entre nous tournent-ils avec ostentation le dos à la mer, laquelle ne présage jamais rien de bon. Nos pêcheurs ne s'aventurent jamais très loin des côtes et rentrent toujours avant la nuit close. Nos gens se blottissent dans la petitesse de leurs monceaux de terre, persuadés, ô dérisoire !, d'être protégés par leurs mornes abrupts et leurs ravines obscures où gîtent serpents-fer-de-lance et araignées géantes. D'ailleurs, ils ne prononcent jamais, contrairement à nous, le mot « île » : c'est toujours « pays » qu'ils disent dans toutes les langues qu'ils se sont appropriées. *País de Cuba. Country of Barbados.* Pays-

Martinique. *Het land van Curaçao.* Il n'y a guère que les gabariers, bougres sans papa ni manman, et nous autres, les pacotilleuses, pour affronter jour après jour la trompeuse étale de la mer des Antilles. Nous formons donc une race à part. Mon père, l'Africain Bàà, originaire de Trinidad, haïssait ce qu'il n'avait de cesse de qualifier de mangeuse d'âmes. « L'Atlantique est le plus grand cimetière du monde, déclarait-il à qui voulait l'entendre. Si on était encore dans les premiers temps, à l'époque où le Nègre n'avait pas encore été tout-à-faitement souillé par les turpitudes de l'Europe, eh ben j'aurais tué mon corps sur-le-champ. Oui, j'aurais avalé ma langue à l'envers, flap ! Ou bien je me serais pendu à la branche la plus solide d'un pied de lépini. Et là, mon âme aurait retraversé les flots en un battement d'yeux pour rejoindre ma Guinée natale. »

Carmen Conchita, ma mère, esquissait un brin de sourire. Parfois, elle lui intimait l'ordre de cesser de baliverner. Ses histoires de vieux Nègre n'intéressaient plus personne ! Jamais couple ne fut plus dépareillé. Je ne m'en suis rendu compte que longtemps, très longtemps, après la mort de mon père. S'ils faisaient grand mystère des circonstances de leur première rencontre, j'ai pu, à mesure-à mesure, accoler des petits pans de récits, des paroles happées à la venvole, des soupirs ou des regrets vite réfrénés, et m'en faire une idée assez plausible. En fait, c'est le hasard qui s'ingénia à réunir leurs pas. Mon père usait son corps sur une vaste plantation de canne à sucre, dans l'intérieur de l'île de Trinidad, à une bonne trentaine de miles de la capitale où, avant cet instant fameux, il n'était jamais descendu. Du temps de l'esclavage, il coupait la canne et continua à le faire après l'abolition. « Nous n'avions plus de chaînes aux pieds et on ne nous fouettait plus, soliloquait-il, mais notre vie n'avait pas embelli pour autant. Chaque jour se répétait à l'identique. De beau matin, il fallait se rassembler dans la cour de la maison de celui que tout un chacun, par habitude, continuait à appeler le maître, et attendre les ordres d'un commandeur plus scélérat que la scélératesse elle-même. »

Bàà, mon futur géniteur, voltigea son crachat au visage de la mer la première fois qu'il lui fut donné de la contempler, sur les quais bruyants de Port of Spain. Il y avait accompagné son Maître parce que, ce matin-là, le cocher de ce dernier ne s'était pas levé de sa paillasse. Une congestion l'y avait définitivement cloué. Bàà changea donc de métier du jour au lendemain. Sa nouvelle tâche était moins rude. Habillé de propre, il ne lui incombait que de bouchonner les chevaux du planteur et de faire reluire les cuivres de son tilbury. La route, pourtant défoncée, entre Palm Plantation et la côte, lui était une manière de paradis en comparaison du mitan des champs de canne à sucre où la négraille bourriquait, sous l'accablant soleil du carême. Bàà ne cessa jamais de cracher au visage de la mer pendant les quinze années d'exercice de sa nouvelle profession. Jamais. C'est ce geste insolite qui, selon toute vraisemblance, intrigua, puis séduisit celle qui allait devenir ma mère. Le jour de leur toute première rencontre, elle demeura un bon paquet de temps à observer ce Nègre musculeux, aux traits empreints de maussaderie, qui, seul au bout du quai, se livrait à son étrange manège. Elle crut d'abord qu'il s'agissait d'un quimboiseur, un de ces mécréants qui pactisent avec les forces du Mal et qui dialoguent avec les éléments. Elle en avait connu tout un lot au cours de ses voyages. Des hougans d'Haïti qui, par temps d'orage, savent déchaîner la foudre sur la case de celui qu'ils ont choisi pour être l'objet de leur vindicte. Des *obea-men* de la Jamaïque qui font rugir leurs tambours au plus fort de la nuit jusqu'à rendre fous les honnêtes gens. Des mentors de la Martinique, êtres graves aux yeux parcourus d'éclairs, qui vous clouent sur place d'un geste satanique et s'en vont en rigolant au fond de leur gorge. Et aussi des docteurs-feuilles, des séanciers, des magiciens et des dormeuses. Des prêtres hindous aussi qui entrent soudain en transe et dansent sans se blesser sur la lame effilée des coutelas sacrificiels. Mais elle n'en avait jamais vu un seul qui insultât la mer. Car, en s'approchant de lui, à pas comptés, timide mais déjà conquise, elle surprit ses imprécations. *« Go to hell, son of a bitch! You bastard! Get out of my life! »* (Va en enfer, fille de pute! Ordure! Hors de ma vue!)

Bàà ne l'avait pas vue arriver. Il disposait d'une bonne heure, son maître étant monté à bord d'une goélette pour y discuter affaires. Inlassablement, il accabla les flots d'avanies. Et, n'ayant plus de salive, y déversa le contenu de sa vessie à diverses reprises, secouant son braquemart d'un geste méprisant. Un fou rire s'empara de Carmen Conchita, ce qui fit sursauter l'Africain. La colère, qui lui était aussitôt montée à la tête, s'évanouit dans l'instant où leurs quatre yeux se rencontrèrent. Comme l'affirme le proverbe créole : cela suffit pour que le mensonge batte en retraite. Bàà et Conchita tombèrent d'amour l'un pour l'autre sans même avoir échangé une demi-parole. Sans s'être effleurés ni touchés. Sans savoir qui l'un et l'autre pouvaient bien être. Ma mère, quand elle y songeait, se mettait à soupirer :

« Cela ne se produit qu'une seule fois dans la vie et c'est terrifiant ! En tout cas, moi, je ne l'ai connu qu'une fois, oui. »

Mon père ne comprit d'abord pas ce sentiment qui se développait en lui. Malgré lui. Au plus secret de sa personne. Au lieu de tancer l'intruse ou de lui flanquer une bonne paire de calottes, il se surprit à murmurer :

« Je vous ai fait peur, hein ?... Peur, c'est ça ? »

Là-haut, à Palm Plantation, il n'y avait point d'amour. Ce bagage-là y était de tout temps interdit qui aux Nègres, qui aux Blancs. Les premiers assouvissaient leurs désirs au détour des bois, contre un arbre ou à même le sol humide, avec la première Négresse venue et celle-ci se laissait faire, l'air stupide, muette, résignée. De toute éternité résignée. Les seconds épousaient leurs cousines pour des questions d'héritage et ne les touchaient que le temps de mettre au monde un rejeton mâle qui deviendrait l'héritier, le seul et exclusif héritier de tous leurs biens, ce petit homme fût-il le cinquième ou le sixième de la portée, le droit d'aînesse ne s'appliquant pas à l'espèce féminine. Et, à la faveur de la nuit, une fois devenus des maîtres, se glissaient dans les cases immondes des femmes de couleur pour y trouver le plaisir dont ils étaient privés dans leurs alcôves à moustiquaire. Quand la frêle race venue des Indes débarqua dans le pays après l'abolition, afin de remplacer les Nègres dans les champs de canne à sucre, leurs femmes devinrent la proie des Créoles de toutes complexions. « *Love* » était ainsi un mot sans consistance que l'on retrouvait dans ces chansons venues d'Angleterre que l'on entonnait, d'une voix machinale, les jours de fête sans bien mesurer de quoi il retournait exactement. Un mot d'Européen. Plein de joliesse certes mais fade. Personne, Noir ou Blanc, natif des îles, ne se serait jamais aventuré à prononcer l'expression « *my love* » sous peine de se couvrir de ridicule. Et c'est précisément contre quoi réagit Bàà au moment où ses yeux plongèrent dans ceux de Carmen Conchita Alvarez. Il eut le sentiment d'être grotesque, impotent, incapable de retrouver sa prestance de mâle-Nègre et bénit le ciel qu'il n'y eût personne sur les quais.

« C'est... c'est à cause d'elle... », balbutia-t-il en désignant la mer du doigt.

Voyant que Carmen ne saisissait pas où il voulait en venir, il lui expliqua, s'empêtrant dans sa plaidoirie, que les Nègres avaient vécu un calvaire de plusieurs siècles à cause de cette étendue d'eau bleu-gris qui, en son sein, recelait bien plus d'âmes en peine que le paradis et l'enfer réunis. « Car je suis chrétien », la rassura-t-il. Sur son torse nu brillait, pour-de-vrai, une chaînette en or au bout de laquelle oscillait une minuscule croix faite du même métal. Chrétien, oui ! La jeune femme résista, elle aussi, à l'attraction qu'exerçait sur sa personne celui qui lui demanda de l'appeler Bàà. « Je n'ai pas d'autre nom, madame. Bàà ! Il me vient de l'Afrique-Guinée, oui. » Elle maudit le bougre en son for intérieur. C'est que Carmen éprouvait une manière d'adoration pour la mer et ne supportait pas d'être privée de sa vue. Elle crut ainsi perdre la raison quand elle fut emprisonnée pendant deux mois dans l'île de Saba, propriété du seul peuple de l'Archipel dont elle ne connaissait pas la langue, les Danois. Dix fois, cent fois, les navires sur lesquels elle voyageait étaient passés au large de ce gros rocher sinistre qui, de loin, semblait dépourvu de végétation. Chaque fois, les hommes de bord s'étaient montrés fébriles. Pas question de s'attarder dans les parages, maugréaient-ils, quand les alizés menaçaient de tomber. Ces foutus Danois sont pires que leurs cousins français, anglais, espagnols et hollandais. Nul ne savait pourquoi ils s'accrochaient à cette terre désolée, peuplée d'iguanes, où seuls poussaient des cactus et où l'on ne trouvait ni source, ni rivière, ni or, ni argent, ni bois précieux, ni rien. Saba résonnait sinistrement dans leur bouche. Un jour, ma mère voulut en avoir le cœur net. Profitant d'une avarie à bord d'un caboteur jamaïcain, elle sollicita du capitaine l'autorisation d'emprunter une barque. Celui-ci voulut l'en dissuader, mais Carmen Conchita avait son petit caractère. Elle tempêta si fort qu'il fut bien obligé d'accéder à sa requête. Dès qu'elle mit pied à terre, dans l'unique crique de Saba, creusée à mains d'homme dans la roche, elle fut cernée par une meute de géants blonds qui, après l'avoir ligotée, lui firent escalader les trois cents marches qui reliaient le bord de mer à un étrange plateau battu par les vents et l'enfermèrent dans une geôle d'où l'on ne voyait pas la mer. Ses geôliers semblaient ne pas la comprendre. Elle eut beau passer de l'anglais à l'espagnol, du créole au hollandais. Se risquer au papiamento. S'exprimer par gestes. Se lamenter. Pleurer toutes les larmes de son corps. Rien n'y fit. Ils demeuraient tantôt impassibles, tantôt ils l'insultaient :

« *Hold mund din satans neger!* » (Tais-toi, Négresse du Diable!)

Carmen crut sa dernière heure venue. À n'en pas douter, ces Danois finiraient par l'égorger ou lui mettre la tête sur le billot. Et c'est à cet instant précis qu'elle eut l'immense surprise de découvrir que ce qu'elle appréhendait le plus, c'était moins la perspective de mourir que celle de ne pas revoir la mer une dernière fois. Elle n'eut la vie sauve qu'à la faveur d'une révolte d'esclaves qui mit Saba à feu et à sang et se jura de ne plus jamais y remettre les pieds.

« Je me suis déjà mariée un bon paquet de fois, *mister* Bàà, cela ne te fait pas peur ? » lança-t-elle, avec sa gouaille habituelle, à mon futur géniteur qui, une heure durant, s'était acharné à uriner contre la surface clapotante du bassin principal du port.

« Et je ne me suis jamais démariée, foutre !, pour la bonne raison qu'aucun de mes anciens maris ne sait que j'ai convolé en justes noces ailleurs. J'ai ainsi un homme à Cuba, un autre à Antigue et un troisième à Macaraïbo. Comme ça, tout le monde est content, ha-ha-ha ! Cela te dirait de devenir le quatrième ? Mais attention, mon bon monsieur, je ne puis jurer que tu seras le dernier. Ah ça, non ! Non, non et non ! Mon vrai conjoint est et restera toujours le voyage, et il n'est pas question pour moi de m'installer dans une case pour cuisiner-laver-repasser pour un fainéant avec deux graines entre les jambes. Cette vie-là n'est pas faite pour moi. Je suis pacotilleuse et j'ai des pratiques qui comptent sur moi dans toutes les îles et sur la terre ferme. » L'Africain Bàà, qui était avare de paroles, ne fit aucune objection, terrassé qu'il était par l'irrésistible amour qui avait germé en lui, et se laissa conduire comme un bébé jusqu'aux services municipaux où personne ne vérifia leurs papiers. Contre cinquante livres, payées moitié-moitié pour chacun d'eux, ils reçurent le précieux document attestant que désormais ils avaient lié leur vie, pour le meilleur et pour le pire, jusqu'au finissement de celle-ci. Ma mère n'en continua pas moins à driver d'île en île, même quand elle tomba enceinte de moi. Pour nous autres, oui, l'exil est notre vraie patrie.

Ma petite Adèle le voit au contraire comme une épreuve. Comme un déchirement. Elle tient un journal en secret, du moins fais-je semblant de ne pas m'apercevoir qu'à l'instant même où elle me croit plongée dans ma sieste, elle s'assied au bord de la table et griffonne, fébrilement, des pages et des pages d'un minuscule cahier rapporté de son séjour canadien. Séjour de cinq ou six années, semblait-il. Quand vient son tour de s'assoupir, je m'y plonge sans vergogne. Elle ne cesse d'y évoquer la Belgique où son père dut se réfugier au plus vite pour échapper aux foudres d'un tyran dénommé Louis Napoléon, descendant de celui qui mit Saint-Domingue sens dessus dessous. Elle parle aussi de Jersey et de Guernesey — îles dont j'ai quelque peine à concevoir les contours tant pour moi l'Europe est synonyme de continent — où sa famille trouva un semblant de havre de paix. Un bien médiocre semblant. Pour elle, hors de Paris et de ses lumières, la vie est dénuée de sens. Elle continue avec l'Amérique où elle a suivi, et poursuivi, son fringant officier anglais, avec davantage de chaleur mais sous chacun de ses mots se cache une dose d'amertume qui paraît raviver ses blessures. Finir aujourd'hui en l'île sauvage de la Barbade, au beau mitan de cet archipel de boucaniers, flibustiers et trafiquants de bois d'ébène, de Nègres et de mulâtres agressifs, d'Indiens faméliques, lui est insupportable, et c'est la raison pour laquelle elle s'est installée dans les docks de Bridgetown, telle une vagabonde, vivant de restes grappillés ici et là, se lavant à l'eau de pluie les rares fois où celle-ci tombait et ne cessant de scruter l'horizon dans le fol espoir que son amoureux s'en reviendrait la chercher. Son attente était difficile à mesurer. En fait, le désinvolte Saxon avait quitté le pays peu après la débarquée d'Adèle, se refusant à dévoiler à qui que ce soit sa nouvelle destination. Les soldats, qui avaient servi sous ses ordres à la garnison de Falstaff Mount et que j'avais réussi à aguicher, évoquèrent tantôt un séjour aux Indes, tantôt en Birmanie. En tout cas, dans une contrée située de l'autre côté du monde tant il est vrai que le soleil ne se couche jamais sur l'Empire britannique. Adèle ne peut y croire. Son Albert adoré n'aurait pu placer entre elle et lui trois océans et deux continents sans raison.

« Sans doute veut-il mettre nos sentiments à l'épreuve... », se prend-elle à murmurer en guettant du coin de l'œil mon approbation, moi sa bienfaitrice.

« Oublie-le, tonnerre du sort! dois-je m'insurger. Cet homme-là ne te mérite pas. Tu épuises ta vie à te morfondre pour lui... »

Mais la jeune Blanche ne veut rien entendre. Elle franchira fleuves, montagnes et mers, s'il le faut, elle affrontera bêtes sauvages, peuplades anthropophages et divinités maléfiques, elle ne reculera devant rien pour le rejoindre. Jamais elle n'abandonnera sa quête. Que l'univers entier le sache!

Chaque île, mystérieusement, affectionne un produit, une marchandise, une plante, un outil, des philtres et des onguents particuliers, des tissus dédaignés ailleurs. Pourtant, beaucoup de tout cela ne provient pas de l'Archipel. Toute la planète semble y déverser ses rêves. De la Chine arrivent des miroirs et des peignes en écaille de tortue dont Cuba s'est fait une spécialité. C'est pourquoi les laiderons, colporte une légende tenace, y sont plus prestancieuses que les plus belles femmes du restant des îles. De l'Inde provient le safran, la cardamome, le santal, la poudre à colombo et toutes les senteurs et saveurs qui, à Trinidad, font de chaque jour un enchantement. C'est l'île où les fils du Gange sont les plus nombreux. Mounsamy, le beau Tamoul qui arbore un point rouge entre les sourcils, loue une case à Céline Alvarez lorsque celle-ci fait escale dans ce pays. Elle le sait entiché d'elle, même s'il garde la bouche cousue et feint l'indifférence lorsqu'elle lui remet son loyer. Il a des regards haineux pour son rival non déclaré, ce gentleman d'Anthony MacAllister, lequel a fait quelques études et s'est trouvé un job de fonctionnaire dans l'administration coloniale de sa Gracieuse Majesté. Du Levant, c'est-à-dire Syrie-Palestine-Liban confondus, commencent à affluer des soieries si-tellement féeriques que les coquettes de Saint-Pierre de la Martinique osent à peine les palper. Abdelwahab El-Fandour fut l'un des premiers commerçants d'Orient à installer son commerce — un bien grand mot pour ce bout de couloir le long duquel il étalait son bric-à-brac — dans ce que les arrogants citoyens de cette île qualifient de « Petit Paris des Antilles », comparable seulement, quoiqu'en mieux, à La Havane. Il réserve toujours à Céline Alvarez ses arrivages les plus récents dont on raffole à Saint-Vincent et à Grenade. L'Europe, quant à elle, déverse dans tout l'Archipel ses encyclopédies à tranches dorées, ses montres de gousset, ses binocles, ses plumes et ses encriers, ses scies et ses marteaux, ses compas et ses règles, industrieuse à souhait.

C'est tout ce bataclan que charroie, l'année durant, Céline et sa confrérie de pacotilleuses, sans jamais se lasser, avides de découvrir et de vendre de nouveaux produits, hurlant d'une joie débornée lorsque l'une d'entre elles bute sur l'inimitable. Tel ce sablier en cristal dans lequel s'écoulait du sable jaune mordoré extrait du désert de Gobi que Céline n'avait pu arracher, malgré moult palabres, baisers et caresses, à un vieux bourlingueur chinois venu finir ses jours dans l'île de la Jamaïque. Dix fois, vingt fois, elle l'avait approché alors qu'il cuvait son rhum, tout en jouant au mah-jong, dans une taverne de Kingston. Chaque fois, le bougre avait grommelé :

« Le temps fait son œuvre, ma Négresse. Laisse-le agir! Regarde le peu qu'il me reste à jouir de la vie. Je te promets que le moment venu ce sablier sera à toi... »

Le magnifique objet trônait, insolite, sur la table bancale de l'unique pièce de la masure où l'aventurier avait trouvé refuge. Effectivement, sa partie inférieure contenait considérablement plus de sable que sa partie supérieure. Mais comment mesurer le temps échu? Céline Alvarez Bàà souffrait mille tourments dès qu'elle se savait sur le point de quitter la Jamaïque. Elle n'ignorait pas qu'une fois que Basile-la-Mort viendrait cogner à la porte du vieil homme, sa case serait pillée. Par bonheur, au terme de cinq années d'attente fébrile, la chance sourit à la jeune femme : une grippe arrache-barbe s'abattit sur le pays un jour que son bateau venait d'y accoster. Les remèdes créoles s'avérèrent inefficaces chez tous ceux qui, comme le Chinois, avaient atteint un âge canonique. Céline, venue l'assister en ses derniers instants, récupéra le sablier et le protégea avec un assemblage de papier et de toile de jute. Elle ne s'en sépara plus pendant deux ans, période durant laquelle elle bénéficia d'une chance inouïe. Mais à Marie-Galante, un planteur qui recherchait un cadeau extraordinaire pour sa toute jeune épouse — vingt-neuf ans le séparaient de celle qui n'était autre que sa filleule — en fit l'acquisition pour une poignée de louis d'or. L'affaire conclue, la pacotilleuse s'en voulut tout le restant de sa vie d'avoir cédé à la cupidité.

Ainsi donc, à côté des marchandises importées des quatre coins de l'univers, chaque île possédait aussi les siennes qu'elle fabriquait mieux que ses sœurs pour des raisons jamais élucidées. Allez savoir pourquoi la noix de muscade avait meilleur goût à Grenade qu'à Sainte-Lucie ? Pourquoi le rhum de la Martinique, qui se proclame l'Empereur des rhums, enchante le palais alors que celui de Porto Rico n'est qu'une eau-de-vie brutale qui vous coupe la respiration à la première gorgée ? Pourquoi le café de la côte Sous-le-Vent de la Guadeloupe ou le tabac de Cuba emportaient-ils toutes les faveurs ? Aucune pacotilleuse ne se posait ce genre de questions. L'Archipel était ainsi fait et il n'y avait pas de raison de penser qu'il en serait un jour autrement. Leurs pratiques, elles aussi, se comportaient en clientèle respectueuse, ne doutant jamais de l'origine des produits présentés car, comme le ressassait Céline Alvarez Bàà, après sa grand-mère et sa mère

Carmen Conchita Alvarez, l'honnêteté est le premier commandement du métier de pacotilleuse. Il existait certes quelques déshonnêtes, mais elles n'étaient que de vulgaires revendeuses, vite démasquées et aussitôt mises au ban de la confrérie.

3

Il ne faudrait pas s'imaginer que l'Archipel n'est qu'une simple tresse d'îles qui s'épaissit à mesure que l'on approche du golfe du Mexique, dessinant ainsi la route des ouragans, nom donné à la colère de l'ancien dieu caraïbe, Hurakan, aujourd'hui déchu. Il embrasse aussi tout un vaste empan de terre ferme qui va de Cayenne, remonte jusqu'au lac de Macaraïbo, en passant par Georgetown, avant d'atteindre Carthagène des Indes. De là, les routes s'arrêtent net et d'ailleurs, la mer est infestée de brigands, chercheurs d'émeraudes, réprouvés et bagnards en fuite. Pour atteindre le Panamá tout proche, nous autres, pacotilleuses, préférons donc emprunter la voie du haut, fût-elle plus longue de plusieurs milliers de kilomètres : celle qui commence par la Floride, prend ses aises à La Nouvelle-Orléans, puis descend à grand ballant vers la presqu'île du Yucatán. De là, c'est un jeu d'enfant que d'atteindre le canal que construisit Ferdinand de Lesseps et où beaucoup de Nègres des îles ont épuisé leur vie. Nos périples dépendent de l'humeur des vents, de l'état des bateaux que nous empruntons, des arrivages de marchandises d'Europe, des États-Unis et, plus rarement, du Levant et de l'Extrême-Asie. Des guerres et des révolutions aussi. Des épidémies ou des grands embrasements religieux. Ainsi l'île de Cayenne est-elle le point de départ de l'Archipel et la ville de Colón, au Panamá, son point d'arrivée. Un cercle incurvé qui, en certains endroits, approche la perfection. Un long cil torturé sur la paupière opaque de la mer des Antilles. J'avoue porter une suprême affection à ces deux extrémités de nos aller-venir parce qu'elles se ressemblent à s'y méprendre et qu'elles laissent la porte grande ouverte à l'aventure. Là-bas, en Guyane, règne la fièvre de l'or que l'on vient de découvrir au plus obscur de la forêt amazonienne et, de partout, à travers l'Archipel, déboule une nuée d'enragés, munis de pelles et de pioches, déterminés à bouleverser rivières, fleuves, forêts ou savanes pour extraire ce qui fera de leurs vieux jours une revanche sur leur jeune temps. À ma grande honte, il me faut reconnaître que je me suis, un temps, laissé tenter. Larguant paniers et amarres, faussant compagnie à mes commères sans crier gare, j'ai suivi les pas d'un bougre de Saint-Vincent, qui me sucra tant les oreilles, que je perdis le sens de la mesure. Il m'affirma qu'un de ses oncles était revenu au pays avec une pépite grosse comme le poing et que désormais tout le monde s'agenouillait devant lui comme s'il s'était agi d'un prince noir. John-Thomas — tel était le nom de mon amant — m'assura aussi qu'il avait rencontré nombre de gens qui étaient passés subitement de l'état de guenilleux à celui de nantis après seulement huit mois de travail dans quelque placer guyanais. À la vérité, je me laissai entraîner autant pour le magnétisme qui émanait de sa personne que pour la perspective de m'enrichir, moi entre les mains de qui l'argent coulait à flots et s'enfuyait tout aussi rapidement, comme si rien n'avait le pouvoir de l'arrêter. Comme si j'étais destinée à avancer dans la vie avec une main devant une main derrière.

Nous n'eûmes pas le temps de nous attarder à Cayenne. Au lendemain de notre arrivée, mon homme se précipita au bord du canal Laussat, filet d'eau fangeux qui traversait la ville de part en part et autour duquel des nuées d'hommes de toutes origines, portant pelles, pioches, marteaux, scies égoïnes et truelles, étaient agglutinés, l'air mal réveillé mais avec une sorte de feu qui couvait au fond de leurs yeux. Mes oreilles reconnurent tous les créoles de l'Archipel : l'abrupt haïtien, mangeurs de voyelles; le chantonnant guadeloupéen; le martiniquais aux élans nasillards; le saint-lucien surtout avec ses intonations saxonnes. Mais ça parlait aussi l'anglais des îles, l'espagnol et le portugais du Brésil. Cette cacophonie, loin de m'être désagréable, me réconforta. Nous n'étions point seuls dans cette aventure comme je l'avais craint! John-Thomas n'était donc ni un rêveur ni un illuminé. Ni un bavardeur comme l'avait qualifié Ginette, ma consœur pacotilleuse, qui avait désapprouvé ma soudaine conversion au métier d'orpailleur.

Des natifs de la Guyane, au créole doucereux, proposaient de nous conduire en charrette tout à l'est du pays, jusqu'à une ville dénommée Saint-Laurent d'où nous pourrions gagner les placers. Ils passaient de groupe en groupe pour vanter la vélocité et le confort de leur véhicule, se gardant bien d'annoncer le prix du voyage. John-Thomas, contrairement à la plupart des futurs chercheurs d'or, ne se perdit point en discutaillerie. La veille au soir, il avait embauché trois ouvriers, deux Saint-Luciens et un Javanais, originaire de la Guyane hollandaise, qui assuraient avoir de l'expérience mais dont la taciturnité m'inquiéta. Ils parurent surpris de me voir embarquer à leurs côtés et ne m'adressèrent pas la parole durant les trois jours que nous mîmes pour arriver à destination. Au sortir de la ville, dans l'air brumeux du petit matin, je découvris peu à peu un tout autre pays. La forêt amazonienne, austère, seulement traversée de cris d'oiseaux aux sons étranges, régnait sans partage, comme indifférente à cette longue et rectiligne cicatrice rougeâtre que dessinait la route. Elle obstruait l'horizon, ne desserrant son étreinte qu'à l'approche des fleuves que nous enjambâmes en bac à Sinnamary, puis à Mana. Nous faisions aussi des haltes pour nous reposer quelques heures ou pour avaler sans apprêts un mélange fade de farine de manioc et de viande boucanée. John-Thomas, qui était adventiste, se retirait pour invoquer Dieu. Il ouvrait une bible recouverte de cuir noir, qu'il serrait dans la poche intérieure de son paletot, et en lisait à mi-voix des passages, chose qui ne manquait pas de déclencher des regards amusés chez nos ouvriers. Puis, il s'approchait du feu que ces derniers avaient allumé et nous lançait d'un ton docte :

« Dieu Tout-Puissant veille sur nous, mes amis ! »

Pour de vrai, aucune embûche sérieuse ne vint accorer notre périple. De temps à autre, il nous fallait descendre de la charrette pour la pousser, la route étant boueuse ou parfois encombrée de souches. Je demandais parfois qu'on s'arrête à quelque crique pour me laver, chose qui n'était pas la préoccupation première de mes compagnons, mais la couleur rouge-marron de l'eau me dissuadait vite de trop y prendre mes aises. Curieusement, nous ne rencontrâmes aucune de ces bêtes sauvages — anacondas, araignées venimeuses, vampires — contre lesquelles on m'avait mise en garde. La ville de Saint-Laurent me parut majestueuse avec ses grands bâtiments en bois à étages et ses larges rues, bordées de manguiers, où se promenaient des dames créoles fort élégantes. John-Thomas était aux anges. Il loua deux cases au bord du fleuve Maroni et déclara :

« Mes amis, dans peu de temps, nous gagnerons les monts Tumuc Humac. Là-bas, l'or glisse, l'or ruisselle sur ses flancs, l'or chante ! »

Nos trois ouvriers parurent intéressés mais ne montrèrent aucun enthousiasme particulier. Ils avaient l'air d'être à leur affaire : les deux Saint-Luciens s'employèrent à acheter des vivres pour un bon mois. Du riz, du savon, du sel, des allumettes. Le Javanais s'occupa des médicaments quoique, contre la fièvre, me souffla-t-il en hollandais, cette chiennerie de fièvre qui couvait aux abords des marais, il n'y avait guère que les remèdes créoles qui pouvaient vous bailler un petit brin de soulagement. Ce temps durant, John-Thomas me fit l'amour avec application, comme si c'était la dernière fois qu'il en aurait l'opportunité. En pudibond qu'il était, il ne voulait pas que je le voie nu et ferma l'unique fenêtre de notre case. Nous berçâmes dans une sorte de nuage de sueur et de tendresse mêlées, jusqu'au soir, quand l'un des Saint-Luciens vint cogner à notre porte.

« *Bos, moun-la wivé !* » (Patron, la personne est là !)

Je ne me levai pas de la couche. La chaleur de l'amour

avait effacé comme par enchantement l'épuisement du voyage. Je me sentais ragaillardie, prête à affronter tous les dangers, heureuse pour tout dire comme je ne l'avais jamais été de ma vie. L'expression Tumuc Humac résonnait dans ma tête tel un gage de félicité perpétuelle. Comment avais-je pu passer toutes ces années qui avaient précédé ma rencontre avec John-Thomas à courir les îles avec mes paniers chargés de pacotille, sans autre espoir que de rester en vie ? Je resongeai à Ariane frappée d'une balle en plein cœur par ce négociant irascible de la Guadeloupe, sur le quai de Basse-Terre. À Maria qui avait été dix fois violée à bord et qui, à force, en avait perdu la parole et continuait le métier à la manière d'un automate. Je resongeai à toutes celles que le destin avait cruellement frappées sans que quiconque ne s'en émeuve. Notre confrérie était bien celle des « zéros devant un chiffre », comme s'en gaussait le poète Saint-Gilles. Des Juives errantes, des gitanes de la mer, voilà ce que nous étions ! Pas une seule qui pût se vanter de s'être enrichie ou tout bonnement retirée, au soir de sa vie, avec un honnête pactole.

Je remerciai John-Thomas mille fois en mon for intérieur. Tumuc Humac ! Tumuc Humac ! La porte d'entrée du paradis terrestre. La promesse d'un avenir radieux en tout cas. Des voix étranges me halèrent de mon rêve éveillé. Une langue saccadée, jamais entendue, mais pleine d'une surprenante noblesse. Je me couvris d'un pagne et sortis sur le pas de la case, vaguement inquiète. John-Thomas parlementait avec deux géants noirs, vêtus d'un pagne rouge, non loin d'une pirogue qu'ils avaient tirée sur la berge du fleuve. Dans l'obscurité, que trouait avec difficulté un flambeau porté par l'un de nos ouvriers, je distinguai l'impressionnante musculature de ceux en qui je reconnus les fameux Nègres des bois, ces Saramakas qui vivaient au mitan de la forêt à la manière africaine et dont tout le monde, à Cayenne, assurait qu'ils étaient les intercesseurs obligés entre les chercheurs d'or et les criques obscures où ce dernier se cachait. Ils étaient les maîtres de la forêt ! Les zélateurs des divinités tutélaires du fleuve ! La race pure, intouchée, non souillée comme c'était notre cas à nous, Nègres créoles, par les turpitudes de l'esclavage et la vie sur les habitations plantées en canne à sucre. La palabre entre mon amoureux et les Saramakas dura une bonne heure, à cause de la difficulté à communiquer, pensais-je, ou parce que ceux-là s'entêtaient à nous imposer un prix trop élevé pour leurs services. Je restai à distance prudente, ne voulant pas me mélanger à ces affaires d'hommes. Les femmes étaient fort peu nombreuses à accompagner les orpailleurs, m'avait-on prévenu. La plupart officiaient en tant que cuisinières ou femmes de mauvaise vie sur les plus gros placers. Final de compte, l'affaire fut conclue et John-Thomas, me découvrant à l'entrée de notre case, s'approcha de moi et me serra dans ses bras.

« Demain, *my darling*, demain, c'est le grand départ... »

Il fut l'un des tout premiers à s'aligner devant l'imposante bâtisse de la Société des mines aurifères de la Guyane. Là, des centaines d'hommes venus de tout l'Archipel quémandaient un permis de prospection, sans garantie aucune d'en obtenir un. La bible de John-Thomas lui porta chance.

Ils vont la déchirer, oui ! La chiquetailler, la déquartier, la démantibuler, l'empaler. Ils se ruent sur son corps frêle, ils arrachent sa robe de mariée. Leurs bouches dégueulent de bave mélangée à du vieux rhum de contrebande, leurs lèvres sont ravagées par les striures de la syphilis, leurs doigts ont la tremblade, leur peau, hérissée de poils entremêlés, sent la salaison. Bientôt tout le bateau se met à tanguer. Dangereusement. Les récifs, qui annoncent l'île de Grenade, surgissent brusquement à la remontée d'une vague. Adèle ne s'oppose pas à la meute. Elle les regarde faire, sans bouger, inerte, indifférente à leurs caresses immondes. Deux marins s'affairent sur ses seins qu'ils lèchent, mordillent, avalent goulûment, tout en se battant entre eux de leur main libre. D'autres fourragent sous les jupes de la jeune femme, luttent avec les cordelettes de sa gaine, en jurant dans etcetera de langues. Il y a là des Nègres de la Jamaïque, deux-trois mulâtres hispaniques, des Blancs, sans doute européens à leur dégaine mal assurée, une poignée d'Indiens du Brésil embarqués sans doute à Cayenne et qui ignorent où le bateau les conduit. Cet équipage hétéroclite est commandé par un Milord anglais, vêtu avec un soin qui détonne parmi ces créatures dépenaillées et mal lavées, qui exige qu'on lui baille du « Sir » à tout bout de champ. Sa goélette et ses vingt-cinq tonneaux de jauge transporte à vue d'œil trois fois plus de passagers et de marchandises qu'il eût été raisonnable de le faire. Le *Glory of Abraham* fait la route depuis Belém jusqu'à La Nouvelle-Orléans, cela un mois durant, chargeant ici des peaux, du tabac ou de l'or, là des caisses de morue séchée, des barriques de rhum, des ustensiles de cuisine, des coutelas, des fourches et des pelles. Déchargeant tout cela d'une île à l'autre pour recharger du sucre de canne, des balles de coton et de noix de muscade ou encore du café. Sir Archibald Highcliff notait tout cela sur son livre de bord avec une plume d'oie, debout sur le gaillard arrière, imperturbable, impérial même, qu'il fît un soleil méchant ou qu'il plût à ciel déchiré. Il affectait un mépris souverain pour l'espèce humaine, ne traitait pas ses marins blancs avec plus d'indulgence que leurs congénères de couleur, chose qui baillait à son commandement une autorité que nul ne contestait à travers l'Archipel où d'aucuns étaient prompts, à la moindre erreur de leur chef, à tenter de lui ravir ses épaulettes. Sir Archibald pouvait dormir sur ses deux oreilles : non seulement il avait l'entière confiance de la *South-America British Line* mais les pirates ou prétendus tels (en fait, d'infâmes descendants des ruffians au grand cœur du XVIIe siècle) n'osaient s'attaquer à son navire. C'est d'ailleurs pourquoi Céline Alvarez Bàà affectionnait beaucoup cet homme qui pourtant ne lui avait jamais adressé ni un regard ni une parole. À son attitude, on devinait qu'il ne faisait aucune différence entre les marchandises et les animaux qui s'entassaient sur le pont avant et les quelques pacotilleuses qui occupaient celui de l'arrière avec leurs énormes paniers trop remplis, harnachés de ficelles et de cordes. Ces dames lançaient toujours :

« On est transparentes, n'est-ce pas ? M. Archibald nous observe mais il ne nous voit pas. Ha-ha-ha ! »

— Et pourquoi nous fait-il payer alors ? » s'énervait chaque fois Ginette.

La cherté des voyages commençait à insupporter aussi Céline. On était passé de trente-deux shillings à l'époque de sa mère à trois cents. Pourtant, les affaires ne roulaient pas mieux, loin de là ! Le temps de gloire des pacotilleuses était sur le point de s'achever, était-elle persuadée, pour toutes sortes de raisons, notamment le fait que des liaisons commerciales plus régulières et plus fréquentes s'étaient établies entre les îles et leurs lointaines métropoles européennes. Fort-de-France traitait avec Bordeaux et Le Havre, Castries et Kingston avec Southampton, Aruba et Bonaire avec Amsterdam, La Havane et Santo Domingo avec Bilbao, Saint-Thomas avec Copenhague et ainsi de suite. Les quais de l'Archipel ne désemplissaient pas et en certains endroits, on y travaillait même de nuit. À côté de cet imposant négoce, le trafic des pacotilleuses avait l'air d'un « bal de fourmis ». L'expression était de Maria un jour que l'amertume de n'avoir presque rien vendu en l'île de Saint-Vincent l'avait rendue lyrique.

Le capitaine demeure impassible face à la folie furieuse de son équipage. Sans doute est-ce dû au fait que, bien qu'Adèle soit blanche, elle ne représente rien à ses yeux dès lors qu'elle fréquente de misérables vendeuses de colifichets. Il scrute l'horizon complètement vide à la longue-vue, sourd aux éructations des marins qui se battent pour palper un peu de chair, qu'ils supposent virginale, et aux petits cris d'effroi de la protégée de Céline. Cette dernière se doit d'intervenir. Elle se jette dans la mêlée en hurlant, en espagnol, anglais et créole, à cette meute puant la sueur et le rhum qu'ils n'ont pas le droit de souiller la fille du plus grand poète de l'univers. Elle cogne à droite et à gauche, tire des coups de pied, crache au visage de ceux qui se retournent. Adèle est bientôt presque nue. Ses petits seins sont tuméfiés à force d'être caressés, palpés, malaxés, triturés. Son ventre est mû par de brusques tremblades qui donnent à voir la perfection de son sexe, petite fente rose encadrée d'un triangle du plus beau noir. Céline crie en vain :

« *Leave her alone, you bastards! Esta niña no merece tal sufrimiento, me entienden? Man key koupé grenn zot ba zot, wi!* » (Laissez-la tranquille, bande de salauds! Cette enfant ne mérite pas une telle souffrance, vous m'entendez? Je vais vous couper les génitoires!)

Soudain, les marins se détournent du corps flasque d'Adèle. Dès qu'elle cesse de résister, ils perdent tout intérêt en sa personne, eux qui ne connaissent que la fornication violente. Ils s'en prennent à Céline Alvarez qu'ils renversent à son tour sur le dos mais cette fois-ci, l'Andalouse noire ne se laissera pas faire, tonnerre du sort! Elle sort une fiole d'acide de la poche ventrale de sa robe et asperge le visage des premiers à avoir posé leurs pattes sur elle. Hurlant de douleur, ils battent en retraite, bousculant du même coup leurs compagnons. Un silence étrange s'empare du pont avant du *Glory of Abraham.* Tandis que les brûlés se ruent sur des seaux d'eau pour y plonger leur tête, les autres l'entrevisagent d'un air stupéfait et menaçant tout à la fois. C'est qu'il était habituel pour les pacotilleuses d'assouvir les bas instincts de ceux qui les convoyaient à bon port tout au long de l'année. Comme une espèce de tribut à payer et à repayer pour gagner le droit d'occuper un minuscule coin de navire, à peine abrité du vent et du soleil, entre fûts de rhum, barriques de salaisons, balles de coton ou sacs de noix de muscade. L'honneur de la pacotilleuse n'est pas entre ses cuisses, ressassait sa mère à une Céline encore en apprentissage, mais dans la qualité des produits qu'elle fournit à ses clients réguliers. Trichez une seule fois sur la marchandise et vous serez déconsidérée à vie !

« *Nou ké fouté'w an lanmè !* » (On va te balancer par-dessus bord !) lui lance en créole un Nègre-rouge qui tient un morceau de cordage à la main.

« *¡ Puta de negra ! El infierno te espera* » (Salope de Négresse ! L'enfer t'attend), éructe en espagnol un Cubain ou un Portoricain au cou et aux doigts bardés de bijoux en or.

Adèle s'est redressée. Elle observe la scène, l'air lointain. Se rend-elle seulement compte que sa nouvelle mère, Céline Alvarez Bàà, est en danger de mort ? Elle rassemble les manches de sa robe de mariée, qu'elle ne veut jamais quitter, et tente comiquement de les recoller au bustier lui aussi mis à mal. Une forte odeur de sperme, mêlée aux vapeurs de gin et de rhum, embrasse le pont avant : quelques marins ont déchargé sur Adèle au moment même où ils lui empoignaient les seins. Comme si rien ne s'était passé, Céline entreprend de laver sa protégée avec de l'eau de mer. Elle la dénude entièrement et lui savonne le corps avec une lenteur étudiée, presque provocatrice, sachant les marins aux aguets, prêts à se jeter sur elles une nouvelle fois. Cela a pourtant le don de calmer leurs ardeurs et bientôt chacun d'eux regagne son poste, non sans avoir agoni la Négresse d'injuriées. Sir Archibald daigne enfin s'approcher de ce recoin du pont avant où les autres pacotilleuses, pétries d'une sainte terreur, se sont réfugiées. Aucune d'elles n'a fait mine de venir en aide à Céline, car depuis quelque temps, elles lui reprochent de rechercher les ennuis. Qu'a-t-elle à s'enticher de cette Blanche hagarde — qui l'appelle « maman » en plus ! —, visiblement dénuée de raison ? Est-ce là le moyen de faire son intéressante, de démontrer qu'elle a un cœur plus généreux que quiconque ? Ou alors tire-t-elle fierté du seul fait que la jeune fille lui obéit au doigt et à l'œil ?

« *Last time you travel on my boat !* » (C'est la dernière fois que vous voyagez à mon bord !) lâche le capitaine en jetant un regard lourd de méprisation à Adèle Hugo dont il ignore, bien entendu, la véritable identité.

Céline Alvarez Bàà n'a aucune réaction. Elle ôte à son tour ses vêtements, toujours de manière aussi lente, et frotte chaque millimètre de sa peau comme si elle voulait se débarrasser de quelque souillure. Puis, elle se met à chantonner, en français, une sorte de litanie dont personne ne comprend le sens, un long poème, à elle adressé par son amoureux, Michel Audibert, qui commence ainsi :

L'au-loin de nos corps
ciel silencieux d'avril...

L'une des pacotilleuses s'exclame :

« Notre Céline est devenue folle, elle aussi, mes chéries ! À force de fréquenter les chiens, on attrape des puces, oui !

— Ah ! Sa mère, Conchita Alvarez, je l'ai bien connue. Déjà, elle n'avait pas toute sa tête. Elle affirmait que ses ancêtres venaient d'un lointain pays, l'Andanésie... l'Andalousie ou quelque chose comme ça », fait une autre, ce qui provoque un caquètement de rires chez les autres femmes.

La Négresse andalouse n'a cure de leurs railleries. Elle avait quitté la Barbade pour la Grenade parce qu'elle savait que, dans cette île à muscade, il lui serait plus facile de trouver un bateau pour la Martinique. Aucune de ses démarches auprès des hautes autorités de la première île n'ayant abouti, elle s'était trouvée face à une redoutable alternative : ou bien tourner le dos à Adèle, la relâcher dans les ruelles sordides du port de Bridgetown, à l'endroit exact où elle l'avait recueillie quatre mois plus tôt, quand deux Nègres enragés se battaient pour sa possession, ou bien la ramener en pays français.

LE PETIT PARIS DES ANTILLES

« La seconde fille de Hugo est la plus grande beauté que j'aurai vue de ma vie. »

Honoré de Balzac
(Lettre à Mme Hanska, 1843)

4

Adèle reste indifférente aux rumeurs de l'En-Ville qui montent depuis le quartier du Mouillage et se propagent jusqu'aux premiers contreforts du Morne Tricolore. Elle se tient contre Céline l'entier du jour. Pourtant, de la fenêtre du second étage de cette grande maison en pierre de taille où les a accueillies Alexandre Verdet, riche négociant qui se flatte de connaître par cœur toute l'œuvre poétique d'Hugo, on distingue l'étonnante foule de pousseurs de charrettes chargées de fruits, de messieurs distingués en redingote qui se saluent bien bas d'un trottoir à l'autre, de dames au teint pâle, se protégeant du soleil à l'aide d'ombrelles féeriques, de marmaille en dérade qui hurle ou se lance des injuriées. Et il y a surtout cette eau qui dévale dans les dalots, cette eau qui chante, qui éclabousse, cette eau dont le murmure est si puissant qu'il parvient certains jours à couvrir les causements des passants. Ce qui explique qu'à Saint-Pierre, on parle à plus haute voix que partout ailleurs. Le ravissement que tout cela procure à l'accompagnatrice d'Adèle, Céline Alvarez Bàà, se renouvelle à l'identique à chaque escale de la pacotilleuse dans le Petit Paris des Antilles. Mais cette fois, elle le découvre sous un tout autre angle, n'étant pas seulement venue y vendre ses miroirs de poche dont raffolent les femmes-matador, ces ravageuses, mulâtresses, chabines ou câpresses, qui font profession de vouer leur corps à quelque riche négociant de la place, cela la vie durant. Ces créatures-là semblent, en effet, avoir la vie devant elle. Dès le début de l'après-midi, on les voit, parées de robes en cotonnade claire, la chevelure drapée dans des madras rutilants, qui s'accoudent à leur balcon pour rêver. Certaines fument avec affectation. D'autres devisent d'une maison à l'autre, lâchant des rires sonores, parfois égrillards pour peu qu'elles se sachent observées par quelque flâneur. À la vérité, ces femmes-matador avaient toujours représenté un mystère pour Céline. Elle ne parvenait pas à comprendre comment celles-ci pouvaient demeurer ainsi rivées à la chambre que leur louaient leurs riches protecteurs, ne faisant rien d'autre de leur journée que de s'attifer ou de se goinfrer de confiseries créoles tout en maniant leurs éventails à-quoi-dire des sultanes. Avant qu'elle n'ait pris la décision de conduire Adèle Hugo à Saint-Pierre, elle ne s'était jamais vraiment intéressée à leur existence dorée. Pacotilleuses et femmes-matador ne sont pas du même monde. Les premières n'ont de cesse qu'elles ne se gourment avec la vie. Chaque instant leur est une épreuve. Charroyer quatre-cinq paniers caraïbes pleins à craquer, voyager de bateau en bateau par n'importe quel temps, affronter l'insolence des douaniers, la rouerie des fournisseurs, louer une case à la semaine ou au mois, discutailler avec des pratiques souvent irascibles, satisfaire un concubin jaloux et tant d'autres activités ne leur laissaient pas le temps de fréquenter les concerts du « Petit Balcon » ou du « Grand Balcon », lequel recevait une clientèle plus huppée. « Car, explique Céline Alvarez Bàà à une Adèle muette et figée, notre vie à nous, les pacotilleuses est un incessant aller-venir. Nous sommes pires que des fourmis-manioc. Nous n'avons pas fait une halte en quelque endroit qu'il nous faut déjà songer à repartir. Nous n'avons pas de temps pour la rigoladerie. La franche vérité, ma petite Adèle, c'est que nous ne sommes heureuses, vraiment heureuses, qu'en pleine mer. Bon, il est juste pourtant de reconnaître que les femmes-matador sont d'excellentes pratiques, même si elles nous toisent à l'instant où nous ouvrons nos paniers et feignent de trousser le nez sur nos marchandises qu'elles tripotent, soupèsent, reniflent, grattent du bout des ongles avant de se décider. Elles ont l'argent facile. Il leur vient de leurs amants de la haute société qui, avant de regagner leurs pénates, après une journée de travail bien remplie, ne manquent jamais de les visiter. Loulouse, une chabine aux jambes longues comme le Mississippi, me fait confiance depuis au moins dix ans. C'est ma meilleure pratique. Tu m'écoutes, Adèle ? Elle me reçoit en robe du Second Empire, un bandeau en lamé autour du front, maniant avec élégance un fume-cigarette. Elle m'accable de "ma cocotte", "ma doudou-chérie", "ma Négresse à moi" sans jamais engager de vraie conversation. Loulouse semble perpétuellement ailleurs. Comme si elle se mouvait à côté de la vraie vie, hors d'atteinte de ses mauvaisetés, l'air éthéré, irréelle presque. Une lueur dorée baigne sa chambre, qui fleure bon la feuille de corossolier et qu'un lit à colonnes démesurément large occupe, ne laissant que peu d'espace à une commode en acajou surchargée d'images pieuses, de lampes éternelles, de chapelets, de poudres à joue, de boîtes de rimmel et de rouge à lèvres. Je l'imagine, assise devant son miroir toute la sainte journée en train de se préparer pour la venue de son homme. Négociant en rhum du quartier du Fort qui frise la soixantaine et que l'on dit partisan du rétablissement de l'esclavage. Membre en tout cas du "Cercle de l'Hermine" qui n'accepte que les Blancs de pure race. Au contraire de ses pairs, il débarque chez Loulouse à n'importe quel moment, la soupçonnant, ajoutent les langues vipérines, d'équivoquer derrière son dos avec un jeune bel Nègre, maître d'école de son état et donc laïc forcené. »

Saint-Pierre fascine Céline Alvarez Bàà ! Michel Audibert, son concubin d'ici-là, la lui avait fait découvrir il y a des années de cela, ruelle après ruelle, marché après marché. Il l'a même une fois entraînée au théâtre où elle a aperçu Louis Napoléon et ses officiers qui se préparaient à conquérir le Mexique. Elle éprouve pourtant une sourde appréhension chaque fois qu'elle lève la tête : la montagne Pelée, posée sur son socle puissant, observe la ville derrière sa mantille de nuages clairs. La pacotilleuse ne partage point l'insouciance des Pierrotins qui, de beau matin, la saluent, d'un retentissant « Respect sur ta tête, grand-père ! ». Elle n'a jamais pu oublier l'éruption de 1858, événement que tout le monde ici feint de n'avoir jamais vécu. La goélette, sur laquelle elle se trouvait avec ses commères Samantha et Lucilla, fut soudainement happée par un immense trou qui s'était creusé au mitan de la mer. Celle-ci était pourtant d'un calme étonnant, même lorsque le bateau eut franchi le canal de la Dominique d'ordinaire si agité. On distinguait la verdure irisée des mornes à l'en-haut des pitons du Carbet, des échappées de fumée dans la campagne émanant, sans doute, de fours à charbon de bois. Des dauphins jouaient à contourner sans cesse leur bateau et les jeunes femmes s'amusaient à leur voltiger des restes de repas. Lucilla chantonnait, appuyée mollement sur le bastingage, les yeux en attente de l'arc de cercle parfait que formait la rade de la capitale de la Martinique, déjà émoustillée à l'idée des caresses savantes que lui procurerait son nouvel amant, un certain M. Danglemont, mulâtre d'âge mûr portant beau, notaire de son état, qui rageait de ne pouvoir bailler une conduite à Pierre-Marie, son unique fils. Ils s'étaient rencontrés à la rue Monte-au-Ciel un mardi gras, alors que l'homme sortait d'une des nombreuses maisons de tolérance de l'endroit, bien protégé par un masque vénitien et des vêtements bouffants qui lui couvraient chaque centimètre de peau. Il titubait, manquant de s'effondrer dans le canal traversé par une eau babillarde qui fendait cette rue en deux parties égales. De sa bouche jaillissaient des insultes en langage créole : « Grosse salope ! cochonne ! Amandine, tu n'es qu'une grosse cochonne, voilà ! » Le contraste entre cette voix distinguée et ces propos dignes d'un gabarrier du quartier La Galère, là où la négraille survit dans la pouillerie la plus totale, fit pouffer de rire Lucilla. Un rire irrépressible, secoué par des hoquets qu'elle avait le plus grand mal à réfréner. Elle s'était écartée d'un vidé de diablesses rouges pour pouvoir pisser, ce qu'elle était en train de faire debout, jambes écartées, grandiosement impudique comme devait lui dire plus tard le sieur Danglemont. Dans les bordels avoisinants, une musique d'enfer couvrait les voix embuées de rhum et de gin des ribaudes et de leurs clients. Cela sautait-dansait-matait à qui mieux mieux comme si chacun vivait le dernier jour de son existence. Et par les rues, des bandes de Nègres gros-sirop effrayants à souhait, des marianne-la-peau-figue, des diables cornus au costume orné de centaines de minuscules miroirs qui faisaient chavirer la lumière éclatante de l'après-midi, s'en baillaient à cœur joie, engrossant l'En-Ville d'une sorte de bourdonnement qui se propageait jusqu'au quartier du Fort, sur les hauteurs, là où vivait l'aristocratie blanche créole. Une soudaine et incompréhensible impulsion attira l'un vers l'autre la pacotilleuse et le notaire. L'appel immémorial de la chair, le chant des sueurs mêlées, l'appétit des langues qui se cherchent et se fouillent, des mains avides de se tripoter. M. Danglemont s'agenouilla brusquement à l'en-bas de la jeune femme et, ôtant son masque, reçut la pluie bénéfique de son bas-ventre. Le pissat jaune doré et puissant lui pénétra les yeux, se faufila dans ses narines et sa bouche gourmande se mit à laper celle que secouait à présent ce rire titanesque qui allait sceller leur union. Le bougre fut dessaoulé net! Se redressant, il souleva Lucilla à hauteur de ses reins et s'empala en elle avec une violence qui faillit les renverser tous les deux. Il s'était à nouveau dissimulé le visage et Lucilla embrassait à présent un bout de toile en soie, ce qui lui bailla un bain d'infinie douceur. Leurs langues s'excitaient à travers cet écran sans que ni l'un ni l'autre ne fissent l'effort de l'écarter. Dès le lendemain, la pacotilleuse devait propager la nouvelle selon laquelle jamais, de toute sa vie, elle n'avait fait l'expérience d'une telle bande. Une bande de mulet, ma chère Céline! Cela dura un temps qu'elle fut incapable de mesurer. Un temps interminable en tout cas. Avant que le doge vénitien ne la repousse tout aussi brutalement et ne s'en aille rejoindre un défilé de gens déguisés en monsieur-l'abbé et en masœur qui passait dans les parages. Étourdie, abasourdie même, Lucilla demeura plantée à mi-pente de la rue Monte-au-Ciel qui portait bien son nom, n'entendant même pas les railleries et les quolibets à elle adressé par la faune d'une maison de tolérance dont on avait ouvert toutes grandes les fenêtres, chose exceptionnelle, même à l'époque du carnaval, parce que plusieurs clients, qui avaient abusé du tafia, ne cessaient de vomir comme si leur rate avait éclaté.

Le lendemain, jour de l'enterrement du roi Vaval, le mercredi des Cendres donc, Lucilla promena sa mélancolie de vidé en vidé. Elle savait qu'il était vain de tenter de retrouver parmi ces hordes de bambocheurs, vêtus exclusivement de noir et de blanc, l'homme qui lui avait labouré le corps la veille sans même lui en demander la permission-s'il-vous-plaît. Cet homme dont elle se sentait non pas éprise mais attachée par l'esprit et la chair même. Comme s'il lui avait jeté un charme. Certains ne dissimulent-ils pas de la poudre-emmener-venir sous leurs ongles que, d'un imperceptible claquement de doigts, ils lancent jusqu'aux narines de celles sur lesquelles ils ont jeté leur dévolu ? Pourtant, à la voix de celui qui l'avait sauvagement coquée, Lucilla avait deviné qu'il s'agissait d'un monsieur de bien. Peut-être quelque béké égrillard, déjà âgé mais qui s'était chargé l'estomac d'une décoction de bois-bandé. Plus vraisemblablement un mulâtre qui parlait un français empreint de gammes et de dièses et qui tout le restant de l'année ne sortait qu'en veste sombre et col à jabot. Ce genre de personne n'utilisait pas de poudres ou de charmes de vieux Nègres. Au soir du mercredi des Cendres, Lucilla s'effondra contre la fontaine de la Batterie d'Esnotz où les derniers carnavaliers se plongeaient la tête pour tenter de retrouver leur équilibre et surtout le chemin de leur maison. Elle se surprit à pleurer, elle que Céline et ses consœurs pacotilleuses accusaient d'avoir le cœur sec. Elle si pingre. Si dévouée à une seule et unique cause : gagner de l'argent, un paquet d'argent, oui, avant d'enjamber la mer pour gagner la prochaine île. « Il m'a frappée ici ! répétait-elle, désignant son giron, et c'est comme si j'avais vécu un raz-de-marée à l'intérieur de mon corps. Un sacré modèle de chouboulement, oui ! Aucune d'entre vous ne sait ce que c'est, j'en suis sûre. Sinon vous ne resteriez pas là à bavarder tranquillement à côté de vos paniers comme si vous n'attendiez rien d'autre de la vie. »

Les festivités carnavalesques achevées, Saint-Pierre retrouva comme par enchantement ses airs de grande dame affairée. Tous les magasins de la Grand'Rue avaient ouvert, plus tardivement que d'ordinaire, certes, mais la badaudaille était à nouveau au rendez-vous. Comme si rien ne s'était passé pendant quatre jours. Comme si la bacchanale qui avait mis la ville sens dessus dessous n'avait été qu'un rêve. Chacune des pacotilleuses avait recommencé à faire la tournée de ses pratiques. Laurence, la Guadeloupéenne, à la rue des Bons-Enfants. Céline à celle du Petit-Versailles. Ginette, solide bougresse aux cheveux ras et crépus, originaire de Sainte-Lucie, préférait, elle, attirer le chaland et s'installait aux abords de la place Bertin. Seule Lucilla demeura inactive. Elles la retrouvèrent au serein du crépuscule, assise sur les quais, ses paniers remplis comme au jour de leur arrivée. Immobile, muette. Elle ne voulut même pas boire du mabi au goulot comme ses commères le faisaient à la fin de leur tournée quotidienne et n'écouta que d'une oreille distraite leurs raconteries.

« Tu es en chimères ou quoi ? lui répétait Ginette, abasourdie.

— Elle songe à son beau phraseur de Caracas sans doute, raillait, pour sa part, Laurence.

— Mais non ! Peut-être qu'elle est dans ses époques. Lucilla, réponds, s'il te plaît, y a quèque chose qui te fait mal, chérie ? »

L'octavonne danoise affichait un air de maussaderie mêlée d'hébétude. Un air qu'elles ne lui avaient jamais vu. Céline décida de l'emmener dans la case qu'elle louait à l'année au pied du Morne Tricolore. Les autres se chargèrent de ses paniers qui n'avaient même pas été détachés. Lucilla n'avait rien vendu de tout le carnaval ! C'était tout bonnement incroyable, ce qui redoubla leur inquiétude. Elles la déshabillèrent et lui firent une toilette rapide. Elle n'avait pas non plus changé de vêtements, elle, en bonne morave de l'île de Sainte-Croix, si propre de sa personne ! Et en plus, madame refusait d'articuler le moindre mot. Ginette, bouleversée, proposa de faire appel à l'abbé Firmin de la paroisse du Mouillage, le seul auprès duquel elle acceptait de se confesser car, à l'entendre, tous les autres n'étaient qu'une sacrée bande de vicieux qui voulaient toujours connaître le détail de ses aventures et chipotaient pour lui bailler l'absolution. « Lucilla est envoûtée, ça se voit, foutre ! » grommelait la Sainte-Lucienne en roulant de gros yeux effrayés. Pour de bon, l'octavonne demeurait assise, droite comme un poteau, sur l'unique chaise de la case, le corps agité par une légère tremblade. Laurence s'opposa à l'intervention de l'abbé Firmin. Elle avait une bien meilleure solution : transporter leur consœur à la nuit tombée chez une dormeuse de sa connaissance qui habitait au quartier La Galère. Les affaires diaboliques se traitent directement avec le Diable, décida-t-elle, pas avec le Bondieu ! Comme il leur restait une bonne journée devant elles, elles prirent la décision d'écouler les marchandises de Lucilla. Chacune d'elles s'empara d'un de ses paniers et s'en alla voir ses pratiques habituelles, sans toutefois se faire trop d'illusions, car il n'était pas dans leurs mœurs de solliciter leur clientèle deux fois d'affilée. Il fallait, en effet, aiguiser son désir, la faire attendre, espérer leur venue, le mois d'après, voire trois ou quatre mois plus tard. Les retrouvailles étaient toujours extraordinaires. On les accueillait à bras ouverts et leur achetait tout en six-quatre-deux.

Céline jugea plus opportun de ne pas importuner ses pratiques mais de frapper aux portes des maisons cossues du Centre, prête à subir rebuffades et affronts de la part des servantes de ces mulâtres qui avaient fait fortune en tant qu'apothicaires, géomètres, avocats, médecins ou professeurs et qui regardaient sa confrérie comme la lie de la terre. S'armant de tout son courage, elle se mit à remonter la Grand'Rue, celle qui coupait Saint-Pierre en deux, et héla, depuis le trottoir :

« Peignes en ivoire de Chine, mesdames-messieurs ! lotions contre les moustiques ! chemises de nuit en mousseline ! Allez, c'est pas cher ! blagues à tabac en argent pour les gentlemen ! »

On lui claqua portes et fenêtres au nez. On l'insulta. La traita de Négresse noire comme un péché mortel. Une matrone lui dévida même le contenu de son pot de chambre sur la tête depuis le galetas de sa maison. Intrigué par son manège, un sergent de ville, à la mine peu engageante, l'obligea à déballer son panier et menaça de saisir sa marchandise si elle continuait son tapage, n'acceptant de la laisser filer que contre trois-quatre billets. Le découragement la gagnait. Pourquoi faisait-elle tout cela ? Pourquoi acceptait-elle de se faire humilier pour le compte de Lucilla qui, non seulement était d'une pingrerie à nulle autre pareille, mais se considérait comme supérieure à toutes ses consœurs à cause de son teint de cannelle ? Se serait-elle trouvée dans la position qui était la sienne présentement, il est sûr et certain qu'elle n'aurait pas bougé le petit doigt et qu'elle se serait contentée de ricaner en lâchant : « Mme Céline Alvarez Bàà joue la comédie. Ne perdons pas notre temps avec elle ! Demain, elle retrouvera ses esprits. » Pourtant, Céline continua à arpenter la Grand'Rue, stoïque, suant à grandes eaux, sous le regard mi-hostile, mi-ironique des passants. L'enseigne d'un notaire l'arrêta. Une belle enseigne dorée de forme ovale apposée sur l'entrée d'une grande bâtisse en pierre de taille peinte en jaune clair. *Maître Constantin Danglemont, diplômé de la faculté de droit de Bordeaux, notaire*, disait-elle sobrement.

Carnets d'Henry de Montaigue

Adèle est à la Martinique. Folie n'est point sottise, j'en suis convaincu à présent. Au Canada, elle avait réussi à m'amblouser par le truchement d'une gourgandine qui se prétendait son amie intime. Cette dernière n'était que fille d'auberge et, comme toutes les créatures de son espèce, avait plus d'un tour dans son sac. Sinon comment aurait-elle réussi, des mois durant, à me retenir dans ce pays glacial et venteux deux semaines après qu'Adèle l'eut quitté ? Je n'en reviens toujours pas. Je me consolais à l'idée que l'Amérique n'était pas Paris. Qu'ici l'Européen fraîchement débarqué perdait vite le sens de l'orientation et surtout celui des réalités. Pourtant, la piste était facile à tenir : il suffisait de coller aux basques de son beau soldat anglais. Enfin, beau ! Tous les goûts sont dans la nature, dit-on. À mon humble avis, ce grand Saxon au visage couvert de taches de rousseur et aux dents proéminentes n'avait d'allure qu'en uniforme. En tenue de ville, dans la taverne qu'il aimait à fréquenter, là où à maintes reprises, je pus l'approcher de très près, il n'était plus qu'un braillard parmi tant d'autres, éminent avaleur de pintes de bière brune devant l'Éternel.

Jamais je ne l'ai entendu parler d'une sienne dulcinée avec ses camarades de beuverie, qu'ils fussent soldats comme lui ou gens du cru. L'homme avait l'amitié facile. Il suffisait qu'il aperçût quelqu'un seul à une table pour qu'il l'invitât à rejoindre sa bande. Je ne trouve pas de mot plus exact pour décrire cet assemblage d'Irlandais débraillés qui s'expri-

maient souvent en gaélique, de trappeurs canadiens au regard perçant (ce qui dénotait quelque ascendance indienne), d'employés de l'administration britannique et de catins harnachées de robes et de jupons extravagants qui virevoltaient, à la demande, sur les genoux de chacun. Tout ce beau monde s'esbaudissait le vendredi et le samedi soir à la taverne O'Brady. Cette dernière comportait des chambres à l'étage où s'éclipsaient de temps à autre des couples rapidement formés et tout aussi rapidement défaits. Saouls comme ils l'étaient, la plupart d'entre eux n'avaient sans doute même pas le temps de déboutonner ces dames que leur membre viril rendait l'âme, quand il ne demeurait pas désespérément en berne. J'avais appris à mes dépens, à Paris, qu'il fallait toujours conserver la tête froide en de semblables circonstances.

D'emblée, il m'apparut que le lieutenant Pinson se méfiait de ma personne. La première fois qu'il prit conscience du fait que je fréquentais régulièrement la taverne, il me gratifia d'un clin d'œil complice en tapotant sa bouteille de Guinness, mais pour mon malheur, le tavernier me lança, au même moment, un salut tonitruant, me désignant au passage sous le nom de « Frenchman ». Cela eut pour effet de refroidir sur-le-champ l'officier anglais. Son regard se perdit dans le vague. Comme s'il venait de se plonger dans une profonde méditation alors même que ses camarades commençaient à arriver et à se congratuler de manière démonstrative comme à leur habitude. Aucun d'eux ne s'intéressa au client solitaire que j'étais. Je me mis à épier le groupe qui s'installait toujours à la même table, celle qui était la plus proche du comptoir et où on était le plus promptement servi par la fille du tavernier. Une fort accorte bougresse d'une vingtaine d'années qui, régulièrement, me lançait d'un ton ironique « Are you sad, gentleman ? » *(Vous êtes triste, monsieur ?). Je me contentais de lui sourire. Elle serait peut-être celle qui me permettrait d'approcher Pinson qui faisait le geste de la gamahucher dès qu'elle se penchait pour le servir, chose qui n'avait nullement l'air de la déranger puisqu'elle se suspendait à son cou qu'elle léchait avec une obscénité accomplie. Le tavernier, pour sa part, éclatait de rire. Nous étions bien dans le Nouveau Monde. Celui dans lequel chacun était prêt à brader ce qu'il avait de plus cher pourvu qu'il en escomptât quelque bénéfice. Apparemment, la gouaille de la serveuse était, après l'alcool et les catins, l'un des plus sûrs atouts de cet établissement.*

Un après-midi du début de semaine, moment où j'étais quasi assuré de n'y trouver que quelques vieux chercheurs d'or remontés du Mississippi les mains vides (tout le monde vantait ici cette mystérieuse contrée du Sud où, à les en croire, il suffisait de pelleter le moindre flanc de colline pour découvrir un filon), je me décidai d'entreprendre Lorie. Curieux prénom ! Il me faisait penser à « loriot » bien que la serveuse du O'Brady n'eût rien de frêle ni de timide. Elle avait des bras et des cuisses fermes, très blanches mais appétissantes, et son visage, légèrement masculin, n'était pas dénué d'attrait. Pour cela, il lui suffisait de sourire, ce qui, fort heureusement, lui était une seconde nature. D'ailleurs, à l'inverse des catins, je ne l'ai jamais vue se fâcher ni protester contre les privautés que se permettaient les clients. Je lui offris un whisky, puis deux, sans qu'elle se décidât à s'asseoir à ma table.

« I don't like sad men ! » *(J'aime pas les hommes tristes !) s'écria-t-elle en me portant mon troisième whisky.*

Je retrouvai aussitôt mon aisance d'arpenteur des pavés parisiens, du moins autant que me le permettaient mes connaissances en argot anglais. Lorie s'esclaffait devant cer-

taines expressions qui n'avaient sans doute pas cours au Canada, me les faisant répéter à haute voix pour que son père, occupé au comptoir, pût partager son hilarité. À lui aussi, je finis par devenir sympathique puisqu'il cessa de me saluer d'un bref mouvement du chef quand je pénétrais dans son établissement pour m'accueillir avec un vigoureux :

« Welcome to the O'Brady, young man! Have a seat! Your first drink is on me. » *(Bienvenue au O'Brady, jeune homme! Asseyez-vous! Votre première boisson est pour moi!)*

Il me fallut une poignée de semaines pour apprivoiser complètement sa fille. Elle m'avoua que tout un chacun s'interrogeait sur ma personne, vu que je n'avais pas l'air d'un de ces aventuriers qu'attiraient les mirages de l'or, or qui, à l'entendre, n'avait jamais existé dans les parages autrement que dans les menteries d'Indiens haineux envers les Blancs. Ces sauvages les incitaient à les suivre loin des villes pour les assassiner, non sans les avoir détroussés. Le printemps venu, on retrouvait ainsi des corps presque intacts, flottant sur les fleuves, le visage défiguré à coups de pioche. Lorie rendait bien leur haine aux Indiens auxquels elle interdisait l'accès de la taverne O'Brady. Seuls les métis trouvaient parfois grâce à ses yeux à condition tout de même qu'ils ne fussent pas regardants à la dépense. Elle ne portait pas non plus les Français du Canada dans son cœur, mais les distinguait des Français d'Europe qui, à ses yeux, représentaient le comble de l'élégance et de la distinction. J'eus donc l'honneur de partager la couche de Lorie. Ce n'était pas un mince privilège, me firent savoir les habitués de la taverne dont certains cherchaient à gagner ses faveurs depuis des lustres. Lorie se laissait volontiers tripoter par eux sans doute parce qu'elle considérait que cela faisait partie de ses obligations, mais ne leur permettait pas de s'aventurer jusqu'à son intimité.

« Le lieutenant Pinson ? me fit-elle un jour. Bel homme ! Dommage qu'il soit sur le point de se marier... »

Je ne poussai pas mon avantage plus avant. Il me fallait réfléchir. Le père d'Adèle en avait-il eu vent ? La jeune fille elle-même le savait-elle ? D'où peut-être sa fuite éperdue au Canada dans l'espoir d'empêcher cette union. De reconquérir celui qui lui avait chamboulé le cœur à Guernesey. Je ne parvenais pas à me faire une opinion sur le sujet. Et surtout Adèle était introuvable ! Il est vrai que j'avais mis plus d'énergie à pister l'objet de sa passion qu'elle-même. La caserne dénommée Bedford était facile à trouver et, lors de la relève de la garde, il arrivait que le lieutenant Pinson commandât une petite troupe qui avançait au pas de l'oie. Quant à la taverne O'Brady, elle n'était qu'à deux rues de là. Je m'étais donc laissé aller à la facilité, ce qui n'était pas dans mes habitudes. Qu'on apprît sur la place de Paris que j'étais en train de gaspiller les deniers du grand Hugo en Amérique et c'en serait fait de ma réputation de fin limier ! Je hantais les bas quartiers de Halifax, fouillais tous les hôtels borgnes et les bouges où les parties de poker s'achevaient parfois à coups de pistolet. Rien n'y fit. Point d'Adèle Hugo. En fait, c'est le hasard — grand allié des gens du métier — qui me permit de la repérer. Elle s'était tout bêtement installée dans une maison d'hôtes, dépourvue d'enseigne, qui faisait face à la caserne de son amoureux. Un jour de relève de la garde, j'aperçus un visage caché par une capeline beige qui se penchait à l'une des fenêtres pour mieux observer les soldats. Cette lourde tignasse noire, ces joues d'ivoire, ce regard fixe, ces doigts fins qui me semblaient trembloter, tout cela appar-

tenait à une seule personne : celle dont je n'avais eu cesse de contempler le portrait miniature que m'avait confié le poète.

On me fit barrage à la maison d'hôtes. Tout était complet et il n'était pas d'usage de révéler au premier venu les noms des clients. C'était un établissement respectable et ceux qui le fréquentaient exigeaient la plus grande discrétion. J'usai de toutes les ruses possibles afin d'amadouer la patronne, Mrs Saunders : fleurs, confiseries, compliments, proposition d'aide pour repeindre son établissement. Au bout de trois ou quatre assauts d'amabilité, elle finit par céder et m'autorisa à consulter le cahier bleu dans lequel elle inscrivait les noms de ses clients. Son rustre de mari pouvant surgir d'un moment à l'autre, il me fallait me dépêcher. George H. McMillan, Richard Glover, Sue D. Preston, Laure Neuville, Edward Fieldcox, etc. Les noms défilèrent sous mes doigts sans jamais trouver celui d'une certaine Adèle Hugo. Soudain, une grosse voix masculine, dans mon dos, me recommanda de ne plus remettre les pieds en cet endroit, m'arrachant le cahier des mains. Mr Saunders était une brute et je me le tins pour dit. Il me suffirait de faire le guet depuis le trottoir d'en face, derrière un journal largement déplié. Adèle sortirait bien à un moment ou un autre de la journée! Elle ne pouvait pas se tenir cloîtrée dans cette austère bâtisse aux volets toujours fermés. Pourtant, j'eus beau grelotter de froid des jours durant dans les parages, point d'Adèle! Et comme si elle avait deviné ma présence, elle ne se penchait plus à sa fenêtre pour observer la relève de la garde mais se contentait d'écarter les rideaux. De guerre lasse, je dus me rabattre sur le O'Brady où le futur marié enterrait chaque fin de semaine sa vie de garçon, montant parfois à l'étage avec deux ou trois catins éméchées. Lorie me lâcha, au détour d'une conversation, que sa promise se nommait Élisabeth et qu'elle appartenait à l'aristocratie anglaise par son père, sa mère étant fille de colons. Ils vivaient dans un quartier excentré, Harding Gardens, celui-là même où le gouverneur de la province avait sa résidence.

« Je ne l'ai aperçue qu'une fois, me fit Lorie. C'était à l'occasion d'un défilé militaire sur Lancashire Alley. Elle était à la tribune avec son père. Beau brin de fille ! »

Pour ce qui était d'Adèle, la serveuse du O'Brady haussa les épaules. Tant de pauvresses débarquées d'Europe à la recherche d'un avenir meilleur débarquaient au Canada, finissant immanquablement dans les boxons qui jouxtaient le fleuve. Des Allemandes à la voix rauque, des Italiennes noiraudes et querelleuses, des Irlandaises mal dégrossies et une poignée de Françaises dont la réputation en matière d'ébats charnels n'était plus à faire. « Des Adèle, il doit y en avoir des dizaines à Bloomington Street ! » ricana Lorie. Elle voulut savoir si la mienne était ma sœur, une amante qui m'avait dédaigné ou alors quelqu'une qui me devait de l'argent. « On fuit beaucoup en Amérique pour ne pas payer ses dettes, tu sais ! » Je mentis. Lorie se contenta de mon mensonge. Elle ne s'attardait jamais très longtemps sur le même sujet et chaque fois qu'il m'arrivait de reparler d'Adèle, m'efforçant d'adopter le ton le plus neutre possible, elle glissait sur autre chose. L'air de rien. Les jours passaient et je n'avais pas grand-chose à mettre sous la dent d'Hugo. Hormis ma première lettre enthousiaste dans laquelle je lui annonçais fièrement que j'avais retrouvé sa chère fille, je ne lui adressais plus que les mêmes banalités. Il finirait par se lasser et je n'aurais plus qu'à rentrer queue basse sur le Vieux Continent. Je me résolus alors à entreprendre le lieutenant Pinson. Il ne fut pas facile à extirper de son groupe de bambocheurs effrénés. Je prétextai l'intention de m'enrôler dans l'armée de sa Gracieuse Majesté, chose qui attira son attention.

« Nous avons le plus grand mal à recruter sur place, me déclara-t-il. Tous nos soldats ou presque viennent d'Angleterre, ce qui n'est pas une bonne chose. Les Canadiens refusent de servir le drapeau. Ils n'ont qu'une obsession : l'or et les fourrures ! Davantage les fourrures que l'or d'ailleurs car avec ce climat, cette neige qui dure neuf mois sur douze, il est difficile d'ouvrir une mine. C'est pourquoi votre pays n'a pas hésité à troquer ses possessions canadiennes contre la minuscule île de Saint-Domingue. Ha-ha-ha ! Il paraît que le sucre de canne vaut toutes les épices du monde... L'exagération est votre fort, vous autres, Français !... »

Je n'osai lui avouer que la première fois que j'avais goûté au sucre d'érable, j'avais eu la désagréable impression de retrouver les horribles breuvages que préparait ma grand-mère en guise de purges, là-bas, au village de Fortenelle. Deux fois par an, il lui fallait débarrasser ses petits-enfants des prétendus vers qui grouillaient dans leur ventre ! Je félicitai Pinson de ses futures épousailles. Il sursauta. Perdit pour la première fois de sa superbe. Il voulut à tout prix savoir qui m'avait informé de la chose, mais je réussis à ne pas trahir Lorie. Le lieutenant, de ce jour, me sembla fort inquiet et ne s'employa plus à me vanter les charmes de la vie dans les garnisons britanniques. C'est à peine s'il répondait à mes salutations et ne s'écarta plus de sa table, toujours assaillie par une meute de galope-chopine. Je commençais vraiment à désespérer lorsqu'un matin, quelqu'un frappa à la porte de ma chambre. Un papier y fut promptement glissé. Quand j'ouvris, le couloir était vide et seuls des pas empressés dans l'escalier m'assurèrent que je n'avais point rêvé. Le papier disait, en lettres malhabiles :

« Your Adèle has left for South-Carolina. » *(Votre Adèle est partie en Caroline du Sud.)*

Adèle n'avait cessé de déparler. Jour et nuit, ses lèvres baveuses étaient animées d'un mouvement frénétique qui la rendait hideuse par moments et qui avait le don d'effrayer Céline Alvarez Bàà, femme qui pourtant en avait vu bien d'autres au cours de son aventureuse existence. En effet, très vite, le bruit s'était propagé à travers la Barbade entière qu'elle hébergeait une jeune fille blanche qui ne possédait pas toute sa raison. D'aucuns en vinrent à soupçonner la pacotilleuse de l'avoir mise sous sa coupe à l'aide de philtres maléfiques, dans le but de la livrer aux assauts des marins en rut qui, dès qu'ils avaient forcé sur le rhum, cognaient à la première porte venue en quête de chair fraîche. Au vrai, on ne s'en offusquait guère au sein de la négraille, un peu de semence blanche étant toujours la bienvenue dans une île où la couleur noire était signe de déchéance absolue. Tout au long des baraques qui jouxtaient le port de Bridgetown, on pouvait voir de fières matrones portant d'un bras un bébé au teint café au lait et de l'autre un sac ou un panier dans lesquels elles serraient leurs maigres emplettes. La case que louait Céline ne payait pas de mine : elle arborait une véranda à moitié effondrée ainsi qu'un toit en tôle ondulée que maints cyclones avaient arraché. Toutefois, son intérieur était d'une propreté étonnante. Ses meubles étaient lustrés, ses vêtements bien rangés contre les cloisons grâce à des clous et la petite table qui trônait au mitan de la pièce principale était décorée d'une bouteille qui faisait office de vase à fleurs. Céline y mettait des bougainvillées, des anthuriums, des roses de Cayenne, et parfois, quand son humeur était sombre, des chrysanthèmes. Elle avait d'abord divisé la seconde pièce, plus exiguë, en deux parties égales à l'aide d'une tenture en madras rouge, de façon que sa protégée eût son chez-soi, mais très vite, cette dernière avait déserté sa couche pour venir se lover dans ses bras. Les deux femmes dormaient ainsi, enlacées, la Négresse ne fermant guère l'œil de la nuit, attentive au vacarme des marins en bordée qui hantaient les ruelles des alentours, la Blanche enfoncée dans un profond sommeil qui lui baillait l'air d'un nouveau-né. Céline sentait la petite poitrine d'Adèle battre doucement contre la sienne, ses tétons la caresser et elle en éprouvait un trouble qui la laissait songeuse. Au devant-jour, bien que la jeune fille ne semblât point encore avoir émergé des limbes, quoique ses joues fussent d'une blancheur presque cadavérique, de ses lèvres à peine entrouvertes jaillissaient brusquement toujours ces mêmes paroles qui arrachaient quelques larmes vite essuyées à la Négresse :

Dans le frais clair-obscur du soir charmant qui tombe,
l'une pareille au cygne et l'autre à la colombe,
belles, et toutes deux joyeuses, ô douceur!
Voyez la grande sœur et la petite sœur
Sont assises au seuil du jardin...

Adèle, dans ses moments de lucidité, exigeait qu'elle mît ses connaissances au service de la seule cause qui lui importait : retrouver où le régiment du lieutenant Pinson avait ses quartiers. Bien que l'île de la Barbade fût de dimension réduite et totalement dépourvue de montagnes, l'état pitoyable de ses routes transformait chacune de ses paroisses en des sortes d'enclaves et on pouvait y passer une vie entière sans jamais se connaître, l'univers de la plupart des Nègres étant limité à la plantation et à ses champs de canne à sucre à perte de vue. Une chose était sûre en tout cas : le régiment de l'amoureux d'Adèle ne se trouvait pas dans la capitale ni dans ses environs immédiats. Céline les avait arpentés sans relâche en pure perte. Le temps passait et l'état de la jeune fille s'aggravait dangereusement. Quand la pacotilleuse la laissait seule pour s'en aller vendre ses marchandises, elle se mettait à hurler des heures entières, ce qui rameutait le quartier et ne tarderait pas à leur valoir la visite de la police. Céline la retrouvait couchée par terre, à même le plancher rugueux, repliée sur elle-même, sa robe trempée d'urine et parfois d'excréments, secouée par des hoquets ou des sanglots. Dès que la jeune fille l'apercevait, elle braillait :

« *Have you found my darling? Have you found him?* » (Avez-vous trouvé mon amoureux? L'avez-vous trouvé?)

Le mutisme de Céline déchaînait l'ire d'Adèle qui se jetait brusquement sur elle et se mettait à l'égraphigner et à la rouer de coups de poing et de pied. La pacotilleuse acceptait tout cela avec stoïcisme. Hormis sa mère, elle n'avait vraiment aimé personne, son père étant parti trop vite, son visage s'étant mué en une ombre qui certes la hantait mais sur laquelle elle était incapable de mettre des traits précis. Elle savait seulement que c'était un beau

Nègre. Ce qui fait que chaque fois qu'il lui arrivait d'en croiser un qui eût un certain âge, au cours de ses pérégrinations insulaires, elle s'arrêtait, comme interloquée, se demandant s'il ne s'agissait pas de lui, car elle n'avait jamais pu s'habituer à l'idée de sa mort. Elle préférait l'imaginer en amant volage qui, sur un coup de tête, s'en était allé un beau jour, un baluchon sur l'épaule, en direction de ce pays qu'il affectionnait sans jamais l'avoir vu : le Mexique. Carmen Conchita Alvarez l'avait ainsi révélé à Céline :

« Ton père avait un rêve qui ne le lâchait pas, oui. Un rêve étrange que moi, je ne partageais point. Il voulait remonter tout à l'en-haut de l'Archipel pour vivre parmi les Aztèques, loin, très loin du monde des Blancs. J'avais beau lui seriner qu'il s'agissait depuis fort longtemps d'une race dégénérée, il ne voulait rien entendre... En fait, cette lubie lui est venue du jour où j'ai fait le malheur de lui ramener une statuette en obsidienne que j'avais achetée dans la presqu'île du Yucatán... »

Céline enviait Adèle en secret d'avoir un père, quoique cette dernière lui eût déclaré qu'Hugo lui avait toujours préféré sa sœur aînée, Léopoldine, tragiquement décédée. La pacotilleuse s'était juré de lui ramener sa fille, dût-elle secouer la terre entière. Dût-elle sacrifier sa propre personne, sacrifier même sa vocation de charroyeuse de marchandises de l'univers entier. Mais comment retrouver le lieutenant de Sa Gracieuse Majesté compte tenu du fait que l'île de Barbade, épicentre de la colonisation britannique dans les Antilles, ne comptait pas moins de sept garnisons ? Garnisons bien gardées, retranchées dans des forts aux hautes murailles de pierre datant des premiers temps de la colonisation. Il n'était pas question que Céline fît le tour de l'île ni qu'elle se servît de sa profession en guise d'alibi. Les casernes étaient fermées aux pacotilleuses. Tout ce dont celles-ci avaient besoin provenait directement d'Angleterre, hormis les fruits et l'eau douce. Samantha, une de ses consœurs, originaire de l'île d'Antigue, et elle-même en avaient fait la triste expérience une quinzaine d'années plus tôt lorsque, fraîchement installées dans le métier et toutes guillerettes, elles s'étaient mises à frapper aux portes des demeures cossues des riches Blancs. Au tout début, la valetaille de ces messieurs trouva son bonheur dans leur déballage de peignes en ivoire, de vaseline, de miroirs argentés, de hausse-seins roses et de jarretelles affriolantes en provenance directe du Vieux Carré de La Nouvelle-Orléans. Mais un maître irascible décréta que ces allées-venues contrevenaient à la décence publique et contrariait la bonne marche des travaux ménagers, distrayant par trop couturières, repasseuses, cuisinières et autres nounous qui n'en demandaient pas mieux. Un édit fut pris interdisant le colportage dans les quartiers des Blancs sous peine d'emprisonnement ou d'expulsion pour les pacotilleuses de nationalité étrangère. Samantha et Céline décidèrent alors de se rabattre sur les trois principaux forts de la région de Bridgetown, opération pour le moins hasardeuse, puisque les femmes y étaient rares. S'habillant en dimanche, elles se présentèrent un beau matin à l'entrée de Fort Williamson où une sentinelle les accueillit avec une surprenante débonnaireté. L'homme les aida même à descendre les lourds paniers qu'elles portaient en équilibre parfait sur la tête, bras ballants. La grande cour intérieure du bâtiment était curieusement silencieuse. Pas le moindre claquement de botte, aucun cliquetis de fusil que l'on remonte. Décontenancées, les deux femmes s'assirent sur leurs paniers, la main sous le menton, attendant que les soldats veuillent bien se manifester. À la vérité, Céline était plutôt embarrassée ; qu'avait-elle à offrir à la gent masculine ? À des soudards en plus. Des pots de vaseline pour dompter les cheveux et les faire briller. Du cirage noir. Rien d'autre. Tout le reste n'était que babioles, bijoux, robes à fanfreluches, bref tout juste ces pretintailles dont raffolaient les femmes. À l'instant où elle s'apprêtait à faire remarquer à sa consœur l'incongruité de leur position, les portes des chambres s'ouvrirent violemment et des grappes de jeunes gens déchaînés, vêtus de caleçons de toile écrue, à moitié ivres pour certains, fondirent sur les malheureuses qu'ils dévêtirent en un battement d'yeux. Céline invoqua en son for intérieur Erzulie-Fréda, la déesse vaudoue, à laquelle elle demanda protection, puis se signa trois fois en récitant le « Notre Père » en espagnol et en latin. Samantha dut s'évanouir, car elle déclarera, plus tard, ne se souvenir de rien. Quoi qu'il en soit, les soldats anglais, qui avaient été consignés depuis une bonne semaine à cause d'incidents provoqués par eux dans les tavernes de la vieille ville, à Bridgetown, forcèrent les deux femmes à tour de rôle. Là, au beau mitan de la grande cour intérieure de la caserne, en plein soleil de onze heures de matin. Céline Alvarez Bàà ne ressentit aucune douleur. Ni aucun plaisir d'ailleurs. Elle s'était évadée de son enveloppe physique comme seules savent le faire les pacotilleuses grâce à une méthode infaillible que lui avait enseignée sa mère, Carmen Conchita Alvarez. Femme voyageuse, disait cette dernière, doit s'attendre aux avanies du destin. À la rage subite de la mer, aux orages, à la colère des dieux, à la brutalité des marins, aux maladies insolites telles que le scorbut ou la fièvre jaune, à la cupidité des fournisseurs, à la mauvaise foi des clients, aux excommunications diverses. Femme voyageuse doit pouvoir élever son âme par-delà les flots, au-dessus des chemins de terre rouge, très haut dans les airs, presque à hauteur des premiers nuages de beau temps à la blancheur éclatante.

Céline Alvarez Bàà savait donc qu'il était parfaitement inutile de rechercher l'officier saxon pour lequel la jeune Blanche brûlait d'un amour déborné. La pacotilleuse fit toutefois mine de s'y employer afin de la calmer tout en guettant le prochain bateau en partance pour l'île de Grenade.

5

M. Verdet, honorable négociant de la ville de Saint-Pierre et membre du Cercle de l'Hermine qui n'admettait dans ses rangs que les Blancs de pure race, avait eu quelque mal à accepter qu'une Négresse se fût décrétée chaperonne de la fille du grand Hugo. Au début, il avait nourri de sérieux doutes sur l'identité d'Adèle qu'il avait pourtant bien voulu héberger quelques semaines après son arrivée à la Martinique. Cependant, il avait refusé que cette Céline Alvarez Bàà dormît dans la même chambre et, pire, dans le même lit qu'Adèle, non seulement par respect pour sa propre fille, décédée deux ans auparavant d'un flux de poitrine et qu'il n'avait cessé de vénérer — les servantes continuaient d'ailleurs à dire « la chambre de Mamzelle » — mais parce qu'il ne voulait pas que ses draps soient souillés par l'odeur fétide de cette race qui, depuis l'abolition de l'esclavage, croyait pouvoir en imposer à ses anciens maîtres. Il se consolait à la lecture de l'*Essai sur l'inégalité des races humaines* du comte de Gobineau, bouillant de colère chaque lundi matin face à l'éditorial, tantôt sarcastique, tantôt menaçant, du journal *Les Colonies* que rédigeait depuis des lustres un prétentieux avocat mulâtre dénommé Marius Hurard lequel se posait en défenseur des « opprimés ». Ce bellâtre s'était d'ailleurs gaussé, en termes orduriers, de ce qui, aux yeux du négociant, se voulait un geste de charité chrétienne :

Qui a dit que le mot inénarrable est trop barbare pour pouvoir figurer dans le dictionnaire de notre belle langue française ? Nous venons, en effet, d'apprendre qu'un vendeur de morue séchée et de salaisons, zélateur effréné de l'Ancien Régime, s'est entiché d'une catin débarquée l'autre matin d'une île anglaise au seul motif que celle-ci serait la fille de notre grand poète national injustement exilé par un pouvoir inique. Cette demoiselle se fait accompagner par une marchande de pacotilles bien connue de la place pour son talent de bonimenteuse et ses frasques vénériennes (elle serait, dit-on, la fameuse « Régina Coco » de la biguine bien connue) laquelle a pourtant trouvé, elle aussi, refuge chez le distingué commerçant. Pour quelqu'un qui se réclame de la morale et des valeurs de l'aristocratie, il y a là, à n'en point douter, une incongruité qui ne peut s'expliquer, à notre modeste avis, que par le fol désir de raviver certain organe endormi à la fois par l'âge et par l'abstinence forcée.

M. Verdet avait songé, un bref instant, à convoquer le plumitif en duel mais s'était aussitôt ravisé en songeant à sa réputation de fin bretteur. Il redoutait à présent qu'on en fît une chanson au prochain carnaval et pire, que certains de ses compères blancs, jaloux de sa prospérité, ne l'entonnent, bien à l'abri derrière leurs masques et leurs déguisements. Il avala donc l'affront, trouvant du réconfort dans l'idée qu'un jour viendrait où la mère patrie reconnaissante le remercierait pour sa générosité et qui sait ?, peut-être Victor Hugo écrirait-il une ode en son honneur. Que vaudraient tous les éditoriaux d'un obscur journal martiniquais devant un seul vers de l'auteur des *Châtiments* ? Mais pour l'heure la charge était lourde : au lendemain de la première nuit passée chez lui, il avait retrouvé Adèle dans les bras de sa protectrice. Elle était descendue au rez-de-chaussée se réfugier dans le débarras qu'il avait fait aménager à la va-vite pour Céline Alvarez Bàà, juste à côté de la pièce où logeaient ses trois servantes. Il en avait ouvert la porte sans frapper et, stupéfait, les avait découvertes, enlacées, dans le plus simple appareil. Adèle se tenait lovée entre les larges cuisses couleur d'ébène de la pacotilleuse, la tête posée sur ses seins, son petit arrière-train légèrement relevé, comme offerte. Céline dormait la bouche ouverte, une main dans les cheveux de la jeune Blanche, le visage serein. Affolé, il les avait réveillées et leur avait intimé l'ordre, à toutes les deux, de regagner le deuxième étage, hors des regards des servantes qui déjà s'affairaient aux cuisines. De ce jour, Céline Alvarez Bàà ne quitta plus la chambre de Mamzelle.

Le temps passant, une bien curieuse métamorphose se produisit chez M. Verdet. À son corps défendant, il avait dû accepter de discuter avec Céline et, peu à peu, il en était venu à lui reconnaître des qualités qu'il n'aurait jamais soupçonnées chez une femme de couleur. Jusque-là, Négresses, mulâtresses et consorts n'avaient représenté pour lui que des bêtes de somme ou des objets de plaisir. Servantes qu'il houspillait de beau matin juste après avoir bu son café tandis que sa femme et sa fille dormaient encore, marchandes et porteuses qui s'étaient endettées auprès de lui (car il exerçait aussi les fonctions d'usurier) et qui, la date du remboursement venue, lui offraient la chaleur moite de leur entrecuisse. Sitôt l'acte charnel consommé, M. Verdet en concevait un profond dégoût : il se lavait à grandes eaux, se parfumait à l'essence de vétiver, fumait un bon cigare-Macouba pour se « décrasser la bouche » comme il disait, tout en pestant en son for intérieur contre cette engeance diabolique. Mais aucune mauvaise conscience ne le rongeait depuis qu'il avait lu les lignes suivantes sous la plume de Thibault de Chanvalon, Blanc créole, qui publia, en 1763, un ouvrage resté célèbre depuis :

« Les Américaines réunissent, à une extrême indolence, la vivacité et l'impatience... Tout entières à ce qu'elles possèdent, elles sont rarement infidèles à leurs maris. Elles en sont garanties par le goût dépravé des hommes pour les Négresses. »

Au début, il avait cru que la pacotilleuse n'était intéressée que par la perspective d'obtenir une solide récompense de la part du père de la jeune fille, mais, au fil des jours, le dévouement et le désintéressement de Céline avaient fini par tout bonnement annihiler ses préventions. Elle lui avait raconté par le menu leurs péripéties barbadiennes et grenadiennes, leur sinistre voyage jusqu'à Saint-Pierre, les difficultés qu'elles avaient affrontées à leur arrivée dans la ville deux mois plus tôt, les multiples démarches, toutes infructueuses, que Céline avait entreprises auprès des autorités. À mesure que la Négresse parlait, à mesure son visage s'humanisait aux yeux de M. Verdet qui réalisa pour la première fois de sa vie qu'il n'avait jamais vraiment pris le temps d'examiner un faciès négroïde. À son grand étonnement, il le découvrait beau ! Oui, beau. Certes pas à la manière grecque, mais avec un côté massif, irréductible qui le fascina. Parfois, dans la touffeur des après-midi de carême, alors qu'assise sur un petit banc, au fond du jardin ombragé par des corossoliers en fleur, elle s'employait à tailler les ongles de ses orteils avant de les peindre en rouge carmin, il la rejoignait, vaguement intimidé, feignant de fumer la pipe ou de lire un journal. Feignant surtout de ne s'être pas rendu compte de sa présence. Et lui de savoir qu'elle lèverait aussitôt les yeux sur lui et lui dirait, de sa voix gouailleuse mais point du tout vulgaire :

« Mon bon monsieur, cela vous fera sans doute sourire, mais j'affectionne la poésie. On dit dans toute la ville que vous êtes le meilleur connaisseur de l'œuvre du père d'Adèle, que vous pouvez même la réciter de tête, si c'est bien vrai... ha-ha-ha !... si c'est bien vrai, pourquoi ne pas me douciner les oreilles un petit moment, hein ? »

M. Verdet se rapprochait. Lentement. Très lentement. Alors l'odeur puissante de la Négresse l'envahissait, pénétrait par tous ses pores, chavirait ses sens, lui asséchait la langue. C'était comme s'il n'avait plus soixante-quatre ans mais trente. Elle le tenait sous son emprise sans qu'elle employât aucun détour, sans qu'elle déployât la moindre de ces ruses dont étaient si friandes les Blanches. Céline Alvarez Bàà ne minaudait point. Elle n'en avait nul besoin et, pour cette seule et unique raison, le négociant voyait s'effondrer toutes ses préventions, accumulées une vie durant, ressassées au Cercle de l'Hermine chaque semaine, exposées dans les articles qu'il donnait de temps à autre au quotidien *Les Antilles*.

« Allons, une petite gentillesse, s'il vous plaît ! » insistait Céline.

Alors le vendeur de salaisons et de morue séchée pour lequel la poésie était une sorte de jardin secret, chose qu'il n'avait jamais avouée à ses pairs qui se fussent gaussés de lui — mais il avait été trahi par ses servantes qui le surprenaient, certains soirs où il se croyait seul chez lui, à déclamer des vers — rendait les armes. D'une voix hésitante, il s'élançait :

Oui, vous tous, comprenez que les mots sont des choses.
Ils roulent pêle-mêle au gouffre obscur des proses,
Ou font gronder le vers, orageuse forêt.
Du sphinx Esprit Humain le mot sait le secret.
Le mot veut, ne veut pas, accourt, fée ou bacchante...

Céline était au ravissement.

« Comment expliquez-vous, lui avait-elle lancé un jour, qu'Hugo se soit si peu soucié de sa dernière fille ? Bon, je sais qu'il pleure Léopoldine, mais enfin, ce n'est pas une raison ! Je lui ai écrit deux lettres depuis Barbade, trois depuis mon arrivée à Saint-Pierre, et pourtant monsieur n'a jamais daigné me donner signe de vie. »

M. Verdet ne savait quoi répondre. À la vérité, il n'était pas intimement persuadé que l'œuvre d'un poète reflétât la nature profonde de ce dernier. Il soupçonnait même que derrière le Grand Hugo, le préféré des muses, le tribun, le harangueur de foules, l'opposant irréductible à Napoléon le Petit, comme il disait, se cachait une tout autre personne. Mais laquelle ?

« Ma mère, ma nouvelle mère, Céline Alvarez Bàà, remue ciel et terre, depuis notre arrivée à Saint-Pierre, pour tenter d'intéresser à mon sort tout ce que la ville compte en personnages de haut rang et autres sommités. Dès le petit jour, je l'observe, fébrile, qui se lave à grandes eaux, puisant dans une jarre qui reçoit la pluie grâce aux gouttières de notre case, tout en alimentant un feu, entre trois roches, au-dessus duquel a commencé à bouillir son café. Je n'ai jamais pu m'habituer à ce breuvage âcre qui vous laisse longtemps après la gorge sèche. Céline m'oblige à en avaler un grand bol coupé d'eau, ce qui le rend encore plus écœurant. "Bois, ma p'tite doudou ! Bois-moi ça, c'est pour réveiller tes nerfs, oui !" murmure-t-elle en me soutenant l'arrière de la tête. Puis, elle enfile une robe créole aux couleurs chatoyantes, natte ses cheveux de métisse, se pare de larges anneaux en or et de bagues, se parfume plus que de raison à mon gré, se contemple plusieurs fois dans le miroir de la commode avant de déclarer : "Bon, Mme Bàà est prête pour eux aujourd'hui ! Ils vont voir ce qu'ils vont voir, car je ne suis pas une bougresse de petite engeance, foutre !" Elle s'éclipse toute la matinée, parfois durant la journée entière. Ses démarches, pour son malheur, restent vaines. Cela se voit aux plis qui lui barrent le front. À ses gestes nerveux quand elle prépare le repas. À ces instants-là, j'ai envie de lui parler avec tendresse, de la réconforter, mais quelque chose en moi, au plus profond de moi, s'y oppose. Mes propos désordonnés, mon attitude agressive ne reflètent aucunement le dedans de moi-même. C'est comme si j'étais devenue deux personnes en une : la vraie Adèle que nul ne voit, qui possède tout son équilibre mental et qui a une juste appréciation du monde qui l'entoure ; l'Adèle que l'on croit dérangée, aliénée, folle pour parler crûment. Il n'y a que Céline Alvarez Bàà à avoir deviné ce qui se cache derrière le masque qui, à mon corps défendant, s'affiche sur mon visage. Sinon comment expliquer qu'elle se soit acharnée à obtenir du maire de Saint-Pierre un entretien avec le gouverneur de la Martinique en personne, le jour où ce dernier viendrait en visite dans la ville ? "Son Excellence ne nous prévient jamais très longtemps à l'avance", nous déclara le mulâtre qui présidait aux destinées de la plus belle cité de l'Archipel, cité que je commençais, à mon grand étonnement, à apprécier. Son charme puissant agissait sur moi tel un poison : il me poussait peu à peu, insidieusement devrais-je plutôt dire, à oublier mon Albert. Or jusque-là, mon beau lieutenant n'avait cessé d'occuper l'entièreté de mes pensées, aussi m'en voulais-je de cette trahison. "La Birmanie, c'est à l'autre bout du monde ! Très loin des Amériques en tout cas !" croyait me réconforter ma chaperonne, chose qui ne faisait que redoubler ma douleur.

« Nous espérâmes le gouverneur de la Martinique deux mois, trois mois. Un beau matin, un garçon de courses toqua à la porte de M. Verdet, riche négociant blanc chez qui nous avions fini par élire domicile. On nous fixait rendez-vous sur le coup de onze heures trente à la Maison de la Bourse ! Quoiqu'elle eût préféré le calme des bureaux de la mairie, Céline se prépara en toute hâte alors qu'il était à peine six heures du matin et que les merles n'avaient pas fini de chanter dans les basses branches du manguier qui trônait au milieu du jardin. Soudain, de la rue, des voix éraillées entonnèrent des chansons paillardes, récitant des vers à tue-tête. Cela vomissait aussi, sanglotait, rotait, éclatait de rire, interpellant le voisinage encore endormi. "La Bohème rentre d'une nouvelle nuit de bamboche, je parie", maugréa ma nouvelle mère. J'avais immédiatement adoré ce petit groupe de poètes au sein duquel Michel Audibert nous avait introduites bien qu'il affectât, par coquetterie sans doute, de ne point en faire partie. Ils avaient sincèrement essayé de me venir en aide, mais je sentais bien que pour la plupart, ils demeuraient sceptiques quant à la véracité de mon lien de parenté avec ce Victor Hugo qu'ils vénéraient à l'égal d'un poète de l'Antiquité. À quoi bon contredire la seule pacotilleuse qui portât quelque crédit à l'art poétique et qui parmi ses babioles, bijoux et toile des Indes, colportait aussi des recueils signés par des noms illustres tant en Europe qu'aux Amériques? "Le jour où je publierai la suite de l'*Énéide*, le grand œuvre de ma vie!, tu l'emmèneras avec toi aux quatre coins de l'Archipel, hein, ma belle Céline?" braillait Saint-Gilles, dit Gigiles, un jeune homme de bonne famille qui se voulait parnassien. Les autres, Vaudran, symboliste jusqu'au bout des ongles, selon sa propre expression, et surtout Manuel Rosal, le seul à s'avouer romantique à une époque où, même de ce côté-ci de l'Atlantique, ce qualificatif commençait à faire vieux jeu, comblaient ma protectrice d'une affection qui arrachait des rictus de jalousie au sieur Audibert, l'amant officiel de celle-ci. À L'Escale du Septentrion où tout ce beau monde se rassemblait, à la nuit tombée, les poètes, une fois qu'ils avaient ingurgité trois-quatre verres de rhum, s'avachissaient sur les épaules de Céline Alvarez Bàà, posaient la tête sur son sein ou ses genoux, sans qu'elle y vît le moindre mal. Elle les écoutait, ravie, déclamer leurs derniers vers et applaudissait comme une enfant à ce qui, à mon humble avis, n'aurait mérité qu'un intérêt poli. Toutefois, je dois admettre que la Bohème, tout en me *suspicionnant*, expression de Céline, parfois d'être une fieffée usurpatrice, me portait le plus grand respect. Jamais ils ne se seraient permis la moindre privauté avec moi. Aussitôt que nous étions installés dans la taverne, Manuel Rosal se plantait devant moi, très solennel et me gratifiait de ce passage des *Contemplations* :

Est-on maître d'aimer ? pourquoi deux êtres s'aiment,
demande à l'eau qui court, demande à l'air qui fuit,
au moucheron qui vole à la flamme la nuit,
au rayon d'or qui vient baiser la grappe mûre !
Demande à ce qui chante, appelle, attend, murmure !
Demande aux nids profonds qu'avril met en émoi !
Le cœur éperdu crie : Est-ce que je sais, moi ?

« Mais, très vite, la Bohème sombrait dans une sorte de morosité, aggravée par le gin et le tafia, se plaignant que le talent dont chacun faisait preuve fût scandaleusement ignoré de par le vaste monde alors même qu'ils publiaient dans des revues de haute tenue littéraire telle que *L'Athénée* de La Nouvelle-Orléans. "Est-ce que votre vénéré père sait... oui, mamzelle... sait qu'ici, aux Antilles, existent des po... poètes... la fine fleur du nouveau lyrisme français ?" hoquetait Vaudran, les yeux rouges et la pomme d'Adam tremblotante. “Fiche donc la paix à la jeune dame! intervenait Saint-Gilles, ne jurerait-on pas Hélène de Troie? — Hél... Hélène... Hélène qui... Chère Adèle, je suis sûr et certain que, suite à la missive que je lui ai adressée dernièrement, votre père viendra vous rejoindre à la Martinique”, faisait Vaudran qui retrouvait ses esprits par éclipses, à moins qu'il ne jouât la comédie à la perfection. Quant à Michel Audibert, qui ne participait pas à ces beuveries, il en profitait pour s'escamper, saluant discrètement sa bien-aimée d'un baiser du doigt. Certains soirs, s'agrégeait à notre compagnie un jeune homme à l'élégance ténébreuse qui répondait au nom ô combien byronien de Pierre-Marie Danglemont. Il ne taquinait pas la muse ni ne prenait fréquemment la parole, mais se montrait fort attentif, chose au fond naturelle pour un philosophe. Il enseignait, en effet, Aristote et Descartes — comme plaisantait Vaudran — au séminaire Saint-Louis de Gonzague, fief de l'aristocratie blanche créole, quoiqu'il fût mulâtre, ce qui lui valait les moqueries grinçantes de la Bohème. Pierre-Marie fut le seul homme qui eût pu faire vaciller ma passion pour le lieutenant Albert Pinson pour peu qu'il se fût intéressé à ma personne et cessât de me considérer comme une bête curieuse. Ce qui ne se produisit, hélas, jamais.

« Or donc, ce fameux jour au cours duquel un coursier nous avait prévenus que Son Excellence M. le Gouverneur de la Martinique acceptait de nous accorder audience, la Bohème, qui rentrait d'une nuit d'orgie à La Belle Dormeuse, établissement où catins et chanteuses de bas étage faisaient florès, nous alerta depuis la rue. À haute et intelligible voix.

« “N’y allez pas, mesdames ! Tout est prêt pour faire interner Adèle à la Maison coloniale de Santé.” »

[À toi, fille d’Erzulie-Fréda

L’âme d’une étoile
descend dans l’assiette de terre glaise
Celle que tu tiens contre tes seins
Ô fébrile !
Descend-descend-descend
Elle baigne ta figure
d’une heureuseté à-quoi-dire intranquille
Mais désormais tu connais l’ordre de tes pas
Tu le connais !
Il s’agira maintenant de l’aider
À regagner vitement-pressé, oui
L’en-haut du Ciel où règnent
le Grand-Maître et ses servantes nubiles.

MICHEL AUDIBERT]

6

Où Chrisopompe de Pompinasse avait-il réellement acquis toute cette savantise dont il faisait montre pour peu qu'on n'hésitât pas à déposer, sur la minuscule table où il officiait, billets flambant neufs ou louis d'or ? Et d'abord, ce nom pompeux était-il une façade visant à cacher quelque horrible forfait commis du temps de sa jeunesse, un surnom à lui imposé pour se gausser de sa vêture par trop soignée ou, encore, fallait-il accorder foi à ce que le bougre lui-même laissait entendre, à savoir qu'il serait le descendant direct du personnage homonyme que l'on rencontrait dans maints contes créoles ? En tout cas, Chrisopompe était un mystère d'homme. Son échoppe, aux proportions plus que modestes, tout au bas de la rue des Bons-Enfants, n'en impressionnait pas moins tous ceux qui, un jour ou l'autre, y pénétraient, car hormis les vagabonds du quartier La Galère, Nègres en dérade, oubliés du Bondieu lui-même, échappés pour la plupart des plantations de l'intérieur qu'ils décrivaient comme des bagnes, tout un chacun, au moins une fois dans sa vie, ne serait-ce qu'une misérable petite fois, aurait recours au service du meilleur écrivain public de Saint-Pierre. Certes, pour les missives sans importance, on pouvait faire appel à ses confrères, lesquels étaient moins regardants à la fois sur la nature de celles-ci et, hélas, sur l'orthographe, quoiqu'ils fussent tous munis d'énormes dictionnaires qu'ils compulsaient, front plissé, devant leurs clients admiratifs. Pour les lettres d'amour sérieux (pas les fretinfretailleries, non !), les adresses à Son Excellence M. le Gouverneur de la Martinique (pas pour se plaindre d'un proche parent pour des questions de partage de biens, non !), les suppliques à son Monseigneur l'Évêque (pas pour régulariser vingt ans de concubinage, non !) ou, les « cartels » dans lesquels on se défiait en duel, aucune hésitation possible : Chrisopompe de Pompinasse était imbattable. Il était d'ailleurs respecté des Grands Blancs qui, parfois, le consultaient en catimini. Les mulâtres, alors même qu'ils n'avaient pas besoin qu'on leur tînt la plume, le saluaient, deux doigts sur le bord de leur chapeau. Les Négresses (les Nègres, ça n'écrit pas de lettre, tonnerre de Brest ! Un coup de tête en plein front, ça suffisait pour régler leurs différends) accouraient de tous les quartiers de Saint-Pierre et des campagnes environnantes, assiégeant son échoppe dès l'angélus et se faisaient pour la plupart rabrouer par un Chrisopompe qui ne cessait de se passer un peigne, d'un geste royal, dans sa chevelure bouclée de câpre d'un air hautain. « Votre fille est enceinte-gros-boudin ? Eh bien, elle n'a eu que ce qu'elle méritait, la gourgandine ! Ce n'est pas une lettre qui risque d'amadouer celui qui l'a mise dans cet état. Allez, dégagez du pas de ma porte, s'il vous plaît ?

Et vous, c'est pour quoi, je vous prie?... Un héritage? Voyez-vous ça, un hé-ri-ta-ge! Depuis quand, ça hérite, les Nègres, hein? Vous êtes arrivés d'Afrique sans un sou vaillant, il a fallu vous fouetter des siècles durant pour vous obliger à couper la canne à sucre et ce ne sont pas les simagrées de M. Schœlcher qui ont arrangé votre situation : depuis que vous êtes libres, que faites-vous d'autre à part fainéanter? Pour pouvoir hériter, ma bonne dame, encore faudrait-il que votre race acceptât de travailler dur pour se constituer des biens qu'elle pourrait transmettre à ses enfants. Or, les Nègres, ça se contente de vivre comme des merles sur leur branche! Revenez la semaine prochaine. Peut-être que j'aurai changé d'avis. Qui sait?... Au suivant! Madame Louise, encore vous! Mais ce n'est pas possible, vous avez la caboche plus dure qu'une roche de rivière ou quoi? Pour la pension d'invalidité de votre mari, il n'y a rien à faire. Je vous l'ai dit cent fois. La réponse du ministre de la Marine a été claire : tous les Martiniquais qui se sont engagés pour faire la guerre du Mexique furent des volontaires. Des vo-lon-tai-res! Je n'articule pas suffisamment peut-être. Cela signifie que personne ne les a contraints à endosser l'uniforme ni à embarquer à bord des vaisseaux de guerre. Donc que votre mari soit revenu avec un œil crevé et les deux bras coupés, c'est son affaire! Et puis n'a-t-il pas eu son heure de gloire lorsqu'on lui a remis la médaille de la bravoure au combat? Ah la-la-la-la, quelle vie! Vais-je pouvoir supporter vos jérémiades à longueur de semaine?... À qui le tour? mamzelle Gervaise, bonjour, très chère! Asseyez-vous donc! Que puis-je faire qui vous satisferait? Vos désirs sont des ordres, vous le savez. J'ai très bien connu votre père. Je pensais encore à lui l'autre jour en passant à la rue de l'Enfer. Nous y avons été voisins en 1867, si mes souvenirs sont exacts. Enfin, 67 ou 68. Vers ces années-là... Ah, encore ce M. Pierre-Marie qui vous fait des misères ! Déjà cinq de vos lettres auxquelles il n'a pas daigné répondre ? Vous savez, chère petite mamzelle, l'amour est capricieux, surtout dans notre bonne ville de Saint-Pierre où tant de tentations se dressent sur le passage des hommes les plus attachés à la vertu. Je parle en connaissance de cause. Pas un pas dans la rue sans que notre œil ne soit aguiché, sans que nos sens ne soient énervés. C'est pourquoi je marche souvent le regard baissé. Regardez votre personne, Gervaise ! N'aurait-on pas juré quelque réincarnation d'Aphrodite ? Une Aphrodite au teint de sapotille en plus. Comment rester indifférent devant tant de grâce ? Rassurez-vous, loin de moi la tentation de couvrir Pierre-Marie Danglemont, mais avouez que... comment dirais-je... avouez qu'il faut un tempérament de fer pour résister à toutes les sollicitations qui entourent, ici, un homme normalement constitué ! Bon-bon, rédigeons-la, cette lettre ! Après tout, le découragement n'est jamais la meilleure des solutions dans ce genre d'affaires. »

Il y avait au moins une race que Chrisopompe de Pompinasse n'accablait pas de ses sarcasmes : les Indiens-Coulis. C'était tout bonnement inexplicable ! D'abord, ceux-ci ne parlaient pas français et baragouinaient à peine le créole. Ensuite, ils s'agglutinaient, sales, hideux, couverts de pian, dévorés par la tuberculose, aux abords du Dépôt, non loin de la place Bertin, dans l'attente, aussi stérile que celle d'un papayer-mâle, d'un bateau qui les rapatrierait en Orient, comme le prévoyait leur contrat d'immigrant. Tout le monde leur crachait à la figure, y compris les Nègres du quartier La Galère qui vivaient pourtant dans l'immonde, à l'embouchure de la Roxelane. À la nuit close, les Coulis effrayaient les gens de bien de la bonne qualité de frayeur, oui ! On les entendait psalmodier dans leur langue aux accents rauques des prières à l'adresse des divinités grimaçantes, pourvues, pour certaines, de plusieurs bras, qu'ils tentaient de cacher à la vindicte de l'Église catholique. Cette dernière, en effet, se livrait de temps à autre à des expéditions punitives à la grande joie de la populace nègre qui se mettait à bambouler autour des feux où les abbés jetaient livres soi-disant sacrés, fétiches, statuettes et autres poudres maléfiques. Chrisopompe de Pompinasse, qui se tenait ordinairement à l'écart de l'agitation publique, prit sa plus belle plume afin de dénoncer dans *Les Colonies*, l'organe du parti mulâtre, ce qu'il qualifia d'hystérie cléricarde tout en couvrant de louanges « la civilisation millénaire de l'Inde, mère de toutes les nations ». De prime abord, d'aucuns n'y virent qu'une poussée d'irritation chez quelqu'un qui était réputé agnostique et soupçonné de faire partie d'une des trois loges maçonniques que comptait Saint-Pierre. On mesura l'étendue de la colère du célèbre écrivain public lorsque, la semaine d'après, il revint à la charge, abandonnant cette fois le ton docte de son premier papier pour une ironie dévastatrice qui ne contribua pas peu au fait que, cette année-là, le thème du carnaval fut la gent ecclésiastique et ses supposées turpitudes. On s'arracha le libelle qui disait ce qui suit :

À messieurs les soutaniers, briseurs de statues et brûleurs de livres antiques,

Je sais bien que votre instruction est des plus sommaires et que, pour la plupart, vous n'êtes entrés dans les ordres que pour échapper à la faim qui tenaille vos sombres campagnes du Poitou ou de Vendée. Vous êtes plus familiers des pourceaux dont vous avez, semble-t-il, adopté à la lettre les règles d'hygiène, et de leurs bauges que des salles d'études des grandes bibliothèques, mais enfin, cela ne vous baille point le droit de jeter votre gourme contre une religion qui a précédé celle que vous servez de plusieurs millénaires. Une religion dont les textes sacrés sont autrement plus beaux, plus généreux que votre seule et unique Bible à laquelle vous vous raccrochez comme des tiques à la peau d'un chat galeux. Et quand j'emploie ce dernier adjectif, je vise expressément le curaillon de la paroisse du Mouillage qui, à en croire les furoncles qui lui démangent les mollets et l'haleine fétide qu'il dégage en confession (m'a assuré ma vieille servante Antoinise, pourtant un modèle de piété), voue un culte à la Déesse Malpropreté. Qui ne se souvient que cet agité du cervelet provoqua un haut-le-cœur salvateur chez notre bon M. Dumanoir, géomètre de renom, le jour où il vint lui porter l'extrême-onction ? Cela valut certes, à l'agonisant, quatre mois de sursis mais, aux dires de sa famille, ce furent les moments les plus douloureux de sa longue maladie tant l'odeur émanant de l'enchasublé insupporta chacun de ses instants.

En tout cas, considérez-moi désormais tous tant que vous êtes, évêques, curés, moines, ma-sœurs, bedeaux et autres enfants de chœur, comme le défenseur de la race indienne !

Chaque fois que vous tenterez de déverser votre immonde bile sur elle et sur sa religion, vous me trouverez sur votre chemin et surtout gardez vos leçons de morale pour vous ! Quand on dort avec un négrillon entre ses jambes velues comme le fait le soutanier de la paroisse du Fort et que, dans le même temps, on se glorifie de bailler l'hostie le dimanche aux pucelles de l'aristocratie leucoderme, on mérite davantage le bûcher que les livres et objets de culte de ces pauvres hères d'Indiens qui ne demandent qu'une chose : regagner leur pays natal pour pouvoir y vivre en paix. Et que les ma-sœurs de l'Immaculée Conception ferment leur caquetoire nauséabonde ! Jésus doit gigoter sur sa croix, le pauvre homme, chaque fois qu'il en voit une passer la main sous les jupes de ces petites Négresses que leurs parents ont bien tort de leur confier pour le catéchisme.

Vade retro, *bandes d'hypocrites !*

Chrisopompe de Pompinasse
Écrivain public.

Cette attaque fit grand bruit non seulement dans la ville de Saint-Pierre, mais à travers toute la colonie à un moment où les Blancs tentaient de s'opposer par tous les moyens à l'avancée des idées républicaines et à la création de l'école laïque. Chrisopompe reçut une convocation de M. le Gouverneur à laquelle il ne daigna pas se rendre. « Où est votre lettre de cachet ? » lança-t-il aux gendarmes venus l'arrêter, lesquels ne comprenant goutte à cette expression s'en repartirent la queue basse, persuadés d'avoir oublié quelque chose d'important dans la procédure que leurs supérieurs leur avaient demandé de mettre en œuvre. En chaire, l'écrivain public fut une énième fois excommunié dans les cinq paroisses de Saint-Pierre et n'en eut cure. Le journal *Les Antilles* lança une campagne diffamatoire contre sa personne, l'accusant de dissimuler sa véritable identité (il aurait été en fait un réfugié mexicain !) et d'escroquer ses clients, leurs courriers n'aboutissant jamais faute d'être rédigés dans une langue claire et compréhensible. Chrisopompe haussa les épaules et déclara à qui voulait l'entendre qu'il n'avait pas de leçons de rhétorique à recevoir de descendants de manants, de repris de justice et de filles de joie de Nantes, La Rochelle ou Brest qui avaient fait fortune grâce à l'esclavage des Nègres, puis le commerce des salaisons et de morue séchée. Comme nostre homme n'avait pas de parents connus et menait une existence de célibataire endurci et que, pour vivre, il n'attendait sur aucune administration ni sur les libéralités de quelque négociant ou planteur, ses adversaires ne purent rien contre lui. Chaque beau matin, la devanture de son échoppe était aussi achalandée que celle d'une marchande de légumes ou une poissonnière et n'eût été son côté bourru, il eût vite ramassé un sacré paquet d'argent. C'est à lui et à lui seul qu'avaient recours Céline Alvarez Bàà et ses consœurs pacotilleuses quand elles voulaient rassurer leurs enfants ou leurs amants des autres îles. Une fois sur deux, Chrisopompe ne leur faisait pas payer les longues missives soigneusement calligraphiées qu'il leur confectionnait, car s'enflammait-il :

« Grâce à vous, mesdames, moi qui n'ai jamais quitté Saint-Pierre un seul jour de ma vie, eh ben, je voyage ! Oui, je vais de Trinidad à Saint-Domingue. De Bénézuèle à Cuba. Et puis surtout, j'apprends les langues de ces pays lointains. Anglais, espagnol, hollandais, papiamento, tout cela n'a plus de secrets pour moi. C'est à moi de vous remercier au contraire ! »

Chrisopompe rédigea l'ultime lettre que Céline fit tenir à sa mère qui se mourait du côté d'Haïti. À l'approche des quatre-vingt-six ans, cette dernière s'était retirée du métier, satisfaite de l'avoir transmis à sa fille, et s'était installée à Jacmel en tant que devineuse. On venait la consulter depuis la capitale, Port-au-Prince, et même du pays voisin, pourtant ennemi, la Dominicanie. Céline s'était longtemps demandé d'où Carmen Conchita Alvarez avait bien pu acquérir tant d'accointances avec les dieux du Vaudou, elle qui, du vivant de son mari, l'Africain Bàà, affichait un suprême dédain pour tout ce qui de près ou de loin entretenait rapport avec la terre de Guinée. Elle qui n'avait cessé de vanter son ascendance andalouse ! C'est pourquoi lorsque Émérante, une pacotilleuse haïtienne, récemment arrivée à Saint-Pierre, lui annonça que sa mère était au plus mal, Céline ne sut en quelle langue lui adresser son ultime chanter d'amour. D'ordinaire, les deux femmes correspondaient tantôt en anglais, tantôt en espagnol mais là, présentement, la fille sentait que les mots qu'elle devait lui adresser nécessitaient un idiome bien différent. Il fallait, en effet, que chaque mot sonnât juste, qu'il atteignît Carmen Conchita dans chaque fibre de son corps de façon qu'elle pût les emporter avec elle dans l'au-delà. Il fallait une langue qui pût parler à l'Invisible, voilà ! Chrisopompe de Pompinasse voulut rédiger la lettre en latin, arguant du fait qu'en Haïti, sa mère trouverait facilement quelque lettré pour la lui déchiffrer, mais Céline refusa. Elle se morfondit ainsi des jours et des jours sans trouver la solution à son problème jusqu'à ce qu'en rêve, elle eût une illumination. Elle l'entendit parler, cette langue, avec son phrasé d'outre-tombe, ses intonations sépulcrales et paradoxalement exaltées. Cette langue résonna dans son rêve, oui ! Au matin, elle déboula chez l'écrivain public et lui lança :

« Compère, écris ! Fais vite, s'il te plaît, il y a un bateau qui remonte dans le Nord dans deux jours. Il passe par la Guadeloupe, Antigue, Porto Rico à ce que m'a dit son capitaine. À la fin de la semaine prochaine, il sera en Haïti. Écris, Chrisopompe ! »

L'écrivain public choisit une encre de couleur violette. Celle qu'il réservait aux missives annonçant des nouvelles graves : maladies, divorces, cyclones et bien sûr décès. Chassant ses clients du matin, il ferma son échoppe et se cloîtra dans un demi-faire-noir avec Céline Alvarez Bàà, chose inhabituelle dans la mesure où il officiait d'habitude debout, face à un pupitre, corrigeant à haute voix, pendant qu'il les traçait, les phrases qu'on lui murmurait, parfaitement indifférent à ce qu'on sût qu'Unetelle soupçonnait son mari de lui bailler des cornes ou qu'Untel réclamait un report de dettes à quelque créditeur. Il chaussa ses binocles et trempa sa plume dans l'encrier d'un geste presque timide.

« Quand tu es prête, Céline... », marmonna-t-il.

La pacotilleuse déglutit avant de s'approcher de très près de l'homme, ce qui le mit quelque peu mal à l'aise. Ses yeux lançaient des myriades de petits éclairs, comme un ciel par temps de soudain orage.

« Manman-doudou... », commença-t-elle d'une voix hésitante, puis s'enhardissant : « *Ou çé plis belle femme assous la terre. Soleil li-même réconnaitt' ça pisque li toujou baissé z'yeux-li quand ou paraîtt' devant li. Jordi-là, moment rivé pou ou enjambé la vie et moin triss' d'avoir moin loin de ou, trop loin de ou. Moin vlé ou sav' qui moin va continué en même chimen-an qui ou ak grand-manman toujou fait pace que destinée-nous çé travèssé d'leau lanmè, çé couri-monté-descendenn' en chaque île lé Antilles...* »

L'écrivain public demeura interdit. Plume levée, bouche entrouverte, il entrevisageait la pacotilleuse comme s'il la voyait pour la première fois. Puis, il se mit à l'ouvrage, stupéfait d'écrire cette langue qu'il pratiquait depuis la haute enfance avec délices et parfois complaisance (lui reprochaient certains) mais qu'il était inconcevable de coucher sur du papier à l'instar du français, de l'anglais ou de l'espagnol. Pendant qu'il tentait de suivre le flot de paroles de la jeune femme, une phrase lui cognait l'esprit : « Mais c'est du créole ! Mais elle me dicte du créole, eh ben Bondieu ! » Il se rappela alors un livre qu'un vieux béké, qui l'avait fait mander pour rédiger son testament, lui avait montré avec tout un luxe de précautions. Comme s'il s'agissait d'un grimoire de la plus haute valeur. Le planteur l'avait autorisé à l'examiner quelques instants avant de s'en emparer en lui lançant :

« De nos jours, cela ferait scandale ! Oubliez-le, je vous prie ! »

Chrisopompe de Pompinasse en avait retenu le nom de l'auteur, un certain François Marbot, ainsi que le titre *Fables de La Fontaine travesties en créole par un vieux commandeur*, mais la date s'était effacée sur la couverture tant l'ouvrage avait dû être manié. Au jugé, il estimait qu'il avait été publié aux alentours de 1850, peut-être un peu avant, peut-être un peu après mais pas davantage. Cet ouvrage était rédigé entièrement en créole! Était-ce cela qui, aux yeux du vieux béké, constituait un scandale? Sur le moment, il ne s'était pas vraiment posé la question et n'avait même pas recherché l'ouvrage à la bibliothèque de Saint-Pierre. Mais, face à cette Céline Alvarez Bàà qui sans crier gare l'avait mis en position d'utiliser cet idiome à l'écrit, il repensa à Marbot et à ses fables, se promettant d'en avoir le cœur net dès le lendemain. Chrisopompe, bien qu'hypnotisé par une Céline dont le regard continuait à diffuser son lot de minuscules flammes, aligna pas moins de cinq pages de sa belle écriture appliquée mais, contraint de s'y reprendre à deux fois pour certains mots ou de les raturer, ne fut pas satisfait de son travail. Il tergiversa avant de lui remettre la lettre une fois celle-ci achevée et finit par demander un jour de réflexion à la pacotilleuse qui, furieuse, menaça de s'adresser à l'un de ses concurrents.

« Ta vieille mère est mourante, Céline?... fit-il d'une voix étonnamment douce. Eh bien, à mon humble avis, elle mérite mieux que cela. Reviens me voir en fin d'après-midi! »

La pacotilleuse, dévorée d'inquiétude, ne rentra pas chez elle. Sur une placette du quartier, elle se trouva un banc à l'ombre d'un tamarinier en fleur et médita jusqu'à l'heure dite. Elle repassa dans sa tête les principaux événements de sa vie : la rencontre fortuite de l'Africain Bàà et de sa mère en l'île de Trinidad; son aventure amazonienne à la recherche d'une pépite d'or miraculeuse qu'elle et son homme, John-Thomas, ne trouvèrent point; sa rencontre en cette ville de Saint-Pierre avec le poète Michel Audibert dont les missives étaient toujours rédigées en vers sibyllins ; le viol que Samantha et elle subirent dans ce fort de Barbade où elles s'étaient stupidement aventurées, n'ayant rien dans leurs paniers qui pût intéresser un soudard ; les carnavals de Porto Rico au bras de l'arrière-arrière-arrière-petit-neveu de Christophe Colomb et tant d'autres péripéties. Céline Alvarez Bàà soupesa chacune de ces dernières et conclut que la vie ne valait pas la peine d'être vécue. À deux heures de l'après-midi, elle pénétra dans l'échoppe de Chrisopompe de Pompinasse, lequel lui tendit immédiatement la lettre entièrement refaite. Céline déchiffra à mi-voix :

« *Manman-doudou, sé pli bel fanm asou latè. Soley li-menm rikonnet sa pis li toujou bésé zié-li kan ou paret douvan li...* »

L'écrivain public attendait son verdict. Pour la première fois de sa vie, il doutait de lui-même devant un client. Non que la réaction de Céline, au cas où elle serait négative, portât à conséquence, les pacotilleuses étant des oiseaux de passage qui pesaient peu sur la rumeur publique, mais parce qu'il s'était lancé un défi à lui-même et qu'il tenait à le gagner. Par fierté tout simplement. La réaction de la Négresse andalouse le stupéfia. Lorsqu'elle eut, péniblement, déchiffré la lettre, elle la relut, plus vite cette fois, puis une troisième et une quatrième fois, avant de baiser les doigts de Chrisopompe.

« Ma mère, au seuil de la mort, saura, grâce à toi, entendre ma douleur, fit-elle. J'en suis sûre... »

C'est à cet épisode pour le moins singulier — et qui devait leur demeurer inexplicable — auquel tous deux, la pacotilleuse et l'écrivain public, songèrent le jour où celle-ci, accompagnée d'une jeune Blanche hagarde, vint le solliciter pour écrire une lettre au plus grand poète de l'univers...

LES DIX COMMANDEMENTS DE LA PACOTILLEUSE

PREMIER COMMANDEMENT : *tu ne tricheras point sur l'origine de ta marchandise. Rhum de la Jamaïque n'est pas rhum de la Martinique. Cigare de Cuba n'est pas pétun de Saint-Domingue.*

DEUXIÈME COMMANDEMENT : *tu ne t'éterniseras point dans le même lieu. Ni la fièvre de La Nouvelle-Orléans, ni la mollesse de Carthagène des Indes, ni la prestance de Saint-Pierre ou encore l'enchanteresse Havane ne doivent te faire oublier que le voyage est ton destin.*

TROISIÈME COMMANDEMENT : *tu n'amarreras tes sentiments à aucune créature masculine en particulier, car le chagrin d'amour t'est interdit.*

QUATRIÈME COMMANDEMENT : *tu procureras à tes amants et à tes enfants, de quelque terre qu'ils soient, la même quantité d'affection.*

SIXIÈME COMMANDEMENT : *tu adoreras les esprits Shemine et Maboya, Jésus-Christ et la Vierge Marie, Papa-Legba et Erzulie-Fréda, Mariémen et Nagourmira, Allah l'Unique.*

SEPTIÈME COMMANDEMENT : *tu vénéreras toutes les langues, même les plus difficiles à prononcer — même le danois ! — car chacune d'elles est le domicile d'une divinité.*

HUITIÈME COMMANDEMENT : *tu ne thésauriseras point. Achète, vends, rachète, revends sans pièce repos. Le plaisir est dans le changer-de-mains.*

NEUVIÈME COMMANDEMENT : *tu accueilleras chaque emmerdation, chaque chiennerie de l'existence, avec un sourire égal.*

DIXIÈME COMMANDEMENT : *tu suivras à la lettre les neuf premiers commandements. Sinon la maudition s'abattra sur ta tête.*

L'allure quasi médiévale de l'église du quartier du Fort surprend Adèle. À peine ses hauts vitraux sont-ils assombris par les moisissures tropicales ou par la subtile reptation du jasmin-pays dont les fleurs, minuscules, dégagent des senteurs ineffables. D'ici, on surplombe la ville écrasée de chaleur qu'est Saint-Pierre, cette espèce d'étuve où, à tout instant, il faut se rafraîchir le visage à l'eau d'une fontaine ou marcher, mouchoir en main, afin de s'essuyer le front. Pourtant, ses citoyens acceptent cette contrainte de belle humeur. C'est que la ville vit de la trépidation des porteuses, descendues de leurs campagnes pour la journée, charroyant sur leurs têtes de lourds paniers débordant d'abricots-pays, d'oranges amères, de prunes de Cythère, de pommes d'eau, de corossols, de mangues-Julie, tous ces fruits insolites qui enchantaient la fille d'Hugo quand l'une d'entre elles cognait à la porte de M. Verdet en lançant un jovial :

« La maison, ça va ? Ça va tout douce ? J'ai de bonnes choses aujourd'hui, oui !... »

La ville s'ébroue aussi au rythme des chevaux, tirant carrioles ou tilburys, qui lâchent sans façon des ploques d'excréments, à même le pavé des rues, dont l'odeur n'est point désagréable. Pas plus en tout cas que celle de la sueur humaine qui flotte partout : celle du travail incessant, acharné même, de grappes de tonneliers, cordonniers, portefaix, maçons, forgerons, serruriers, gabarriers, aigrefins, coursailleurs de jupon professionnels, joueurs de dés ou de cartes, ramasseurs de tinettes, brocanteurs de toutes qualités d'objets. Cela parle, cela hurle, s'esclaffe, s'énerve, rigole, sifflote ou chantonne. À l'inverse, le Fort est un havre de silence. Seuls s'égaillent, dans les frondaisons d'arbres centenaires, des oiseaux-mouches aux ailes vert moiré tiqueté d'écarlate. Les demeures des Grands Blancs semblent vides, hormis le mélodieux d'un piano ici et là. Celle du chef de la Caste, Dupin de Maucourt, est reconnaissable à sa barrière en fer ouvragé et à l'allée de cocotiers, parfaitement rectiligne, qui conduit à un perron prétentieux orné d'une volée de marches en demi-cercle, sans doute en marbre. Céline Alvarez Bàà, qui s'est grimée pour l'occasion en nounou créole — madras à une pointe aux teintes ternes, sévèrement amarré sur l'en-haut du crâne, ample robe noire surmontée d'un corsage brodé blanc — est passablement inquiète. Il sera bientôt midi et aucun signe ne laisse à penser qu'une réception est prévue à cet endroit.

« Tu es sûre du jour, doudou-chérie ? demande-t-elle plusieurs fois à Adèle à voix basse.

— Mardi, c'est ce que disait le carton d'invitation. Mardi à midi trente, oui, c'est bien cela !

— Hon ! J'espère qu'il ne s'agit pas d'une mauvaise plaisanterie... »

Les deux femmes, la Noire intimidée au possible, la Blanche équanime, s'approchent de la barrière. La veille, la pacotilleuse avait entraîné sa protégée à répéter son rôle : elle ne devait surtout pas donner à ces messieurs l'impression qu'elle n'était qu'une pauvresse à la recherche désespérée d'une main secourable mais, tout au contraire, garder le front haut. Il n'y a rien que les Blancs créoles respectent autant que la fierté, lui avait répété Céline. « Fixe-les dans le mitan des yeux ! N'hésite pas à leur couper la parole et à bailler ton point de vue ! S'ils en viennent à porter des critiques sur ton père, ce qu'ils ne manqueront pas de faire, défends-le cou-coupé ! Et si quelque vieux beau s'avise de te faire des yeux doux, ma chérie, foudroie-le d'un claquement de langue agacé ! » Adèle devait aussi rudoyer Céline de temps à autre pour couper court aux ragots selon lesquels cette dernière la tenait sous son emprise grâce à des maléfices de vieille Négresse. M. Verdet avait assisté à la répétition d'un air amusé. Il n'était pas un négociant suffisamment fortuné pour être invité à la table de M. de Maucourt. Le monde des Blancs avait aussi sa hiérarchie. Tout juste s'était-il fendu de quelques conseils quant à la manière dont Céline devait se tenir à table, les hobereaux martiniquais étant très à cheval sur l'étiquette.

« Elle sert de paravent à leur inculture... », avait-il lâché, furieux chaque fois qu'il songeait aux moqueries que suscitait chez eux sa passion hugolienne. « Et vous, madame Bàà, vous parlerez anglais ! Rien qu'anglais ! Ça les impressionnera. »

Prenant sur elle, la pacotilleuse fit carillonner la clochette accrochée à la barrière. De longues minutes s'écoulèrent avant qu'un homme noir entre deux âges, buste nu, qui poussait une brouette, fasse son apparition. Il transportait des plants d'arbustes décoratifs qui avaient déjà de l'allure, ce qui ravit Adèle. Sans leur poser la moindre question, il leur sourit et fit le geste de le suivre. L'allée, ombragée par les palmes des cocotiers, était tout bonnement féerique. Deux chiens pansus, munis de colliers, s'approchèrent, mais se contentèrent de flairer les deux femmes sans aboyer. À dix pas du perron, le jardinier s'arrêta, les salua de la tête avant de tourner les talons.

« *Yo rivé! Mi yo!* » (Elles sont arrivées ! Les voilà !) gloussa une voix de femme depuis un bâtiment situé un peu à l'écart qui devait être celui des cuisines.

Aussitôt, une nuée de Négresses jacassières encerclèrent Adèle, négligeant Céline. Elles se mirent à complimenter la jeune femme sur la claireté de son teint, sur ses beaux cheveux lisses, sur la droiture de son nez, sur ses seins qui, à les entendre, n'avaient pas leurs pareils. Certaines caressaient même les bras d'Adèle qui rougit. Une popotte ! « C'est une jolie p'tite popotte, oui ! » s'exclama la plus âgée des cuisinières, employant le mot créole qui désigne la poupée, mot qui avait fait sourire Adèle la première fois qu'elle l'avait entendu.

« Suffit ! »

L'ordre claqua tel un fouet. La voix était légèrement

enrouée mais pleine d'autorité. Les cuisinières regagnèrent leur bâtiment aussi vite qu'un vol de merles effrayés par une détonation. M. Honoré Dupin de Maucourt était là ! Sur le perron. Raide. Et sa seule présence était si imposante que Céline Alvarez sentit le fil de son cœur se distendre. Sans lui accorder la moindre attention, le hobereau descendit la volée de marches d'un pas hésitant et fit un baisemain à Adèle qu'il invita à gagner le salon.

« Vous êtes fort attendue, mademoiselle », fit-il d'un ton exagérément cordial.

Têtue, Céline ne se laissa pas faire. Elle leur emboîta le pas et pénétra, elle aussi, dans une vaste pièce où une dizaine d'hommes, assez élégamment vêtus, discutaient autour de bouteilles de rhum et de cognac. Aucune table n'avait été dressée pour un quelconque déjeuner. Sur une sorte de tréteau, avaient été disposées, sans façon, des assiettes contenant des pâtés, des marinades à la morue séchée, des tranches d'avocats et d'autres hors-d'œuvre créoles. De temps à autre, l'un des invités se levait et allait se servir, à main nue, certains n'hésitant pas à se lécher un doigt, aucune serviette n'ayant été prévue. Adèle jeta un regard ahuri à la pacotilleuse. Les belles leçons de maintien dispensées la veille par M. Verdet témoignaient de l'idée flatteuse (et fausse) qu'il se faisait des plus riches Blancs de la colonie !

« Messieurs ! Messieurs, un peu de calme, je vous prie, s'écria le patriarche de la Caste. J'ai l'insigne honneur de présenter à notre honorable assemblée la fille de ce grand poète dont la gloire universelle rejaillit sur notre mère patrie, la France. J'ai nommé Mlle Adèle Hugo ! Messieurs, applaudissements ! »

L'injonction fut mollement suivie. D'aucuns la jaugeaient, la soupesaient comme s'il s'agissait d'une vulgaire marchandise, s'arrêtant, sans gêne aucune, à sa poitrine et à ses hanches, bien qu'Adèle eût pu être la fille, voire la petite-fille, des plus âgés. À l'évidence, la plupart d'entre eux ne semblaient pas convaincus de la prestigieuse filiation dont elle se réclamait. Un rouquin court sur pattes, qui empestait l'alcool, s'avança, lui fit la révérence et demanda entre deux hoquets :

« Alors, dites-nous... la... vé... vérité, ma bonne dame ! Demi-mondaine ou gri... grisette ?

— Je vote demi-mondaine ! firent plusieurs voix de concert.

— Je vote grisette ! » rétorqua le reste du groupe en s'esclaffant.

Le doigt levé, à la manière d'enfants faussement appliqués, ils scandèrent les mêmes phrases de plus en plus fort en faisant tinter leur verre à punch à l'aide de leur petite cuiller. Le patriarche rétablit l'ordre d'un raclement de gorge, mais il n'avait, pour une fois, point l'air irrité. Il fallait bien que le trop sérieux Cercle de l'Hermine s'esbaudît ! Porter sur ses épaules le destin de la colonie n'était pas chose aisée tous les jours d'autant que mulâtres et Nègres, de plus en plus arrogants depuis le mitan du siècle, s'employaient à en saper les fondements. À la ruiner pour dire la franche vérité ! En fait, le chef de la caste blanche semblait embarrassé. Il n'avait convié cette jeune Blanche à déjeuner qu'à cause des pressantes sollicitations de la Mère supérieure qui tenait les rênes de la Maison coloniale de Santé, la seule personne devant laquelle il se sentait un tant soit peu à égalité parce qu'elle l'entendait en confession. La Mère supérieure désirait faire la lumière sur la véritable identité d'Adèle avant de l'accepter, sur requête de l'autorité municipale, dans son établissement, surtout que ce dernier n'avait jamais accueilli ce genre de pensionnaire. La forte femme régnait, en effet, sur un monde d'hommes noirs et blancs et de Négresses tombées dans la déchéance à cause du rhum, de la syphilis, du mal de poitrine, de dettes de jeu ou, plus rarement, de folie douce.

« Si elle est vraiment ce qu'elle prétend être, avait-elle déclaré à Dupin de Maucourt, eh bien, je suis d'avis qu'après lui avoir prodigué quelques soins, nous la renvoyions en France auprès de son cher père. M. Hugo, en dépit de ses égarements, est tout de même un homme croyant que je sache... »

Très digne, Adèle affrontait la rustrerie de ses hôtes avec une détermination qui surprit Céline Alvarez Bàà. Elle ne semblait faire aucun cas ni de leurs patronymes à rallonge ni de l'étendue de leurs biens qu'ils ne cessaient de vanter, entre deux punchs avalés cul sec, comme si chacun s'évertuait à réaffirmer sa position au sein du petit groupe où pourtant ils se côtoyaient depuis etcetera d'années. La jeune femme alla même se servir une assiettée de marinades et de boulettes de manioc à la morue qu'elle se mit à déguster d'un air placide. Le Cercle de l'Hermine cessa tout net de plaisanter. Voyant un superbe piano à queue au fond de la pièce, Adèle s'en approcha, en caressa les touches, l'air ailleurs, avant de s'y installer et de se mettre à jouer du Vivaldi avec une virtuosité qui obligea chacun à fermer sa caquetoire. Comme tenus en respect par cette supériorité toute européenne qu'affichait la jeune femme face à leur grossièreté de descendants de colons. Dupin de Maucourt semblait emberluqué à présent. Se tournant vers Céline, il l'apostropha, manière pour lui de se tirer d'affaire :

« Toi, la Négresse, tu connais mamzelle Hugo depuis quand, hein ?

— Cette Négresse comme vous dites est mon sauveur, s'interposa Adèle qui s'était raidie. Ma mère adoptive. Si je me trouve parmi vous aujourd'hui, c'est grâce à elle ! »

Au ton employé par la jeune femme, Céline comprit qu'elle était sur le point de basculer à nouveau. Elle commençait à bien connaître cette alternance de moments de lucidité et de violentes échappées dans le délire qui rythmait le quotidien de sa protégée. Redoutant un esclandre, elle joua à la nounou en l'enlaçant par la taille et en lui murmurant des mots d'apaisement. Mais il était trop tard. Adèle se dégagea de son étreinte et fit face aux convives de Dupin de Maucourt dans un geste de défi qui leur en imposa. Le rouquin, qui s'était gaussé de sa personne, n'en menait pas large, Adèle le dépassant d'une bonne tête, il est vrai.

« Je suis la fille de M. Victor Hugo, le grand Hugo ! commença-t-elle. Ne vous en déplaise ! Mais aussi l'épouse du lieutenant Albert Pinson, officier de Sa Majesté la reine d'Angleterre. »

Et de brandir son annulaire gauche auquel brillait une bague en chrysocale qu'elle avait dénichée dans l'un des paniers de sa protectrice. Une vulgaire bague surmontée d'un faux diamant que la pacotilleuse avait achetée à Panamá pour la modique somme de trente pesos et qu'elle comptait bien revendre au triple de son prix à quelque soubrette en mal de coquetterie. Soudain, Adèle se jeta sur le rouquin dont elle se mit à égraphigner les joues jusqu'au sang. Une rage démentielle la soulevait et il ne fallut pas moins de trois hommes pour la maîtriser. Elle trépignait, hurlait, se débattait, la bave aux lèvres, insultait les membres du Cercle de l'Hermine. Prise au dépourvu, Céline les regarda emporter la jeune femme dans une pièce attenante d'où s'élevèrent des voix qui n'avaient pas l'accent créole. Elle voulut s'en approcher, mais Dupin de Maucourt lui barra le passage.

« Elle est en de bonnes mains désormais, fit-il. Vous pouvez disposer ! Les docteurs Rufz et De Luppe s'occuperont de mamzelle Hugo. Une chambre lui a déjà été réservée à la Maison coloniale de Santé... Merci pour tout ! Et transmettez mon meilleur salut à M. Verdet, je vous prie. »

Une expression, une seule — expression terrible — entendue pour la première fois, résonnait dans la caboche de Céline Alvarez Bàà tandis qu'elle regagnait la ville basse d'un pas désordonné. Une expression qu'avait prononcée par deux fois l'un des docteurs à l'accent européen : camisole de force...

7

Le 12 mai 1871 (Saint-Pierre de la Martinique)

Cher monsieur Victor Hugo, plus grand poète devant l'Éternel, admiré jusqu'aux antipodes, défenseur des humbles et des opprimés,

J'imagine quelle sera votre surprise en recevant la présente missive et mon nom ne vous dira certainement rien, car je n'ai jusqu'à présent accompli en ce bas monde que des choses dénuées d'importance. Je m'appelle Céline Alvarez Bàà et suis née à mi-chemin entre l'île de Trinidad et celle de Saint-Domingue, en pleine mer, et c'est pourquoi mon destin est d'arpenter sans trêve les îles de l'archipel des Antilles. Dans mes paniers, je charroie tout un lot de merveilles qui, à n'en point douter, vous raviraient : écriteaux en ivoire et papier de Chine, soieries du Levant, épices de l'Inde, cigares de Cuba, rhum de la Martinique, perroquets de Cayenne et j'en passe. Ah, j'oubliais ! Depuis peu, j'y ai adjoint deux de vos livres, Les Contemplations *et* Han d'Islande, *tant en français que dans leur traduction anglaise, et je puis vous assurer qu'ils connaissent un succès certain auprès de tous les apprentis poètes et romanciers de l'Archipel. J'ai même appris par cœur certains de vos poèmes et quand je suis en proie à la tristesse, je me les récite en mon for intérieur, ce qui, merci, monsieur Hugo!, m'est un baume à nul autre pareil.*

Si je prends la plume pour vous écrire aujourd'hui, ce n'est toutefois pas pour vous parler de ma modeste personne. Il s'agit de votre fille chérie, Adèle, que j'ai recueillie il y a quelques mois sur les quais de Bridgetown, en l'île britannique de la Barbade. Notre jouvencelle est au bord de la déraison à cause, vous ne l'ignorez pas, d'un amour non réciproque qui n'a de cesse de la ronger. Elle ne se souvient plus de rien, hormis que vous êtes son père et qu'un certain lieutenant Albert Pinson a promis de l'épouser. Je suis contrainte de la faire manger à la cuiller comme un bébé et elle est devenue plus maigre qu'un bâton de balai. La nuit, elle ne trouve pas le sommeil et déparle-déparle-déparle d'une voix d'outre-tombe qui parfois m'effraie. À la Barbade, le monde des Blancs l'a rejetée. J'y ai remué ciel et terre. Alerté le gouverneur, les autorités religieuses, le consul de France. Cherché à lui trouver une place à bord d'un navire en partance pour Southampton. Rien n'y a fait. Personne ne voulait d'une jeune Blanche folle et baveuse qui n'avait pas un sou vaillant en poche. Je l'ai donc ramenée grâce à mes propres deniers à Saint-Pierre de la Martinique d'où je vous écris. Ici, un meilleur accueil lui a été réservé et M. Verdet, un honorable négociant, a eu la bonté de nous accueillir dans sa maison. Hélas, des doutes subsistent encore quant à la véritable identité d'Adèle. Certains jours, je me demande si je ne suis pas la seule à croire qu'elle est la fille du grand Victor Hugo. À notre arrivée, les riches Blancs l'ont invitée à leurs soirées mais devant son mutisme, ils ont fini par se désintéresser de son sort. M. le Maire a prétendu avoir adressé un courrier à son sujet à M. le Gouverneur de la Martinique, lequel a déclaré en avoir informé le ministère des Colonies, à Paris, mais depuis sept semaines, je n'ai plus aucune nouvelle de lui. « Après tout, ce M. Hugo est un ancien relégué, m'a-t-il lancé la dernière fois que j'ai frappé à son bureau. Un relégué, a-t-il insisté, ma chère dame, autant dire un réprouvé, un ennemi de la France, quoi ! »

Il n'y a donc plus aucun espoir que les autorités de la Martinique daignent s'occuper de ramener votre fille en France. Nos îles sont, il est vrai, peuplées de toutes espèces de manants qui débarquent sans crier gare de tous les ports atlantiques d'En-France et parmi eux, il y a bien sûr des ribaudes, des tuberculeuses, des marâtres et des folles. Les finances de la colonie ne pourraient supporter ni de les prendre en charge ni de les renvoyer chez elles. J'ai bien peur qu'ici, on ne considère Adèle à l'égal de cette lie de l'humanité. Mais, monsieur Hugo, soyez rassuré ! Adèle est sous ma pleine et entière protection. Chaque matin, je la lave, je la peigne, je l'habille, je la fais déjeuner avant de l'emmener en promenade dans le plus beau parc de notre ville, le Jardin des Plantes. Je la tiens soigneusement à l'écart de la gueusaille et si son esprit n'a pas encore retrouvé son équilibre, elle éclate à présent de santé. Elle est prête à faire le long voyage jusqu'à vous qui seul lui permettra de se sauver du désarroi qui l'habite. Hélas, je suis bien dénantie et ne dispose que du tiers du prix du billet et suis bien en peine de lui renouveler sa garde-robe ! Si vous aviez la bonté de m'allouer la somme de huit mille francs, je fais le serment d'accompagner votre fille jusqu'à vous. Elle est, en effet, dans l'incapacité de voyager seule.

Dans l'attente d'une réponse, que j'ose espérer positive à la présente missive, je vous prie d'accepter, cher monsieur Hugo, l'expression de ma très haute considération.

Céline Alvarez Bàà
Votre dévouée

PREMIER PÉRIPLE D'EN-FRANCE

« Dans de lointaines régions, des mains secourables se sont donc tendues vers l'ange dans sa chute. »

Victor Hugo *(1870)*

8

La Maison coloniale de Santé de Saint-Pierre était l'orgueil de la colonie, non que son architecture en pierres volcaniques taillées fût si remarquable dans une ville où ce matériau était abondamment utilisé tant par les Grands Blancs — maîtres du sucre et du rhum depuis un bon paquet de générations — que par les mulâtres qui avaient prêté serment devant Hippocrate ou Thémis, mais bien parce que avaient commencé à s'y développer, depuis l'abolition de l'esclavage, au mitan du siècle, de nouvelles manières de soigner les troubles de l'esprit. Le premier gouverneur à l'avoir inaugurée, homme dont le nom, pourtant à particule, n'avait été retenu ni par la grande ni par la petite histoire (fait remarquable quand on sait que la mémoire des Nègres avait le don d'engranger les détails les plus infimes de la vie locale et, de fait, elle se souvint que le bougre, en uniforme et médailles rutilantes, arborait ce qu'elle désigna sous le vocable pittoresque de « poils de mangouste », autrement dit des rouflaquettes dans le langage de la lointaine métropole), prononça ces paroles pleines d'enthousiasme devant un parterre de médecins blancs en blouse immaculée, d'infirmiers nègres formés à la hâte, de ma-sœurs à cornettes davantage habituées à soigner à coups de chapelet qu'avec les préparations de ces messieurs les apothicaires et enfin, de malades, toutes races confondues, engoncés dans des espèces de robes-sac en toile de jute qui leur baillaient l'air de pénitents en route pour Compostelle, dont les gesticulations, braillements et autres débordements avaient toutes les peines du monde à être contenus par un cordon de sergents de ville :

« Chers compatriotes, nous voici réunis en ce jour pour saluer l'ouverture d'un établissement qui n'a son pareil dans aucune de nos colonies françaises d'Amérique et même, que dis-je, d'Afrique et d'Indochine. En vieille terre française depuis trois siècles, c'est tout naturellement que la Martinique, fleuron de notre empire, a été choisie pour expérimenter ce que la science française a de plus avancé en matière de psychiatrie. Que ce mot nouveau et à l'allure quelque peu barbare ne vous effraie point ! J'avoue ne le connaître moi-même que depuis peu, mais je peux témoigner, pour en avoir discuté avec d'éminents praticiens, lors de mon dernier voyage en France, qu'il s'agit d'une manière de soigner les fous tout à fait révolutionnaire. Je ne m'étendrai pas plus avant, n'étant pas très versé dans cette matière, mais j'ai l'honneur, monsieur le maire, messieurs les édiles, monseigneur l'évêque, mesdames et messieurs du commerce et de l'Usine, de baptiser, très républicainement certes, cette Maison coloniale de Santé dont une aile entière sera réservée aux malades de l'esprit. »

Des applaudissements mesurés saluèrent cette noble — quoique trop courte au vu des usages d'ici-là — péroraison, chacun se méfiant de cette innovation que personne n'avait demandée. Certes, le nombre de dérangés mentaux avait inexplicablement augmenté depuis l'abolition de l'esclavage et il y avait nécessité de faire construire un asile en remplacement des deux cellules immondes de la prison de Saint-Pierre où l'on parquait généralement ce genre de citoyens, mais de là à lui consacrer une partie non négligeable de cette énorme bâtisse à étages, il y avait de quoi laisser perplexes le premier édile, un mulâtre, et ses adjoints, tous Blancs créoles, méfiants comme toujours envers les initiatives venues de l'autre bord de l'Atlantique. Il y avait surtout de quoi inquiéter l'aristocratie des planteurs et des négociants qui, année après année, à cause de cet Alsacien de Schœlcher, avaient vu leur pouvoir rétrécir tandis que les mulâtres et les Nègres, les premiers plus arrogants que jamais, les seconds turbulents et imprévisibles, refusaient désormais de s'agenouiller devant la blancheur. « La couleur ne nous baille plus de respect ! » maugréait-on dans les salons du quartier du Fort où la plupart des membres de l'ancienne race supérieure avaient fini par se retrancher. Mais l'inquiétude la plus vive était celle que s'efforçaient de dissimuler les deux docteurs, fraîchement débarqués de France, lesquels n'avaient aucune expérience des mœurs coloniales et écarquillaient les yeux devant le spectacle à eux offert. Comme de voir ce vieux planteur, tout de toile kaki vêtu, qui faisait causette avec un fou du plus beau noir, tels de vieux amis se rencontrant après une très longue séparation, cela dans cet idiome créole si irritant aux oreilles des nouveaux venus. On en comprenait, en effet, presque tous les mots, quoiqu'ils fussent pour la plupart tronqués, mais il était impossible de deviner le sens des phrases ! Ou encore l'omniprésence des proches parents des malades qui n'hésitaient pas à discutailler avec les infirmiers de couleur, leur adressant visiblement des reproches, ou encore à tirer par la manche l'unique docteur natif de l'île affecté à l'établissement pour lui couvrir les joues de baisers sonores, exercice pour le moins grotesque (il semblait disparaître entre les bras de ces matrones mamelues et pansues) s'il en était.

Aussi la première décision que prirent les docteurs Rufz et De Luppe fut de séparer malades blancs et malades de couleur, chose aisée puisque ces derniers étaient considérablement plus nombreux que les premiers. Chose fort appréciée aussi des ma-sœurs qui semblaient avoir trouvé un parfait équilibre entre leur foi chrétienne et le mépris de leur prochain à l'épiderme coloré. La Supérieure, Mère Marie-Antoinette, Bourguignonne bourrue et quelque peu hommasse, régnait sur une kyrielle d'amantes de Jésus-Christ qui trottinaient, fort affairées, dans les couloirs d'un hôpital beaucoup trop vaste pour qu'une surveillance sérieuse des malades pût s'y exercer. D'emblée, c'est-à-dire, au lendemain de la fameuse inauguration, elle convoqua les deux médecins, pourtant responsables, dûment installés par l'autorité gubernatoriale, de la bonne marche du secteur psychiatrique de la Maison coloniale de Santé, pour leur assener les propos définitifs suivants :

« Je vis à la Martinique depuis vingt-quatre ans, messieurs, je connais ce pays sur le bout des ongles. J'ai vécu l'époque de l'esclavage et celui de l'abolition. Je lis comme à livre ouvert dans les gens de ce pays, qu'ils soient nègres ou blancs créoles. Sachez que c'est un abus de langage de dire qu'un Nègre a perdu la raison, car il eût fallu d'abord qu'il en soit pourvu, ce qui, vous vous en rendrez vite compte, n'est point le cas ! Le Nègre est un être immature, versatile, illogique, à moitié civilisé, quoique certains d'entre eux qui ont eu la chance de vivre dans notre beau pays de France en soient revenus avec des diplômes ronflants. Ah oui, il y a des avocats, des professeurs et même une poignée de docteurs de couleur ! Tout cela n'est que pure singerie. Derrière leurs vêtements soignés et leur jactance à nulle autre pareille se cache une mentalité indéracinablement primitive. Notez bien que, chez eux, l'état de folie est toujours lié à des pratiques de sorcellerie. Le quimbois, appelle-t-on cela ici ! Enfin, ce n'est pas à vous que j'apprendrai cela. Vous avez lu Gobineau et Vacher de Lapouge, je suppose... Quant aux Blancs, les causes de leur déraison sont tout autres. Vous trouverez ici des gens qui ont perdu brutalement père et mère à cause d'une maladie ou alors dont le commerce s'est trouvé ruiné du jour au lendemain. Hélas, le cours du sucre est chaotique en Europe ! Bon, bien entendu, il y a ceux qui ont abusé du rhum. Méfiez-vous, messieurs, de cette boisson à l'air si inoffensif ! Elle paraît aussi pure et transparente que de l'eau de source mais elle vous dérange le cerveau en un rien de temps. Voilà ! »

Les deux médecins n'eurent pas le temps de souffler mot. Mère Marie-Antoinette, dont la cellule était encombrée de livres (dont tous n'étaient pas saints puisque Rufz eut le temps d'y reconnaître *Les Fleurs du mal*), les congédia sans autre forme de procès. Les jours et les mois suivants ils eurent la surprise de constater qu'elle se manifestait peu en personne. Elle s'était arrogé une partie du bâtiment central d'où partaient ses directives, relayées par les ma-sœurs, en particulier sœur Aurore qui semblait être son bras droit. Parfois, au crépuscule, un tilbury venait la chercher et elle disparaissait jusqu'au lendemain midi, moment où religieuses et malades s'agglutinaient au portail principal pour lui faire fête.

« Tiens, voici la reine Marie-Antoinette ! prit l'habitude de plaisanter De Luppe.

— Il paraît qu'elle fréquente le Cercle de l'Hermine. J'ai du mal à imaginer une femme, la seule je suppose, au milieu de tous ces buveurs de gin et fumeurs de cigares. Sacré tempérament, notre Mère supérieure !

— L'autre matin, à la rue du Petit-Versailles, un de ces énergumènes m'a arrêté dans la rue, un De Merville ou Dupin de Latour, je crois, et m'a tenu tout un discours sur l'origine noble des Blancs créoles. Il m'a même mis un certificat sous le nez ! Ha-ha-ha !... "Vous, les Blancs manants, m'a-t-il lancé, occupez-vous correctement de mon frère, sinon vous aurez affaire à moi."

— Son frère ? »

De Luppe sourit. Il commençait à s'habituer à la Martinique et à l'apprécier. Le jour où il avait reçu sa nomination pour Saint-Pierre, il s'était imaginé devoir vivre dans la jungle, entouré de tribus grimaçantes et d'animaux sauvages et avait été agréablement surpris de découvrir une ville de plusieurs dizaines de milliers d'âmes aux rues propres et aux maisons parfaitement tenues.

« Oui... il s'agit de celui auxquels les Nègres ont attribué le sobriquet de Tête-Mulet. Tu sais, ce grand échalas à la barbe poivre et sel qui rit tout seul près du bassin en essayant d'attraper des libellules ou des grenouilles. J'ai réussi à soutirer son nom à sœur Aurore. C'est un Dupin de Latour, voilà, ça me revient ! »

Les malades d'origine blanche créole n'étaient, en effet, pas internés sous leur vraie identité. Soit on leur en donnait une d'emprunt, soit il figurait sous un matricule dans les registres de l'établissement. Leurs familles ne les visitaient qu'en catimini, lorsque, par exemple, à la période du carnaval, il se vidait. En effet, dès le milieu du mois de janvier la fièvre qui s'emparait de tous les quartiers de Saint-Pierre s'insinuait de manière inexorable à la Maison coloniale de Santé. Les chants et les exclamations des cohortes de Nègres déguisés en diable, en arlequins, en marquis du Premier Empire ou en pirates montaient des rues environnantes, insufflant aux malades une soudaine allégresse. C'est d'ailleurs à cette époque que, sur ordre du patriarche de la caste blanche et du premier édile de Saint-Pierre, Adèle Hugo y fut conduite dans le plus grand secret. Ces éminents notables avaient convaincu M. Verdet des bienfaits d'une toute nouvelle manière de soigner les maladies mentales récemment mise en œuvre par les deux médecins métropolitains. Le négociant, qui était devenu presque l'ami de Céline Alvarez Bàà ou qui, en tout cas, lui portait une considération dont il n'avait jamais fait preuve envers aucune femme, fût-elle blanche, s'employa à vaincre les réticences de la pacotilleuse. Ce ne fut pas une tâche facile, car cette dernière avait l'intime conviction que le mal dont souffrait Adèle avait partie liée à quelque maudition qui poursuivait la famille Hugo depuis plusieurs générations. La subite folie d'Eugène, le frère de Victor Hugo. La mort par noyade de la sœur aînée de la jeune fille, cette Léopoldine dont Adèle n'avait cessé de ressasser les vertus. Tout ce lot de malheurs n'en était-il pas déjà une preuve évidente ? En fait, Céline Alvarez cherchait le mentor, le grand déchiffreur de l'Invisible, qui serait capable de rompre cet enchaînement destructeur. Adèle eût-elle été une Créole que la question aurait été réglée en un battement d'yeux, mais s'agissant d'une Européenne, la plupart de ceux qui se targuaient de connaître les lois du monde surnaturel préféraient renoncer. Céline Alvarez avait ainsi conduit, ô imprudence, la jeune Blanche, peu avant son internement, chez un dénommé Siméon qui officiait dans la commune d'Ajoupa-Bouillon, dans un quartier isolé au fin fond des bois où coulait une rivière rageuse. Saut-Babin — c'était là le nom de l'endroit — était un enchevêtrement de lianes, de goyaviers sauvages, de pieds de bambous et de halliers parcouru par une trace qu'on avait peine à distinguer. Céline fit le malheur d'y conduire sa protégée un jour d'hivernage. Elles furent rapidement couvertes de boue jusqu'à mi-cuisse. Une incessante pluie-fifine trempa leurs cheveux. Siméon les attendait accroupi, buste nu, à la devanture d'une case proprette dont les ouvertures étaient hermétiquement closes. Il tirait avec délices une pipe en terre, chassant de temps à autre des nuées de maringouins qui voletaient autour de son visage. Son corps robuste contrastait avec les cheveux couleur de laine qui lui couvraient l'arrière du crâne, ce qui lui baillait un âge indéfinissable. Il aurait tout aussi bien pu avoir quarante ans que le double. D'un geste de la main, il intima l'ordre aux deux femmes de s'arrêter à dix pas de lui et ralluma un feu de brindilles duquel s'éleva une odeur douceâtre de vétiver. Puis, il ferma les yeux et marmonna des paroles dans une langue inconnue de Céline Alvarez. La pluie s'arrêta, flap ! On n'entendait plus que le rugissement de la rivière dans la cascade d'où s'élevait de la vapeur d'eau qui nimbait les pieds de bambous d'une rosée scintillante. Une sorte de paix, miraculeuse, s'installa, ce qui eut pour effet de rasséréner Adèle. Elle avait cessé de trembloter dans sa robe en madras mouillée et esquissait même un léger sourire.

« Ce que cette mamzelle cherche, elle ne le trouvera pas. Elle ne le trouvera jamais ! » fit brutalement Siméon.

Interloquée, Céline ôta une bourse de son corsage et la lui tendit. Le quimboiseur ne bougea pas d'une maille. Il s'était redressé de tout son long à présent et l'on distinguait sur son torse d'affreuses scarifications dont certaines étaient boursouflées.

« *Zot pa ka konpwann fwansé kon sa yé a !* (Vous ne comprenez donc pas le français !) fit-il d'une voix énervée.

— Cette jeune fille ne cherche rien... Je veux simplement un remède... commença Céline.

— Ah ! Un remède ! Voyez-vous ça, un remède ! Mais il n'y a aucun remède au mal d'amour, madame. Surtout quand il vous a déjà rongé l'esprit comme c'est son cas. C'est qui ? La fille d'un béké ?

— Non... C'est une Blanche-France... »

Un regain d'intérêt alluma les yeux de Siméon, ce qui le rendait encore plus effrayant. L'unique dent supérieure qui lui restait se mettait à locher chaque fois qu'il prononçait un mot et il la remettait à sa place d'un geste vif de la langue qui eût semblé hilarant en d'autres circonstances. Il invita les deux femmes à approcher. Cette fois-ci, c'était au tour de Céline de frissonner. Adèle demeurait impavide, les yeux rivés sur le quimboiseur. Ce dernier sauta sur elle et se mit à la griffer, à la frapper, tentant même de lui mordre les bras. On aurait juré un chien enragé.

« Mauvaise nation ! Mauvaise nation ! » éructait le quimboiseur en repoussant Céline du pied.

Adèle n'opposait aucune résistance à son agresseur. Bientôt sa peau fut en sang. Visage lacéré, bras écorchés. Céline, en désespoir de cause, se saisit d'une branche morte qu'elle fracassa sur la tête du vieux Nègre sorcier. Il mit plusieurs bonnes minutes avant de s'effondrer. Hissant le corps devenu flasque de sa protégée sur ses épaules, la pacotilleuse quitta les lieux aussi vite qu'elle put. Ne retrouvant pas le sentier par lequel elles y étaient arrivées, elle s'enfonça, droit devant elle, à travers bois, insensible aux souches qui la faisaient trébucher et aux lianes qui enserraient par moments leur étrange attelage. Au bout d'une heure d'errance et alors même que Céline désespérait de pouvoir retrouver son chemin, elle aperçut, par-delà une touffe de halliers, une longue rayure grise qui serpentait à l'en-haut d'un morne escarpé. La route coloniale ! Sauvées, elles étaient sauvées !

[À ma muse pérégrine

L'au-loin
Ciel silencieux d'avril, désirs à peine avoués
L'au-loin dans sa bleuité,
dans sa danse funèbre
Qui écoute l'oiseau au falle jaune,
son envol affolé autour des corolles ?
ô bougainvillées, paupières de nos songes
Nous attendons au bord du monde
celle qui ne viendra plus

MICHEL AUDIBERT]

Henry de Montaigue n'avait eu de cesse, dans les tavernes et les bouges de la ville basse, dans les dédales du quartier La Galère, à l'embouchure de la Roxelane, là où s'entassaient, dans des cahutes en bois rongé par l'humidité et les poux, des lavandières aux bras d'ébène luisant et au verbe haut, des aigrefins et des vagabonds plus ou moins en délicatesse avec l'ordre public, des Indiens en rupture de plantation, des mulâtres jadis de bonne famille mais qui pour avoir trop forcé sur le tafia avaient dégringolé de l'échelle sociale et de vieux marins européens qui y avaient définitivement jeté l'ancre, d'entendre parler de l'allée Pécoul. Chacun y allait de son appréciation louangeuse, voire hyperbolique. Il s'agissait tantôt d'une interminable ligne droite qui bordait les champs de canne à sucre de l'Habitation Depaz où régnaient depuis six générations des Poitevins ou des Vendéens — on ne savait plus — au cœur aussi sec qu'une savane au mitan du carême, tantôt d'une tracée de rêve, au long des cases des coupeurs de canne, où, au soleil déclinant, on venait marivauder avec des jeunesses délurées qui, parfois, acceptaient de vous suivre dans les halliers. Mais à minuit, attention, foutre ! lançaient les plus avertis, à cette heure-là, un cheval-trois-pattes y galope sans discontinuer jusqu'au devant-jour et l'on peut entendre le pla-ca-tac de ses sabots jusqu'aux premières maisons de l'En-Ville, juste après le Jardin botanique. Alors, la négraille se terre, se fait muette et sourde. La race indienne invoque Madouraïviren dans sa langue, le tamoul, et c'est une longue plainte qui monte dans le ciel troué d'éclairs qu'on jurerait descendus de la Montagne. Car cette dernière veille, impassible et féroce tout à la fois.

« Nous qui vivons à son pied, avait dit un Nègre au visage parcheminé à un Montaigue ahuri, nous connaissons chacun de ses mouvements. Nous savons ce qu'ils annoncent. »

Le détective n'avait aucune raison de penser qu'Adèle et sa protectrice, cette Bàà qu'il n'avait jamais vue mais dont il devinait le profil simiesque, pouvaient avoir trouvé refuge à l'allée Pécoul. Il les avait pistées à travers le quartier du Mouillage, dans la fournaise des ruelles du Centre, dans les hauteurs ombragées du Fort, fouillant chaque recoin, chaque maison à première vue abandonnée, harcelant le monde de questions à propos des deux femmes — « Une jeune Blanche et une Négresse qui joue à être sa maman, vous ne les auriez pas aperçues ? » —, soudoyant les agents de police, payant à boire au premier quidam qui faisait mine de le mettre sur une piste intéressante, tout cela en pure perte. Adèle Hugo et Céline Alvarez Bàà, depuis leur arrivée à la Martinique, étaient introuvables. Si Montaigue admettait qu'il ait pu avoir quelques difficultés en terre canadienne, puis en terre barbadienne, après tout terres étrangères, régies par les lois anglo-saxonnes, il pestait contre lui-même depuis qu'il se trouvait à Saint-Pierre, car désormais il n'avait plus la moindre excuse. La perspective de rentrer bredouille en France lui était insupportable, ayant tout misé sur la mission que lui avait confiée Victor Hugo, un après-midi de printemps, au jardin des Tuileries. Il avait d'abord dû fermer son cabinet, laissant en plan nombre de fidèles clients, à commencer par le mari de Germaine, ce bon M. Robillard si fier de son commerce, car il n'était pas douteux que celle-ci avait déjà dû se remettre à courir la prétentaine. Montaigue avait simplement apposé un panneau, pour le moins ambigu, sur la porte cochère de l'immeuble : « Fermé pour cause de décès. » Cela pouvait dire soit qu'il avait perdu un proche parent, soit que lui-même était mort. Ce pari fou, le détective s'y était risqué parce qu'il savourait à l'avance l'extraordinaire renommée qui serait la sienne s'il parvenait à ramener des Amériques la fille du grand poète national. Il visualisait déjà les titres des journaux de la capitale, les réceptions auxquelles il ne manquerait pas d'être invité, l'afflux de clients huppés surtout, lui qui jusque-là n'avait travaillé que pour du menu fretin. Académiciens, vicomtes, grands manufacturiers, sénateurs, médecins réputés, si bien assis dans la société qu'ils fussent, ne manquaient point, comme tout le monde, de se retrouver victimes de tromperies, d'escroqueries à l'héritage ou de cabales politiques ou autres. Il en aurait, du pain sur la planche !

Pour l'heure, tout cela relevait, hélas, de la douce rêverie. Adèle et son mentor en jupons continuaient à lui échapper. Montaigue n'était, toutefois, pas homme à se laisser gagner par le découragement. Bien au contraire. De son imagination débordante jaillissait toujours, au moment où il se trouvait coincé, quelque subterfuge qui le tirait d'affaire. Subterfuge que, selon l'enseignement de son maître, Le Chartier, il devait se garder de chasser de son esprit, car à se fier à la froide raison et à elle seule, un détective allait droit à l'échec. En fait, une bonne enquête devait allier trois éléments : le flair, l'esprit de logique et la chance. Nostre homme devait toutefois admettre que cette dernière lui avait bien fait défaut depuis qu'il avait posé le pied dans la froide Halifax, deux ans plus tôt. C'est d'ailleurs ce qui le poussa à la réveiller. Car la chance ne vous tombe pas dessus à l'aveugle, il faut de temps en temps — précepte de Le Chartier — lui donner un petit coup de pouce. Et la seule manière d'y parvenir, dans cette ville sans cesse affairée qu'était Saint-Pierre, était de déambuler et surtout de noctambuler. Le détective entreprit donc de hanter les étals des marchés, les quais, les parvis d'églises, les tavernes, les abords du théâtre, les concerts du « Grand Balcon », les allées ombragées du Jardin des Plantes et bien entendu les boxons. Il observait les visages, épiait les conversations, fraternisait avec les boit-sans-soif et autres bambocheurs toujours prompts à taquiner l'Européen de passage, supportait sans broncher les remarques aigres des lessiveuses qui, de grand matin, étendaient leur linge blanc sur les berges de la rivière Roxelane. Le soir venu, en sueur et fourbu, il se livrait aux mains expertes des catins de la rue des Bons-Enfants tout en aiguillant habilement la conversation sur l'objet de sa quête. Ce manège dura un bon mois jusqu'au jour où une animation inhabituelle attira son attention devant l'échoppe de Chrisopompe de Pompinasse, un écrivain public dont il entendait vanter les mérites un peu partout. Deux Négresses obèses, quoique encore relativement jeunes, s'y disputaient, poings sur les hanches et madras défaits, prêtes à s'étriper à la grande joie des passants.

« *Ektò sé pa ta'w ! Sakré fimel vakabòn ki ou yé !* (Hector ne t'appartient pas ! Espèce de femelle-vagabonde que tu es !) hurlait la plus gironde.

— *Dépi ki tan ou ni an bagay ki ta'w ? Grandè ou yé a, ou poko sav si sel bagay nou ni ki ta nou, sé an plas nan senmitié, ébé Bondié !* » (Depuis quand t'as quèque chose qui t'appartient ? À ton âge, tu sais pas que la seule chose qui nous appartient, c'est une place au cimetière, sacré nom de Dieu !) riposta l'autre, gagnant du même coup les faveurs du public.

En un rien de temps, une foule de désœuvrés s'était rassemblée devant la petite échoppe et y allait de ses commentaires, certains enviant le nommé Hector d'avoir deux femmes qui se disputaient sa personne alors qu'eux-mêmes étaient à sec. L'écrivain public contemplait ce tohu-bohu avec un souverain dédain. Quand il aperçut Montaigue, que son teint désespérément pâle distinguait de ceux qui l'entouraient, il lui fit un petit salut à l'aide de l'index et du majeur qu'il porta à son front, croyant sans doute avoir affaire à quelque soldat en permission. En un éclair, le détective y vit un signe. Un signe que lui adressait la chance et qu'il se devait de saisir sur-le-champ. L'avant-veille, il avait été reçu par le maire de Saint-Pierre, cela pour la troisième fois, et la bouffissure de ce mulâtre au verbe ampoulé l'avait à nouveau agacé. « Hélas, mon cher monsieur, lui avait-il assené, comme à chacune des entrevues précédentes, notre belle cité ne cache personne qui porte le nom de la fille cadette de M. Victor Hugo et croyez bien que je m'en désole ! Je suis au fait de tout ce qui se trame dans les plus humbles foyers de La Galère comme dans les villas somptueuses du quartier du Fort, si cette jeune femme se trouvait dans nos murs, sachez que j'en aurais été le tout premier informé ! La présence d'Adèle Hugo eût été un immense honneur pour nous. »

« Ça y est ! J'ai trouvé ! » ne put s'empêcher de marmonner Montaigue en s'approchant de l'écrivain public, non sans mal car les deux femmes avaient commencé à s'étriper sans que quiconque s'avisât de les séparer.

Chrisopompe de Pompinasse eut l'air interloqué de le voir pénétrer dans son échoppe, non pas que les Blancs-France n'eussent jamais recours à ses services — bien au contraire, car la plupart d'entre ceux qui émigraient aux colonies savaient à peine lire et pas du tout écrire — mais parce que la hiérarchie militaire disposait de son propre service du courrier. Tout y était rédigé, contrôlé et parfois censuré par les bons soins d'un maréchal des logis plein de bonhomie auquel il arrivait, quand il était en permission, de venir faire un brin de causer avec le plus célèbre écrivain public de Saint-Pierre. Les deux hommes s'estimaient quoique leurs opinions politiques divergeassent du tout au tout.

« Je suppose qu'il vous arrive d'avoir des demandes... comment dirais-je... insolites, cher monsieur ? » fit Montaigue en s'asseyant d'autorité dans la salle d'attente de l'échoppe.

Pompinasse sourit. Il ferma la porte d'entrée parce qu'au-dehors, l'altercation avait viré à l'algarade et que chacune des deux femmes qui se disputaient les faveurs du dénommé Hector avait trouvé des partisans lesquels s'injuriaient à qui mieux mieux.

« Ma demande est plus qu'insolite, reprit le détective. Il se pourrait même qu'elle encoure les foudres de la loi...

— Oh, vous savez, la loi, dans ce pays, c'est souvent juste un mot !

— Voici ce qui m'amène ! Jetez-moi dehors si vous estimez que je n'ai pas toutes mes facultés. Ha-ha-ha ! »

Et de demander à l'écrivain public de rédiger une lettre qu'il signerait Victor Hugo, lettre annonçant au premier édile de Saint-Pierre qu'Adèle Hugo était bien sa fille cadette. Montaigue avait appris que la fameuse Céline Alvarez Bàà et sa protégée avaient rencontré celui-ci et qu'elles avaient sollicité son appui pour rentrer en France, ce que le bougre avait démenti devant lui avec véhémence. Allez savoir pourquoi ! Qui Saint-Aubin voulait-il protéger ? À moins qu'il ne voulût pas s'ouvrir d'une affaire de cette importance avec le premier venu. Il avait, en effet, tourné et retourné la carte de détective de Montaigue, à la fois perplexe et agacé, avant de la mettre dans sa poche et de lui lancer, d'un ton peu convaincant :

« Si jamais j'entends parler de ces dames, je prendrai votre attache... Vous logez à l'auberge du Nouveau Monde, je présume ? »

Chrisopompe de Pompinasse ignorait ce que ce Blanc-France mal rasé comptait faire avec cette fausse lettre, mais il était ravi de jouer un bon tour à celui qu'il considérait comme un suppôt de la caste blanche et de l'ordre colonial. Ce Saint-Aubin n'était qu'une potiche de couleur entre les mains des seigneurs du sucre et du rhum. Un traître à sa classe, un Judas auquel ceux-ci n'avaient attribué qu'une seule et unique prérogative : celle de porter l'écharpe tricolore lors des cérémonies officielles. Nul doute qu'il brandirait la lettre de l'éminent poète pour tenter de se bailler de l'importance. Car, bien qu'il eût rédigé quelques semaines plus tôt celle dans laquelle Céline Alvarez Bàà annonçait à Hugo qu'elle était prête à lui ramener sa fille, Chrisopompe voyait en Adèle, comme tout un chacun à Saint-Pierre, tantôt une pitoyable dérangée mentale, tantôt une usurpatrice. Il était persuadé que tôt ou tard sa supercherie serait éventée, chose qui ne manquerait pas de mettre le maire de Saint-Pierre dans l'embarras au cas où ce dernier se vanterait de détenir la preuve que la jeune Blanche disait vrai. Or, Saint-Aubin était bien trop vaniteux pour garder une lettre signée d'Hugo par-devers lui !

« Au fait, pourquoi avez-vous recours à mes services ? fit-il, un brin soupçonneux, à Montaigue.

— Parce que j'ai une écriture déplorable ! rétorqua le détective sans se démonter. Si je trace bien les pleins, j'éprouve quelques problèmes avec les déliés, voyez-vous. »

Chrisopompe se satisfit de ce mensonge. Après tout, c'était son affaire, à ce Blanc-France ! De toute façon, il contreferait son écriture. Bien malin serait celui qui pourrait remonter jusqu'à lui ! Sans compter qu'à Saint-Pierre exerçaient pas moins de sept écrivains publics. Lesquels, en outre, usaient de graphies différentes selon le client : appliquée quand il s'agissait d'une demande à l'administration, tout en courbures pour les déclarations d'amour, désinvolte en cas de rappel de dette ou d'admonestation. Il se mit à son écritoire et, jaugeant à nouveau Montaigue, trempa sa plume dans l'encrier. L'affaire fut bouclée en un petit quart d'heure. Le détective trouva la somme qui lui était demandée plutôt exagérée, mais le remercia avec chaleur. Au-dehors, la dispute avait cessé. Les deux sauvagesses devisaient à présent comme si de rien n'était ! Décidément, il ne comprendrait rien au tempérament créole. Dans ce pays, la civilisation française n'était au fond qu'un vernis et curieusement, il s'y sentait moins à l'aise qu'en Nouvelle-Écosse ou à Barbade, tout britanniques que fussent ces territoires.

Rentré à son hôtel, le détective chercha parmi les documents qu'Hugo lui avait fournis, une lettre qu'Adèle avait postée, depuis Guernesey, à sa mère, à l'époque où celle-ci faisait de fréquents séjours à Paris, bravant le décret d'exil pris par Louis Napoléon. Il en découpa le timbre qu'il colla sur une enveloppe vierge. En lettres capitales, il écrivit le nom du premier édile de Saint-Pierre et l'adresse de sa mairie, puis, il attendit la fin du jour, qui sous ces latitudes, se produisait entre cinq et six heures, et sortit. Montaigue était tout guilleret. Revigoré même. Une fois que ce fat de Saint-Aubin l'aurait reçue, Céline Alvarez Bàà et Adèle seraient bien obligées de se montrer au grand jour. De sortir de leur trou. Et à ce moment-là, ce serait à lui de jouer ! À lui d'ôter la jeune fille des griffes de cette sorcière noire et de la ramener triomphalement à son père ! L'enveloppe déposée dans la boîte aux lettres de l'austère bâtiment municipal, le détective se rendit d'un pas alerte au boxon de la rue des Bons-Enfants pour goûter aux charmes d'une certaine Amandine dont la peau était si douce qu'on aurait juré de la soie.

« Visage béat de mon père... la barque qui vacille, Charles et Léopoldine qui rient aux anges... La Seine devient folle et sombre, les herbes qui la bordent sont de longs cheveux soyeux qui les attirent, les happent, puis les repoussent... Mon père me demande de rejouer une sonate de Bach sur le perron de Hauteville House où se rassemblent ses invités. Les notes s'envolent dans l'air marin qui me dessèche la peau... La vague remonte, grand serpent aux anneaux couleur de pierre prêt à déchirer le visage du ciel, à engloutir le timide soleil de la fin de l'été. Pourtant Léopoldine est guillerette, elle enserre son mari, la tête posée sur son cou... Pattes noires qui m'étreignent, ça hurle, ça bave, ça jouit, mon corps est souillé à même le quai, à quoi bon résister ? De grosses lettres également noires s'impriment sur mes yeux BRIDGETOWN DOCKS... Visage de mon père soucieux. Le nain-tout-puissant nous contraint à l'exil, usurpant le nom de Napoléon. Ma mère regrette la vie pétillante d'antan, les lumières de Paris. Elle a cessé de s'habiller à la mode, de porter ses parures et même de danser parce que nos réceptions, pourtant fréquentes, lui semblent dérisoirement provinciales. Pis que provinciales, grince-t-elle, sauvages. Jersey est une île sauvage ! Moi, par contre, je reprends des forces en contemplant l'océan qui rugit au pied des falaises, je cours le matin sur la grève d'Azette aux côtés de mon père, je revis... Qui est cette Négresse qui s'est imposée dans ma vie ? Pourquoi ne me laisse-t-elle pas à mon errance ? Pourquoi ? Non, elle n'est pas ma mère ! Elle ne sera jamais ma mère ! Son commerce de pacotille m'indiffère, il me semble même oiseux. Ses cajoleries me révulsent. Pourtant, il suffit qu'elle pose sa main sur mon front pour que mes douleurs s'apaisent. "Je te le retrouverai, ton Albert", me promet-elle d'une voix suave... La barque est projetée en l'air, Léopoldine continue à gazouiller, Charles s'affole soudain, il joue des rames. En vain. Léopoldine est belle dans la fraîcheur de ses dix-neuf printemps, petite libellule innocente que guette la mort... »

Mon père, l'Africain Bàà, ressassait une histoire que ma mère Carmen Conchita Alvarez refusait d'entendre : au-premier-commencement, les négriers les voulaient nus. Ils voulaient contempler l'alignement du bois d'ébène sur les quais de Bénin ou de Ghana, ces cohortes de Nègres hagards, enchaînés par les pieds, qui transpiraient une sueur mauvaise, qui ruisselaient de peur, qui parfois se gourmaient sans raison. Ils les palpaient : sous les bras, au creux des cuisses, dans le trou des fesses, au fond de la bouche. Pas un orifice qui ne fût visité, ausculté. Certains s'acharnaient même dans les toisons crépues des Nègres venus de l'intérieur, ceux qui vivaient en bon voisinage avec les bêtes sauvages et en adoptaient sans doute les mœurs. Pour les Négresses, le premier endroit à se trouver livré aux mains râpeuses des Blancs était le trou de leur coucoune. À vrai dire, ils y cherchaient moins quelque objet dissimulé qu'une source de plaisir qui remontait depuis leurs doigts jusqu'à leur nuque, laquelle en devenait subitement raide, exorbitait leurs yeux déjà rouges sous l'effet du vin de palme, dressait leurs poils et certains, ne pouvant réfréner leurs élans, renversaient la femme sur le dos pour la chevaucher à bride avalée. Là, sur les quais, là même, sur les quais branlants, qui ne faisaient déjà plus partie de la terre d'Afrique. De cette étreinte ne s'élevait aucun cri de douleur. Les Négresses savent se faire muettes au cœur de la détresse. Elles savent garder les yeux grands ouverts, fixant un point, visible d'elles seules, dans le lointain et c'est pourquoi au sortir de telles avanies, elles n'avaient point l'air souillé.

Des nuits durant, dans l'obscurité fétide des baraquements, là où des langues jamais entendues s'entrechoquaient, où des peaux se hérissaient au contact d'autres peaux (parce que leur grain n'était pas le même, parce que les scarifications rituelles différaient ou parce qu'une odeur fauve en émanait), les esclaves invoquaient leurs dieux. Certaines nuits, ces derniers se trouvaient rassemblés en si grand nombre que les cloisons se mettaient à tanguer, le toit se gonflait comme sous l'effet d'un souffle puissant. La terre battue, où étaient allongés les Nègres, enchaînés les uns aux autres, se faisait soudain froide. Terriblement froide. Des voix de femmes étaient traversées de sanglots. Une litanie de prières, d'invocations, de supplications, d'oraisons en bambara, kikongo, wolof, mandingue, peul ou arabe. Une litanie qui stridait au mitan de la nuit noire. Quand les gardes portugais, saouls ou abrutis par le chanvre, étaient affalés à la porte des baraquements, statues blanchâtres et grotesques qui faisaient mine de brandir leurs mousquets. Quand les capitaines des bateaux négriers baillaient de grandes fêtes orgiaques à bord, invitant le gouverneur et sa cour, à quelques bonnes encablures de la côte.

Tout ce charivari énervait les dieux. Qui se faisaient maussades. Ou indifférents. Parfois méchants. Oui, les dieux se battaient entre eux, s'insultaient avec une virulence inouïe, se lamentaient, pénétraient leurs fidèles qu'ils secouaient de transes soudaines. Les dieux n'aimaient pas se retrouver si loin de leur territoire. Ils préféraient l'apaisante touffeur des forêts, la chaleur sèche et bienfaisante des savanes, les sources babillardes enveloppées de fougères arborescentes, les rochers si énormes qu'on les croyait tombés du ciel en des temps immémoriaux. Tout cela leur était très familier et c'est pourquoi leur bonté n'avait point de limites. Or, ici, face à cette mer aux eaux glauques, sur cette frange de terre sablonneuse jonchée de débris qu'arpentaient sans relâche des hommes à la peau blanche (le matin), rouge (au midi du jour) et jaunâtre (au crépuscule), créatures démoniaques dont le regard bleu vous clouait sur place la toute première fois que vous le croisiez, les dieux étaient tout bonnement désorientés. Tous les dieux sauf un seul : Agoué-Taroyo. La mer, les fleuves, les rivières ainsi que toutes les créatures marines étaient sous sa juridiction, cela nous le savons. Je me surprends à rire doucement, répétant : nous le savons ! Mais Agoué-Taroyo, en ces temps-là, des siècles et des siècles en arrière, là-bas en Afrique, Agoué bouillait de colère contre les Nègres et les maudissait. Il ne bougea pas lorsque les hommes blancs hissèrent les voiles démesurées de leurs navires et se mirent à fendre la mer droit devant. Droit devant : là où se trouvait le Néant. Les anciens avaient toujours dit que le monde s'arrêtait à la ligne d'horizon. Par-delà, vivaient les divinités maléfiques dans une espèce de vaste trou sans fond qui n'était autre que le Royaume des Ombres. « Les hommes blancs emportèrent nos ancêtres aux Enfers, oui ! » ricanait ma mère, parce qu'un jour, nous avions manqué de respect au dieu Agoué-Taroyo. Celle-ci tenait ce récit de notre ancêtre, Luisa de Navarette...

Or donc, Agoué-Taroyo règne sur les mers.

Il est notre protecteur à nous autres, pacotilleuses, qui n'avons droit qu'aux caboteurs inconfortables peuplés de marins amateurs de rhum ou aux goélettes, certes plus rapides mais aussi moins résistantes aux tempêtes. J'ai gardé souvenir d'une traversée entre l'île de Barbuda et Porto Rico, au tout début d'un mois de septembre particulièrement venteux. D'ordinaire, l'enrageaison des cyclones ne s'exprimait que vers le mitan ou la fin du mois en question, mais cette année-là, d'anciennes forces telluriques semblaient s'être réveillées de leur sommeil séculaire. Dès le mois d'août, on les devinait agitant le ventre de la mer. Celle-ci arborait une teinte grisée peu commune, semblable à celle d'un vieil iguane, et nous avions tous l'impression qu'elle se morfondait. Car la mer est, pour nous, marins et pacotilleuses, une créature vivante, un être doué tantôt de raison, tantôt de déraison, une mère nourricière et parfois marâtre. Nous lui confions nos peines et nos espoirs, nous la saluons lorsqu'au matin, elle commence à frétiller sous les chatteries du soleil, nous la prenons à témoin dans nos disputes, nous l'implorons quand le temps vire à l'orage. La nuit, quand nous nous trouvons à terre, dans ces cases que nous louons ici et là, elle nous berce entre ses bras. Jamais elle ne s'évade de nous et cela se voit à notre démarche, se gaussent les terriens. Ma mère m'avait appris à la connaître et à deviner ses sautes d'humeur. Elle m'avait enseigné aussi des prières vaudoues qu'il fallait chaque beau matin lui adresser afin de lui prouver que nous l'aimions de toutes nos forces.

Ce tristement fameux jour de septembre, j'avais donc rendez-vous avec mon fournisseur de San Juan, dans l'île espagnole de Porto Rico. Le señor Ramirez me faisait confiance depuis des lustres. Il était de ceux, très rares, qui pouvaient attendre une pacotilleuse des jours durant, lui réservant sa part de marchandises malgré les sollicitations dont il était l'objet, cela parce qu'il savait la mer « imprévisible et traîtresse », comme il aimait à dire. Chez lui, dans le vaste entrepôt qu'il possédait sur l'*Avenida de Aragon*, je m'approvisionnais en miroirs cerclés d'argent, en peignes d'ivoire, en parfums d'Arabie et en vaseline pour dompter les cheveux crépus. Tout cela provenait principalement d'Espagne, ce qui m'enchantait, car je mourais d'envie de fouler un jour le sol de la patrie de mes ancêtres que je chérissais le plus. Certes, j'étais aussi fière de mon ascendance française mais elle était beaucoup plus lointaine et la France me paraissait un pays froid. Inaccessible en tout cas. Je portais très haut également mon patronyme africain de Bàà d'autant que je savais que là-bas, en Guinée, je devais avoir des cousins qui sans doute ignoraient jusqu'à mon existence. L'Afrique, je la portais en moi, dans ma chair, et je n'avais nul besoin de la voir pour de vrai. En fait, je ne l'avais jamais quittée. Le señor Ramirez, qui connaissait mon affection pour la Castille — il avait été le fournisseur de ma mère —, m'accueillait toujours à bras ouverts, me réservant le meilleur de sa marchandise, chose qui avait le don d'agacer mes consœurs.

« Ce bougre d'homme, c'est quoi à toi, hein ? me lançaient certaines. Ton père ? Le dernier amant de celle qui t'a mise au monde ? Ou alors ton amant à toi ? »

Je ne ripostais pas à leurs taquineries. En fait, le señor Ramirez appréciait surtout le fait que je réglais mes dettes rubis sur l'ongle et à la date prévue. Il n'en allait pas de même de toutes les pacotilleuses, loin de là. Certaines, telle Ginette, la Saint-Lucienne, s'étaient même fait une spécialité de vivre à crédit sur le dos de leur fournisseur. Avançant mille prétextes — la pingrerie de leur clientèle, des dépenses de santé imprévues ou le vol d'une partie de leurs marchandises —, elles leur soutiraient de nouveaux délais de paiement, délais qu'elles se gardaient bien de respecter à la lettre. Ainsi quand Ginette payait en novembre, d'un geste royal, en réalité, madame honorait là ses dettes du mois de mars. Les fournisseurs avaient beau protester, menacer de cesser toutes transactions avec ces fiéraudes, ils en venaient rarement à de semblables extrémités. Quoique les pacotilleuses ne constituassent qu'une part somme toute modeste de leur négoce, ils n'auraient pu s'en passer sous peine de devoir diminuer leurs commandes en Europe et en Amérique du Nord, perdant du même coup le rabais conséquent que leur consentaient les manufacturiers de ces pays. Pacotilleuses et fournisseurs étaient donc liés comme les doigts d'une seule main, sauf que, grinçait Ginette, nous étions le petit doigt et l'annulaire tandis qu'eux se trouvaient être l'index et le majeur.

Le señor Ramirez m'avait fait tenir une missive m'indiquant qu'il me fallait gagner San Juan avant le 10 du mois de septembre. Nous étions dans l'année 1854 ou 55. Je préfère ne pas m'en souvenir avec exactitude. Le bateau à bord duquel je naviguais avait fait escale à Barbuda à cause d'une avarie dont j'ignorais l'origine et était resté une bonne semaine au bassin de radoub de cette île minuscule et sèche où l'on parlait un anglais tronqué. Les Négresses de cet endroit n'avaient guère les moyens de s'offrir autre chose que des babioles et tous les beaux tissus que j'avais apportés m'étaient restés sur les bras. Pourtant, Samantha et Lucilla m'avaient mise en garde : ne va pas là-bas, Céline ! Il n'y a que deux villages de cases en bois sinistres, recouvertes de tôle ondulée que traverse une seule et unique rue où les gens déambulent sans raison. Et puis leurs maîtres anglais sont de vrais scélérats qui n'hésitent pas à frapper leurs domestiques avec leur badine à la moindre récrimination comme si l'esclavage n'avait pas été aboli depuis trente ans. Mais, j'avais ma tête à moi et je m'étais toujours juré que je visiterais la totalité des îles de l'Archipel, y compris les plus insignifiantes, cela davantage par goût de l'inconnu que par esprit de lucre. Barbuda, toutefois, dépassait tout ce que j'avais imaginé. Les Nègres y étaient bel et bien des créatures hébétées, voire stupides, qui semblaient n'avoir d'autre activité que de servir des Anglais arrogants au visage cuit par le soleil. J'avais donc hâte de quitter les lieux et quand le capitaine de *La Estrella del Oriente* décida de lever l'ancre, je ne me préoccupai pas outre mesure de l'état de la mer. Grave erreur ! Dès la deuxième heure de navigation, le bateau se mit à tanguer en tous sens et je notai de l'affolement dans les yeux des marins qui s'employaient à changer les voiles et à déplacer les cordages. Des vagues, hautes comme des montagnes, s'élevaient au-dessus de nous avant de se fracasser sur l'unique pont du bateau. Bientôt, il fit nuit noire en plein jour. Des oiseaux fuyaient vers le sud, ballottés eux aussi par de brutales ruées de vent. Notre vigie descendit précipitamment de son mât et rejoignit, en titubant, le petit deck d'où le capitaine, un Vénézuélien moustachu, assez vaniteux de sa personne, et ses seconds tenaient conciliabule. Un réel désemparement se lisait sur leur visage. Ils ne s'étaient même pas aperçus que, seule pacotilleuse à bord, je n'avais pas bougé de ce recoin de pont avant qu'on nous réservait habituellement. J'étais transie de froid et de peur. Trempée jusqu'aux os aussi. Je ne voulais pas quitter les lieux en abandonnant les trois paniers dans lesquels je transportais du café de la côte Sous-le-Vent de la Guadeloupe, de la toile des Indes, un paquet de bibles en anglais et en espagnol, de jolis miroirs ovales sertis de fausse nacre fabriqués à Curaçao, des pots de vaseline et surtout des reproductions de *L'Angélus* de Millet qui connaissaient depuis peu un énorme succès tant en terre catholique que protestante. On prétendait que ce tableau protégeait les maisons contre la déveine et le mauvais sort, celui que jetaient les Nègres jaloux de la réussite de leurs voisins. J'en avais apposé un dans chacune des cases que je louais à travers l'Archipel, chose qui, à Saint-Pierre, dans celle que j'occupais au pied du Morne Tricolore, avait grandement amusé mon amant, Michel Audibert, non pas seulement parce qu'il était agnostique mais parce qu'il jugeait Millet un piètre manieur de pinceaux, selon sa propre expression.

« Descendez les voiles ! »

L'ordre du capitaine me fit sursauter. Quatre marins s'affairèrent aussitôt à la tâche sans y parvenir, repoussés qu'ils étaient par l'enrageaison des vents qui se manifestait dans le même temps par un ronflement d'outre-tombe. Une sorte d'expiration chaotique remontant des tréfonds de la mer. Un râle inhumain qui me glaça le sang. Je me souvins alors de ce vieux Caraïbe de la Dominique qui hantait parfois les quais de Roseau à la nuit tombée, vêtu d'un pagne élimé, le corps bardé de roucou, le front ceint d'un bandeau en cachibou tressé. De jour, l'homme était invisible. Nul ne savait où il pouvait bien se cacher. Mais à l'heure où les chauves-souris commençaient leur ballet erratique au-dessus de la minuscule cité, quand les femmes venaient jeter le contenu de leurs pots de chambre à la lame battante, déjà enveloppées dans leurs gaules de nuit, il surgissait, hiératique, et arpentait les quais sans but, indifférent aux quolibets des négrillons qui lui hurlaient, les mains en cornet :

« *Waïtoukoubouli! Hey you, red skin bastard, go back to your reservation!* » (Waïtoukoubouli ! Hé, toi, espèce de bâtard de Peau-Rouge, retourne dans ta réserve !)

Le Caraïbe ne bronchait pas. Il parcourait le bord de mer de long en large, des heures durant, la tête haute, le regard fixe, tenant d'une main un arc à la corde distendue et de l'autre un carquois. Je ne lui avais jusque-là jeté qu'un regard distrait. Certes, je n'ignorais pas qu'une tribu composée des derniers descendants de ceux qui avaient, pour leur malheur, croisé le chemin de Christophe Colomb un certain jour de 1493 — au cours du second voyage donc de l'ancêtre de Diego, mon amant de Porto Rico — survivait quelque part dans le Nord escarpé à l'extrême de l'île, toujours belliqueuse et incivilisable aux dires de l'administration britannique. Blancs et Nègres les disaient même cannibales, car on ne retrouvait jamais que les crânes de ceux qu'ils avaient réussi à capturer. Mais, mon expérience des Guyanes hollandaise et française m'avait habituée depuis longtemps à ces créatures taciturnes, au couvre-chef emplumé, qui se teignaient le corps au roucou, chose qui leur baillait une étrange couleur rouge brique. C'est pourquoi grand fut mon étonnement lorsque le vieux Caraïbe m'aborda, profitant du fait que je prenais le frais à l'ombre du bâtiment des douanes de Roseau, tandis que mes commères pacotilleuses faisaient une sieste bien méritée chez leurs concubins. Malgré le poids des ans, l'homme avait gardé un superbe maintien et des yeux vifs, chose qui jurait avec la timidité qui l'habitait. Il se planta dans mon dos, sans rien dire, faisant mine d'observer la mer. Ce manège dura une bonne demi-heure. Amusée et surtout curieuse de savoir ce qu'il voulait, je lui lançai sans me retourner :

« *Si sé palé ou lé palé ba mwen, fok ou vini dwet douvan mwen, ou sav !* » (Si jamais tu veux me parler, faut venir en face de moi !)

Le Caraïbe avança de quelques pas, sans faire craquer le bois, pourtant à moitié pourri, du quai. Il se mit à ma hauteur, exactement à ma hauteur, et me regarda droit dans les yeux sans tourner son visage dans ma direction. Je sursautai. Mais il me revint aussitôt que cette race avait pour habitude de comprimer le front de ses nouveau-nés afin que, devenus grands, ils puissent observer tout ce qui se passait autour d'eux sans faire le moindre mouvement. C'était là une particularité qui faisait d'eux des chasseurs hors pair. De redoutables guerriers aussi qui avaient réussi à tenir tête pendant plus d'un siècle à Colomb alors même que ce dernier avait soumis, puis exterminé leurs cousins des Grandes Antilles en à peine quinze ans. Diego avait d'ailleurs sa théorie là-dessus : les Portoricains comme lui, de même que les Cubains ou les Dominicains, étaient des gens chaleureux et aimants parce que dans leurs veines coulait un peu de sang taïno, tandis que nous autres du Sud de l'Archipel, Guadeloupéens, Antiguais, Martiniquais, Grenadiens ou Trinidadiens faisions montre d'un esprit fantasque, querelleur et parfois méchant parce que nous avions hérité de celui des farouches Caraïbes. Pourtant le vieil homme n'avait absolument rien de menaçant. Au contraire. Il accepta même de se placer face à moi, retrouvant du même coup un regard normal.

« *Man enmen wè'w ri...* » (J'aime te voir rire...), me fit-il d'une voix douce.

« *Koté sa ou ja wè mwen ri a?* » (Où donc m'as-tu déjà vue rire ?)

Je ne voulais pas croire qu'il tentait de me faire la cour. Non pas que je ne fusse jamais l'objet de sollicitations d'hommes de son âge, mais parce que les Caraïbes, du moins dans les Guyanes, étaient réputés pour n'apprécier que leurs congénères et rejetaient ceux ou celles d'entre eux qui se hasardaient à entretenir ne serait-ce que des liens d'amicalité avec les étrangers. Même quand il m'était arrivé de leur acheter des hamacs finement tressés, à Cayenne, ils ne desserraient pas les dents. Ils vous indiquaient la somme avec leurs doigts, comptaient et recomptaient l'argent, et la négociation achevée, soit ils se refermaient comme des feuilles d'herbe-Marie-honte, soit ils s'éclipsaient.

« *Ri ba mwen, souplé!* » (Riez pour moi, s'il vous plaît !) refit le vieil homme.

Au moment où un sourire involontaire se dessina sur mes lèvres, il se précipita sur moi, ouvrit toutes grandes mes mâchoires jusqu'à me faire mal et s'exclama :

« *Sé bien sa man té ka kwè a! Ou sé moun-nou, ou ni dan-nou!* » (C'est bien ce que je pensais ! Vous êtes des nôtres, vous avez nos dents !)

Je le repoussai violemment, prête à l'insulter, quand je me rappelai cette vilaine molaire qui, du côté gauche de l'intérieur de ma bouche, poussait à cheval sur une autre.

En guise de moquerie, cette caractéristique, peu agréable à l'œil, était qualifiée, en créole, de « dent-chien ». Heureusement pour moi, elle était située plutôt en arrière et on ne la distinguait vraiment que lorsque j'éclatais de rire, ce que j'évitais de faire devant mes amants. MacAllister s'était même une fois étonné que je me mette la main sur les lèvres quand je m'esbaudissais des bons tours qu'il jouait à ceux d'entre ses supérieurs qui n'avaient que condescendance pour la race nègre. Michel Audibert, quant à lui, aimait à dire que je riotais, y voyant sans doute une marque de duplicité.

« *Gadé, ou ké konpwann !* » (Regardez et vous comprendrez !) insista le vieux Caraïbe en ouvrant toute grande la bouche.

Des deux côtés de sa denture, on distinguait, en effet, des dents-chien, beaucoup plus proéminentes que les miennes et jaunies par le tabac. L'homme me prit alors par le bras et m'entraîna à sa suite, indifférent aux quolibets qui fusaient déjà à l'encontre de notre étrange couple. Des gamins, qui jouaient au cricket sur la plage, me lancèrent, égrillards :

« *Hé ! Tansion i pa péyé'w, sé moun-tala pa konnet lajan, non !* » (Hé ! Attention à ce qu'il ne te paie pas, ces gens-là ne savent même pas ce qu'est l'argent !)

Je tentai de résister à l'empoigne du Caraïbe. En vain. Il disposait d'une force insoupçonnable pour un homme qui devait approcher les quatre-vingts ans. J'avais même du mal à suivre le rythme de ses pas, lesquels semblaient effleurer le sol. Dès que nous fûmes hors de Roseau, il choisit un arbre feuillu à l'en-bas duquel nous nous assîmes et, ôtant son carquois de l'épaule, le vida de ses flèches qu'il rangea à ses pieds avec précaution. Puis, il le tapota jusqu'à faire en sortir un minuscule paquet en feuilles de bananier sèches attachées à l'aide d'herbe-kabouya. Je le regardais faire comme hypnotisée. Il ouvrit ma main gauche et y déposa une pincée de poudre couleur ocre en secouant délicatement le sachet. Il en fit de même pour lui et me lança :

« *Annou ba'y alé!* » (Voyageons!)

Le monde chavira, blip, autour de moi. Blip! La terre et le ciel se joignirent en une vertigineuse échappée de lumière qui filait vers une sorte d'horizon lequel n'avait de cesse de s'éloigner. De grandes hachures bleutées semblaient pourtant m'indiquer une voie, un passage certes étroit et inquiétant mais d'où émanait le parfum puissant de milliers de fleurs d'ylang-ylang. Je volais, légère euphorique, sans bouger un seul de mes membres. Le visage du Caraïbe avait soudain rajeuni d'un bon siècle, mais cette métamorphose ne m'effraya point. Bien au contraire, je me rapprochai de lui, le saisis par sa longue chevelure qui lui descendait jusqu'aux chevilles et me laissai charroyer avec un plaisir que je n'avais jamais éprouvé de toute ma vie. Bientôt, nous atteignîmes un village, perché à flanc de morne, où des femmes et des enfants, tous caraïbes, nous firent bon accueil. Ils chantaient des mélopées envoûtantes en frappant sur des tambourins. Un mot, un seul, jaillissait de leurs lèvres :

« *Shémin! Ô Shémin!* » (Chémine! Ô Chémine!)

Je compris qu'ils invoquaient là leur dieu ou, à tout le moins, quelque divinité bienfaitrice tant il y avait de l'allégresse dans cette invocation. Ils nous accueillirent avec des demi-calebasses remplies de ouicou, cet alcool de manioc qui a le don d'apaiser sur-le-champ tourments et souffrances. Je m'inquiétais de ne voir aucun homme lorsque, d'une grande hutte, un concert de voix s'éleva qui, tantôt suppliaient tantôt grognaient, voix qui s'entrechoquaient si fort qu'elles en faisaient trembler les parois en lattes de bois-ti-baume. Mon sang se glaça dans mes veines et mon cœur se mit à chamader tel un cheval fou. Comme pris de terreur, les femmes et les enfants se prosternèrent sur le sol, tête entre les jambes, tout en miaulant. Seul le vieux Caraïbe demeura impavide. Il me saisit à nouveau le poignet et me hala jusqu'à la hutte qui continuait à tanguer de plus belle. Des bruits de lutte, des hurlements de colère et de détresse, des prières, des chants d'amour s'y mélangeaient dans un vacarme effrayant.

« *Maboya ka lenndé nou kou! Sé an zespri ki séléra pasé séléra fet* » (Maboya nous roue de coups! C'est un esprit d'une scélératesse sans nom), me fit le vieux Caraïbe, le visage soudain fermé.

En nous approchant de la hutte, ce trafalgar s'arrêta net. Puis un chuintement se produisit et l'esprit s'enfuit par une petite ouverture qui se trouvait au ras du sol, traçant une sorte de spirale argentée autour de nous. Le Caraïbe me sourit. Il me dévisagea avec un mélange d'étonnement et de reconnaissance. Un à un, les hommes sortirent au grand jour, l'air à la fois épuisés et terrorisés, se massant les membres sur lesquels on ne distinguait pourtant aucun hématome. Ils s'approchèrent de moi, frottèrent leur nez contre le mien et me remercièrent. Du moins est-ce ce que je compris puisque tous répétaient la même phrase :

« *Inale boattica bacouyouni!* » (Promets-moi que tu reviendras!)

Le vieux Caraïbe, qui était leur capitaine, me conduisit sous un ajoupa en feuilles de cachibou où trois femmes entreprirent de me recouvrir le front et les joues de dessins compliqués. Elles se servaient de teintures rouges et noires diversement nuancées, utilisant en même temps le petit doigt et l'index, cela avec une habileté stupéfiante. Comme elles s'esclaffaient, je remarquai qu'elles arboraient aussi cette fameuse dent-chien dont Chrisopompe de Pompinasse m'expliquerait plus tard qu'elles était la marque des populations mongoloïdes. Lui ayant raconté mon aventure, un jour que j'étais venue le solliciter pour qu'il écrive une lettre à mon amant Diego, le fantasque Portoricain, il se mit dès lors à me gouailler, me baillant le surnom de « Mongole noire », chose qui agaçait fort Michel Audibert, lequel me soupçonnait — à tort — de ne pas entretenir que des relations de bon zigue avec l'écrivain public. Négresse d'Afrique-Guinée par mon père dont les maîtres furent français, andalouse et mauresque par ma mère, voici qu'à présent je me découvrais une ascendance caraïbe !

La cérémonie du tatouage terminée, l'une des femmes me dévêtit, tandis que les guerriers détournaient les yeux, et me para d'un pagne en fibres tressées. Bientôt nous gagnâmes tous une des nombreuses cascades qui faisaient du territoire caraïbe, à ce que j'en voyais, une sorte de petit Éden. Je dominais de deux têtes ces êtres à la stature modeste mais doués d'une robustesse qui en imposait. Leur capitaine m'enjoignit d'entrer la première dans le bassin où se fracassait l'eau de la cascade dans un tourbillon d'écume et de lumière. Je me sentais à nouveau légère. Remplie d'une euphorie que je n'avais jamais ressentie auparavant. Je voulus chanter mais aucun son ne sortait de ma bouche. Arrivée au mitan du bassin, je vis une femme, plutôt belle, allongée au fond de celui-ci, qui me souriait en me faisant signe d'approcher. Elle me ressemblait tellement que je crus un instant à un simple effet de miroir. Il n'en était rien, car en approchant de plus près, je me rendis compte, non sans effroi, que ses orbites étaient vides. Ou plutôt qu'elles comportaient deux boules diaphanes qui ne cessaient de s'agiter. De la berge, les Caraïbes m'encourageaient dans leur langue si mélodieuse. La créature m'enserra entre ses bras et je perdis conscience.

À mon réveil, le Caraïbe, qui continuait à fumer son herbe à rêver, m'observa avec reconnaissance. Le soir tomba avec sa brutalité coutumière sur Roseau et ses quais misérables où je craignis que mon bateau eût levé l'ancre. L'ombre du manguier se fit soudain frette. J'étais furieuse contre moi-même. Ma tête était lourde et me faisait souffrir au niveau des tempes. Pourquoi avais-je grimpé ce morne à l'instigation de ce vieillard ridiculement accoutré dont les habitants de cette ville n'étaient même pas sûrs qu'il fît partie de l'humanité ? Une bête humaine. Un Sauvage ! Voilà ce qu'ils en disaient. Le Caraïbe me tint pourtant ce discours qui me laissa coite :

« Mon peuple vous remercie d'être venue jusqu'à nous. Nous vous attendions depuis longtemps, mais jusque-là aucun d'entre nous n'avait su reconnaître avec certitude celle qui portait sur son visage les traits de notre reine noire. »

Et de me confirmer ce qui dans la bouche de ma génitrice, Carmen Conchita Alvarez, avait eu l'air d'une légende : l'histoire de notre ancêtre, Luisa de Navarette,

Négresse capturée sur les côtes de Guinée trois siècles plus tôt, conduite en Andalousie, comme des milliers de ses sœurs, pour servir dans la valetaille d'un grand don, puis vendue à un cousin de ce dernier, alors établi aux Amériques, à San Juan de Porto Rico, un nommé Alejandro Alvarez de Mendoza, propriétaire d'une immense hacienda qui fournissait toute l'île en bétail. En ces temps obscurs de la conquête, Espagnols et Caraïbes se livraient une guerre féroce pour le contrôle des petites îles du sud de l'Archipel. Les premiers tentaient, en vain, d'y prendre pied tandis que les seconds, en guise de représailles, lançaient des raids de plusieurs dizaines de canots chargés de guerriers contre San Juan, y brûlant et pillant certains quartiers et surtout y capturant des Blancs et des Nègres. Notre ancêtre, Luisa, fut ainsi enlevée par des Caraïbes de la Dominique et transportée dans cette île où le roi succomba à son charme et en fit son épouse. Elle lui bailla etcetera d'enfants et régna d'une main de fer bien longtemps après la mort de celui-ci. Connaissant les ruses des Espagnols et leurs faiblesses, elle réussit à faire de cette île une place inexpugnable. Jusqu'au jour où une nouvelle attaque, commanditée par le sinistre Ponce de Léon, gouverneur de Porto Rico, parvint à la forcer. Luisa fut mise aux fers, ses proches exterminés, sauf l'une de ses filles, à cause de sa beauté, une certaine Kalina que don Alejandro Alvarez de Mendoza, une fois son bien récupéré (notre ancêtre donc et sa fille) rebaptisa du nom chrétien de Carla. Bien qu'il fût très âgé, il engrossa cette dernière, donnant naissance à notre lignée, Nègres mâtinés d'Espagnol et de Caraïbe.

« Te voilà revenue parmi nous, me fit le vieil homme.

Cela veut dire que notre peuple se remettra debout. Que tu en sois remerciée ! »

Et de me glisser au poignet un bracelet en fibres tressées, rouge et noir, qu'il me demanda de ne jamais enlever jusqu'à mon dernier souffle de vie. L'homme se redressa brusquement et, sans tarder, entreprit de continuer l'ascension du morne où il disparut dans la végétation de bambous et de fougères arborescentes. La nuit tomba tout à fait. La ville brillait de l'éclat tremblotant de milliers de loupiotes mais, étrangement, aucune rumeur n'y montait. Je me dépêchai de gagner le port où mon bateau avait fini de charger ses marchandises. L'équipage préparait l'appareillage avec une fébrilité qui me surprit. Dès qu'il m'aperçut, le quartier-maître me rudoya :

« Où étais-tu passée, Céline ? Tu n'as pas entendu la nouvelle ou quoi ?

— Quelle nouvelle ?

— Mais ouvre les yeux, Négresse ! Tu ne vois pas comment la mer est calme ! En plus, y a plus un souffle d'air et les chiens sont nerveux depuis ce matin. C'est un temps de cyclone, ça ! Il nous faut filer d'ici au plus vite. Allez, monte ! »

Le bateau eut toutes les peines du monde à s'extraire de la rade. Il fallut même que les marins emploient des rames, chose à laquelle ils étaient peu habitués étant donné la taille de l'embarcation. J'avais l'impression que nous faisions du surplace. Puis, une violente rafale se leva des confins du ciel, un vent d'est sans mesure, qui nous envoya valdinguer au large comme si nous n'étions qu'une balle de coton. Là, les flots étaient par contre déchaînés. Vagues gigantesques et creux sans fond se succédaient à un rythme diabolique. Le quartier-maître fit descendre la voilure et ordonna à tout le monde de gagner la cale. Le cyclone était bel et bien là ! Hurakan, l'ancien dieu caraïbe, laissait éclater sa colère. Deux pacotilleuses, originaires d'Aruba, de qui je n'étais pas proche, mais que je savais très dures en affaires, s'étaient agenouillées dans le peu d'espace libre laissé par les barriques de viande salée et les dames-jeannes de rhum, et priaient la Sainte Vierge en papiamento, chapelet en main. D'autres passagers, prostrés, s'étaient agglutinés les uns aux autres et fixaient l'unique lampe que venait d'allumer un marin. Je pensai à mes paniers que j'avais dû abandonner sur le pont avant. S'ils n'avaient pas glissé par-dessus bord, il y avait gros à parier que les cigares, la toile en kaki, les bibles et les reproductions de Millet qu'ils contenaient devaient être à présent trempés. Or, l'eau salée est plus ravageuse que l'eau douce. C'était donc là une perte sèche ! Des fournisseurs à rembourser alors que je n'aurais effectué aucune recette ! Des clients déçus qui m'accableraient de reproches des mois durant ! Bizarrement, je n'avais pas peur. Tout juste avais-je l'estomac bouleversé à cause des embardées que faisait le navire sous les coups de boutoir des vents. Oui, j'étais calme plus que calme fait, comme on dit dans notre parlure, et lorsque la mer fracassa notre navire sur la côte de Barbuda, je fus la seule et unique rescapée. Tout le temps qu'avait duré le cyclone, j'avais imploré les dieux caraïbes en caressant le bracelet en fibres rouges et noires que m'avait offert le vieux chef.

La colère d'Agoué-Taroyo, le dieu échappé d'Afrique, ne put m'atteindre.

C'est à cet épisode de ma vie que je pensai au moment

où je dus affronter pour la deuxième fois une mer en pleine débornation, ce jour où j'avais rendez-vous avec le señor Ramirez, mon fournisseur de San Juan de Porto Rico, et c'est pourquoi je fus hors d'atteinte de la peur.

« Enfin, me voilà mariée ! Épouse du lieutenant Albert Pinson, brillant officier du 16e de ligne, homme promu aux plus hautes carrières dans l'armée de Sa Majesté britannique. Toute autre jeune femme que moi eût rêvé d'épousailles plus éclatantes, plus solennelles, mais il me fallait faire contre mauvaise fortune bon cœur : je n'avais obtenu ni le consentement de mon père ni l'approbation de ma mère. Encore que je reste persuadée que si j'avais eu la possibilité d'en discuter face à face avec cette dernière, elle n'y aurait pas fait obstacle... Quels sont ces hommes noirs qui, à la nuit tombée, se glissent sans mot dire dans le canot qui me sert de demeure depuis que je me trouve à la Barbade et me pétrissent la chair de leurs mains calleuses ? Pourquoi Albert ne vient-il pas me chercher ?... Mon frère Charles, qui s'est entiché de cet art tout nouveau qu'est la photographie, ne cesse de m'embêter : à tout moment, il veut me tirer le portrait. Tantôt il me convainc de m'installer telle une sirène sur les rochers qui bordent la grève d'Azette, tantôt il me veut galopant, cheveux dénoués, dans la lande de l'intérieur de l'île. Jersey est d'une effroyable tristesse. "Souris un peu, Dédé ! Allons, un petit sourire, je t'en prie !" me lance-t-il avant de se plonger sous le voile noir de son appareil à photographie. Charles est un grand enfant !... Nous n'avons eu droit qu'à douze couverts. Nombre, à mes yeux, symbolique. Albert n'a invité aucun de ses supérieurs. D'abord, un pasteur anglican a béni notre union dans un temple des faubourgs d'Halifax, par un matin de froid glacial, puis nous avons gagné l'auberge O'Brady où nous attendait un frugal repas. J'étais quand même aux anges. Nos convives étaient pour leur part fort joyeux et diserts. Ils vantaient à tour de rôle ma resplendissance, chacun voulant m'embrasser sur les deux joues, certains, qui débordaient d'enthousiasme, s'y reprenant à deux fois... Léopoldine s'agrippe au rebord de la barque, elle voit la vague remonter, se dresser, véritable monstre marin, elle voit son cher promis agiter les rames en tous sens, elle veut hurler mais la stupeur l'en empêche, Léopoldine sent que soudain la terre et l'eau prennent la place du ciel, elle suffoque lorsque tout son sang semble refluer vers ses tempes, Léopoldine, mon aînée, ma sœur adorée, princesse encore dans la fleur de l'âge... »

9

Le maire de Saint-Pierre tournait et retournait la lettre que venait de lui faire tenir le consulat d'Angleterre. C'était tout simplement un événement ! L'enveloppe, frappée aux armoiries de l'île de Guernesey, contenait une feuille de papier fin pliée en quatre sur laquelle on pouvait lire, juste après la date de 1871 :

« Je vous confirme que Mlle Adèle Hugo est bien ma fille. Elle voyage aux Amériques depuis huit ans et est peut-être sujette à quelques troubles émotionnels causés par un profond dépit amoureux. Je vous serais grandement reconnaissant de veiller sur elle dans l'attente que je la fasse revenir auprès de moi. Acceptez par avance l'expression de toute ma gratitude.

« Victor Hugo, pair de France. »

En fait, le sexagénaire, qui tenait les rênes de la plus belle cité de l'Archipel, était surtout excité par le fait que le poète, l'éminentissime poète, auquel Louis Napoléon venait d'accorder l'amnistie, s'était directement adressé à sa modeste personne. Oui, à lui Gustave Saint-Aubin, et non à Son Excellence le Gouverneur de la Martinique ni à

M. Dupin de Maucourt, le président du Cercle de l'Hermine. Il était envahi par une bouffée de fierté qui avait le don de mettre un baume sur les blessures quotidiennes que lui infligeaient à la fois la presse mulâtre qui le considérait comme un traître et une marionnette aux mains de la caste blanche créole et les membres de son conseil municipal, presque tous issus de celle-ci, lesquels le tenaient en suspicion, quand ils ne le morguaient pas, cela sans le moindre égard pour l'écharpe tricolore qu'il tenait à arborer tout au long des délibérations municipales. En réalité, Saint-Aubin y prenait peu la parole. Il s'était efforcé de se construire une image de sage, de Salomon créole, pour masquer le fait qu'il était le plus souvent tenu à l'écart des débats importants pour le devenir de sa ville et donc de la colonie. Il lui était demandé d'entériner des décisions qu'il n'avait pas contribué à prendre et que, souventes fois, il désapprouvait. Tenté de donner sa démission, il en avait été aussitôt dissuadé par l'un de ses conseillers municipaux, de ceux qui avaient le pouvoir de ruiner, d'un claquement de doigts, son commerce de toilerie et de quincaille. Un imposant magasin, ça, oui ! Sis à la rue Toraille, endroit très passant et surtout bien surveillé par la maréchaussée. Saint-Aubin ne l'avait pas reçu en héritage : il s'était bâti sa petite fortune jour après jour, à coups d'emprunts auprès de riches Blancs, de commandes judicieuses en Europe et aux États-Unis, de travail acharné et surtout de réclame. Il avait été, en effet, un innovateur en la matière ! Le premier commerçant de Saint-Pierre à s'attacher les services d'un crieur. L'idée lui en était venue un jour qu'il essayait en vain de faire déguerpir Tête-Coton, un vagabond notoire, de la devanture de son établissement. Le bougre était aussi un soûlard respectable à cause de la rapidité avec laquelle il vous sifflait une bouteille de tafia, tout en gardant bon pied bon œil. Planté donc devant Le Bon Marché, il bagueulait :

« Écoutez, mesdames et messieurs ! Ou plutôt, comme on dit dans notre bonne langue françoise : oyez ! oyez !... Arrêtez-vous pour je... hic !... jeter un œil aux plus... plus effilées faucilles, aux mar... marteaux les plus robustes, aux éche... échelles les plus solides qui... hic !... qui puissent se trouver de par le monde ! Allez, entrez ! Et pour les... les dames, i y a de... de la po... popeline, du calicot, de la dent... dentelle... »

Ne parvenant pas à interrompre cette litanie, Saint-Aubin eut un coup de génie : il proposa à Tête-Coton de vanter sa marchandise — mais à jeun — contre cinquante sous par jour, ce que le vagabond accepta sans discuter, trop heureux d'avoir désormais de quoi s'acheter sa ration quotidienne de rhum. Assez vite, Tête-Coton fit la fortune du commerçant. Ce dernier acheta la maison qui jouxtait Le Bon Marché qu'il agrandit, doublant du même coup sa surface de vente. Cette prospérité ne laissa pas indifférents les négociants blancs qui étaient, pour la plupart, en cheville avec les manufacturiers français. Sans que Saint-Aubin comprît d'où venait l'attaque, il se vit réclamer le paiement à quinzaine de plusieurs lots de marchandises alors qu'on lui avait toujours accordé trois mois. Il dut alors emprunter, emprunter et encore emprunter, resserrant du même coup le lasso qu'on lui avait placé autour de la gorge. Si bien que le jour où le chef de la caste, Honoré Dupin de Maucourt, le convoqua pour lui indiquer qu'il serait le candidat des monarchistes (non avoués) aux prochaines élections municipales, nostre homme ne put qu'acquiescer. Il sauva du même coup son négoce, des conditions de crédit plus favorables lui ayant été soudainement accordées dès la semaine suivante. Mais il avait bien conscience d'être un maire de façade, une créature fantomatique qui déambulait dans les couloirs de son administration sans pouvoir donner d'ordre à qui que ce soit, le plus modeste des plantons sachant pertinemment quel rôle il jouait ou plutôt pourquoi il avait été placé dans cette position. L'édile mulâtre cuvait donc une humiliation de plusieurs années lorsque la missive de Victor Hugo lui parvint. Il y vit d'emblée une manière de revanche sur son sort, une façon de regagner du crédit non seulement aux yeux du monde mais surtout aux siens, lui qui évitait de se regarder dans la glace le matin, même pour coiffer sa mèche rebelle. Pas question d'en informer le conseil municipal ! Cette fois-ci, il ne se laisserait pas faire. Tant qu'il s'agissait de voter des fonds pour faire repaver des rues ou repeindre quelque bâtiment public, décider du montant de telle ou telle taxe, ou encore promulguer de nouvelles règles de police, il voulait bien qu'on lui dictât sa conduite. Après tout, il s'agissait du quotidien de la ville de Saint-Pierre et celle-ci était presque entièrement entre les mains des Blancs créoles. Mais dans le cas présent, celui d'Adèle Hugo, ces derniers n'avaient pas leur mot à dire, tonnerre du sort ! D'ailleurs, ils l'avaient reçue dans leurs salons, ils l'avaient jaugée, puis jugée et n'eût été ce bon M. Verdet, grand amateur de poésie, elle eût continué à croupir dans la case de sa protectrice noire, au pied du Morne Tricolore. À leurs yeux, la jeune fille n'était qu'une affabulatrice. Fort bien !

Qu'ils ne s'avisent pas maintenant, la lettre d'Hugo faisant foi, de se raviser justement ! Il traiterait de cette question tout seul, sans prendre l'avis de ces messieurs, et ce serait même, s'il faisait preuve d'habileté, le grand œuvre de son règne municipal.

Saint-Aubin, comme tout honnête homme marié et père de marmailles légitimes et illégitimes de cette bonne ville de Saint-Pierre, avait une préférée parmi toutes celles qui, de bon ou mauvais gré, lui offraient l'hospitalité de leurs cuisses. Celle-ci, prénommée Amandine, officiait dans un lupanar discret de la rue des Bons-Enfants, réservé à la classe mulâtre, quoique de temps à autre un béké ou quelque Nègre riche, de nationalité étrangère, s'y aventurât. Une réelle passion le liait à cette jeune écervelée qui gaspillait en fanfreluches et en bijoux l'entièreté de ses gains, indifférente au sort de ses trois enfants que l'Assistance publique avait dû recueillir avant qu'ils ne finissent au quartier immonde de La Galère, parmi ces hordes de chenapans, sans papa ni manman, qui vivaient de rapines et de fouilles d'ordures. Les plus fidèles partisans du premier édile s'étaient émus de cette singulière liaison, car il lui eût été beaucoup plus facile d'entretenir une femme-matador. Ce genre de créature, en effet, vouait son existence à son seul protecteur qui lui louait une chambre et lui allouait une pension mensuelle, relativement confortable. Tout ce qu'elle avait à faire de ses journées, c'était d'attendre sagement la venue de son homme, entre l'heure où fermaient les magasins et celle du dîner, et lui prodiguer paroles apaisantes ou caresses savantes. Quand huit heures trente sonnaient à l'horloge de la cathédrale, le monsieur regagnait, d'un pas tranquille, ses pénates où l'attendait une épouse tout aussi dévouée qui demandait aussitôt à la maisonnée de passer à table. Il était donc rarissime que les femmes-matador provoquassent des scandales, ce qui n'était pas le cas des putaines, attachées aux maisons de tolérance, avec lesquelles la vie avait été d'une scélératesse sans nom et qui, ayant perdu toute estime d'elles-mêmes, se saoulaient, jouaient aux cartes, s'étripaient entre elles pour une parole de travers quand elles ne sortaient pas un canif de leur corsage pour faire entendre raison à un client trop vicieux. Saint-Aubin jouait donc avec le feu quand il s'obstinait, en dépit des mises en garde répétées de ses rares partisans, à visiter Amandine presque chaque soir, sauf quand une réunion du conseil municipal était prévue. Goguenard, le bougre leur lançait :

« Ne vous en faites pas ! C'est mon côté vieux Nègre. Je suis devenu quelqu'un de la bonne société, j'ai de l'argent en banque, certes, mais je n'oublie pas d'où je suis sorti. De la plèbe ! Ha-ha-ha ! »

Le soir donc du jour où il avait reçu la lettre de Victor Hugo, euphorique, il se rendit au boxon d'Amandine bien avant son heure habituelle. La tenancière marqua son étonnement, mais le fit asseoir dans le petit salon jaune que les filles n'avaient pas encore investi et lui proposa sa boisson favorite, mélange curieux d'absinthe et de grenadine qui avait le don de réveiller sa gaillardise, selon une expression tout aussi curieuse qu'avait inventée M. le maire. Un homme s'y trouvait déjà. Un Européen visiblement, qui était avachi dans un fauteuil, un panama lui couvrant le visage. La blancheur de ses bras, fraîchement tannés par le soleil et le sel marin, arracha un sourire à Saint-Aubin. Ce dernier adorait converser avec les voyageurs de passage parce que immanquablement, ils en venaient tous à louer la propreté de sa ville, la grande civilité de ses citoyens ou la prestance de ses demeures en pierre de taille, qualités que le premier édile assurait être dues au travail acharné qu'il menait depuis bientôt une décennie. À son côté visionnaire surtout puisqu'il finissait toujours par leur expliquer que Saint-Pierre deviendrait sous peu le Petit Paris des Amériques, ce qu'elle était déjà pour l'archipel des Antilles. Saint-Aubin aimait lire l'admiration qui emplissait leur regard, il se trémoussait de joie en recevant leurs félicitations. C'était là une revanche contre l'humiliation permanente que lui infligeaient ses conseillers municipaux dont la plupart étaient des membres éminents du Cercle de l'Hermine. Mais l'homme au panama ne bougeait point. Même quand à l'étage, les filles, qui se préparaient, se mirent à se chamailler en brocantant des cochoncetés, il ne parut pas les entendre. Interloqué et un peu agacé, Saint-Aubin se mit à remuer furieusement son verre de punch dans lequel il avait par mégarde versé trop de sirop de canne. Puis, il fit tinter son verre à l'aide de la cuiller, toujours sans obtenir la moindre réaction de celui qui lui faisait face.

« C'est qui ? demanda-t-il à la tenancière. Pourquoi fait-il le mort ?

— Ah ! Un Parisien à ce qu'il dit. Il est venu traiter une affaire mais quoi, je sais pas. Il n'est pas très bavard. En tout cas, ça m'a l'air d'être du sérieux parce qu'il ne cesse de poser des questions à tout le monde...

— Des questions ? Quel genre de questions ?

— Je ne sais pas moi... Tenez, il a l'air de bien

s'entendre avec votre Amandine. Peut-être qu'elle pourra vous en dire plus. »

À cette seule idée, Saint-Aubin se raidit. Bien qu'il sût que les putaines étaient, comme on disait en bon créole, des femmes-de-tout-le-monde, il n'était jamais parvenu à accepter le fait que d'autres mains que les siennes palpassent les jambes galbées d'Amandine, que d'autres lèvres se promenassent sur ses seins en forme de sapotille. Elle était à lui et à personne d'autre ! Il entretenait cette illusion pour la bonne raison que les clients habituels du boxon connaissaient son heure et évitaient de réclamer la jeune fille lorsqu'il était présent. Il payait d'ailleurs assez cher pour avoir le droit de l'accaparer deux heures d'affilée !

« S'il vous plaît ! Monsieur, s'il vous plaît ! fit-il en tapant sur le rebord de son fauteuil. Il est quand même un peu tôt pour se livrer aux bras de Morphée, vous ne croyez pas ? »

Saint-Aubin était grand amateur de formules toutes faites qu'il piochait, au fil de ses lectures, et notait sur un petit carnet. Chaque fois qu'il avait à prononcer un discours, il en sortait trois ou quatre qui déchaînaient les applaudissements du bon peuple et lui valaient quelques lignes hypocritement élogieuses dans le quotidien *Les Antilles*, organe de la caste blanche, manière pour cette dernière de lui rappeler, au cas où il se serait avisé de l'oublier, qu'il était son homme-lige. En tout cas, cette expression réveilla l'Européen qui, amusé, lui rétorqua :

« Oh, vous savez, je préfère mille fois les bras d'Amandine à ceux de cette déesse grecque au nom... comment dire... funèbre.

— Vous êtes chez nous pour affaires à ce qu'on me dit..., fit Saint-Aubin qui essayait de masquer sa vive irritation.

— Affaires ! Affaires ! En voilà un bien grand mot. Disons plutôt que je suis à la recherche de quelqu'un qui m'est cher. Mais au fait, à qui ai-je l'honneur ?

— Après vous, je vous en prie ! »

L'Européen s'étira longuement, mais à l'instant où il s'apprêtait à répondre, deux filles descendirent l'escalier en bois dans un joyeux vacarme. Elles se tenaient par la taille et échangeaient de petits baisers rapides sur la bouche. Saint-Aubin reconnut aussitôt Yvonnette et Rachel, deux sacrées luronnes qui avaient la réputation d'amener leurs clients à la jouissance en six-quatre-deux tellement elles jouaient avec virtuosité de leur croupière. Dès qu'elles aperçurent l'Européen, elles se précipitèrent sur lui et entreprirent de déboutonner son col, la première lui caressant la poitrine, l'autre lui léchant langoureusement le creux de l'oreille. L'homme se laissa faire, éberlué mais ravi. Puis Rachel cessa son manège, saluant le maire avec une déférence exagérée, lui lança :

« Ce monsieur est détective ! Mais aussi amoureux de notre chère Amandine.

— C'est qu'il n'a pas encore essayé avec nous ! Montons, très cher, et vous verrez que la réputation de cette demoiselle est surfaite. Ha-ha-ha ! » fit Yvonnette.

Entre-temps, les autres filles rejoignirent le salon jaune. Des clients arrivaient peu à peu qui, sans mot dire, sans tractation aucune, s'emmanchaient avec celles avec lesquelles ils avaient leurs habitudes. Bientôt on ne s'entendit plus. Ça discutait, braillait, rigolait, buvait beaucoup.

S'étonnant de ne pas voir Amandine, le maire gagna le minuscule bar où la tenancière préparait des mixtures censées affoler les sens de ces messieurs. À la mine renfrognée de la vieille mulâtresse, il comprit que la jeune femme avait ses périodes. D'ordinaire, il filait sans demander son reste, mais ce soir-là, il avait besoin de partager avec quelqu'un l'extraordinaire sentiment de fierté qui s'était emparé de lui dès l'instant où il avait reçu la missive de Victor Hugo. Amandine savait faire montre d'admiration à son endroit et il lui en était reconnaissant.

« Vous pouvez aller la voir mais ne restez pas trop longtemps, fit la tenancière. Vous savez bien qu'en ces moments-là, elle est insupportable. »

Yvonnette et Rachel avaient agrippé l'Européen, l'une par le col, l'autre par la ceinture du pantalon, pour le forcer à monter l'escalier, le couvrant toujours de baisers vicieux. Saint-Aubin les entendit lui bailler du « Henry chéri-doudou » et du « monsieur de Montaigue » tandis que l'homme se débattait mollement. Quand ils atteignirent le palier, les coquinasses avaient déjà dépantalonné et déjaboté le confrère de Sherlock Holmes, lequel gigotait dans l'amas de vêtements qui s'empêtrait entre ses grosses bottes de cuir. L'homme semblait aux anges. Il lançait des clins d'œil égrillards au maire de Saint-Pierre qui suivait leur étrange trio à distance prudente.

« Holà, monsieur le grand vizir, fit l'Européen à qui le rhum était brutalement monté à la tête. Soyez pas trop long avec Amandine, j'ai réservé mon tour juste après vous ! Superbe pouliche, n'est-ce pas ? »

Une fois que les trois bambocheurs furent entrés dans la chambre d'Yvonnette, Saint-Aubin s'approcha de celle de la mamzelle qu'il appelait en privé « sa canne créole » et colla une oreille sur la porte. Quand elle avait ses périodes, Amandine faisait la façonnière. Elle demeurait prostrée dans une berceuse, face à son miroir, une tisane à la citronnelle et deux-trois cigares cubains, que lui fournissait chaque mois sa pacotilleuse attitrée, à portée de main. Normalement, elle refusait d'ouvrir à qui que ce soit, même au premier édile, prétextant qu'elle était laide comme un péché mortel. Que sa chambre empestait le tabac, chose qu'elle savait indisposer ce dernier. Ou encore qu'elle ne s'était pas lavée depuis le beau matin. Satisfait d'avoir entendu le son de sa voix, Saint-Aubin lui souhaitait un prompt rétablissement et quittait le boxon par la porte dérobée qui donnait sur la rue de Versailles. Mais ce soir-là, le maire s'entêta. La supplia de lui ouvrir, lui annonçant qu'il avait une surprise pour elle. Une qualité de modèle de surprise, ajouta-t-il en français mâtiné de créole pour tenter de la faire fléchir. La targette grinça et une Amandine un peu bouffie, poitrine nue, une serviette de toilette autour des reins, entrebâilla la porte.

« Une surprise ? fit-elle d'une voix cassée quoique autoritaire. J'espère que tu n'es pas venu m'annoncer que tu as quitté ta madame pour moi. Je suis une Négresse libre, moi ! J'ai pas le temps de m'occuper d'un homme, foutre !

— Laisse-moi te causer de quelque chose, s'il te plaît. Juste un petit moment...

— C'est bon, entre ! Mais si tu m'as raconté des couillonnades, gare à toi, Binbin ! »

Le premier édile avait horreur de ce sobriquet, mais il était prêt à tout accepter pour pouvoir exhiber devant sa canne créole la lettre du plus grand poète de l'univers à lui adressée. Oui, à lui, Saint-Aubin, et pas à Honoré Dupin de Maucourt, le chef de la caste blanche ou à Son Excellence le Gouverneur de la Martinique. Ni même à Mgr l'Archevêque qui pourtant se targuait d'être un fin lettré. Ni non plus à ce bon M. Verdet qui était réputé connaître son œuvre par cœur et avait, un temps, hébergé Adèle. Saint-Aubin s'assit sur le lit de la putaine, arborant un air mystérieux. Les draps sentaient bon la naphtaline, ce qui atténuait la puanteur ambiante. La fumée dégagée par les deux cigares sur lesquels Amandine avait tiré flottait encore dans l'air confiné de la chambre. L'homme toussota. Il était gai. Gaieté insolite qui renforça la maussaderie de la jeune femme.

« Avant de me dire de quoi il retourne, faisons vite, Binbin ! Tu sais bien qu'il me faut me reposer », décida-t-elle en s'emparant d'une petite cravache en corde-mahault suspendue derrière la porte de sa salle de bains.

Et sans autre forme de procès, elle se débarrassa de sa serviette, révélant une culotte maculée de sang et des cuisses aux veines gonflées. Saint-Aubin eut un geste de recul, mais la femme le retournait déjà sur le lit, lui baissait son pantalon jusqu'aux genoux, le forçant à plonger la tête dans les oreillers pour que nul n'entendît ses cris, et se mit à lui fouetter les fesses avec application. À chaque coup, Saint-Aubin barytonisait, demandant à ce qu'elle aille plus vite et plus fort, la suppliant même quand le bras de celle-ci menaçait de faiblir. Cette délicieuse torture ne durait en général qu'une petite dizaine de minutes, le temps de le mettre en appétit, comme il disait. Après, il chevauchait Amandine au grand galop comme s'il avait peur que sa bandaison ne le trahisse. Cette seconde opération se comptait en une poignée de secondes. En commerçant avisé qu'il était, Saint-Aubin ne manquait pas, en son for intérieur, de s'avouer que c'était cher payé : mille francs la séance. Pas moins. Mais il en avait besoin et quand il regagnait son domicile, deux heures plus tard — temps qu'il passait à raconter à une Amandine distraite les dessous des affaires qui agitaient sa bonne ville —, il était comme revigoré. Il se montrait très tendre avec son épouse et ses deux rejetons. La complimentait sur le dîner dans la préparation duquel madame ne prenait pourtant aucune part, ayant deux petites bonnes à sa disposition. S'enquérait du travail scolaire de ses garnements qui lui annonçaient toujours de bonnes notes juste pour lui faire plaisir.

« Bon, t'auras la suite quand ce foutu sang cessera de couler ! fit Amandine. J'avais bien demandé qu'on ne me dérange pas ce soir. Tant pis pour toi, Binbin ! »

Le premier édile de Saint-Pierre n'en eut cure. Il savait que, dans un jour ou deux, elle serait à nouveau entièrement disponible et, de toute façon, il avait une surprise pour elle. Cette dernière aussi. À son grand dam.

« Je t'annonce que je quitte le métier... commença-t-elle.

— Comment ça ?

— Eh ben... j'ai... j'ai rencontré un homme qui veut m'épouser...

— Ha-ha-ha ! C'est une plaisanterie, très chère. T'épouser ? Mais tu répètes toute la sainte journée que tu n'es pas faite pour mener une vie de femme au foyer !

— Cette fois-ci, c'est différent, Binbin...

— Différent, ça veut dire quoi ?

— Celui qui veut me passer la bague au doigt est... un Blanc. Pas un Blanc créole évidemment ! N'ouvre pas les yeux si grands ! Un Européen et d'ailleurs tu le connais. »

Et la putaine d'annoncer à Saint-Aubin que le détective Henry de Montaigue lui avait promis de la conduire à l'autel nuptial et de l'emmener en France tout à la fois. Elle prononçait le mot « France » en s'efforçant de marquer le « r », ce qui, en d'autres circonstances, eût fait sourire son amoureux. Comme lui, comme tous les Créoles, de quelque complexion qu'ils fussent, ce pays — qu'ils nommaient simplement « là-bas » — représentait le comble de la civilisation.

« Eh bien, moi aussi, j'ai des nouvelles de Paris », fit Saint-Aubin, persuadé qu'Amandine voulait le faire marcher. « Figure-toi, ma belle, que le plus talentueux poète de tous les temps, le grand Victor Hugo, m'a écrit en personne. C'est toi maintenant qui en fais une tête ! Ha-ha !...Tiens, regarde !... Ah, pardon ! Je sais que tu n'aimes pas lire. Écoute donc ! »

Se rengorgeant, le pantalon toujours descendu aux genoux, le premier édile de Saint-Pierre déclama les quelques lignes à lui adressées — à lui seul, s'il vous plaît ! — sur le ton d'un sociétaire de la Comédie-Française. Puis, il les relut deux fois encore, plus lentement, savourant son plaisir. Amandine, qui jusque-là était restée de marbre, se fit soudain chattemitesse. Elle se pressa contre lui, lui prodigua moult félicitations. Puis, elle courut à sa salle de bains, se lava et revint en déclarant :

« Ce soir, je vais faire une exception ! Il faut fêter cet événement, mon Binbin chéri. Viens là ! »

Pour la première fois en neuf années d'assidue fréquentation, ils firent vraiment l'amour. À tel point que le maire s'oublia et ne fut réveillé que par les douze coups de minuit. Amandine se tenait à la fenêtre, rêveuse, un cigare à la bouche. Elle lui sourit et lui fit :

« Rentre vite chez toi ! Ta femme risque de se mettre en colère, oui... Et puis j'ai besoin d'un petit pauser-reins ! »

Au lendemain de cette soirée agitée, Saint-Aubin ne retrouva point la lettre de Victor Hugo qu'il avait pourtant pris soin de plier en quatre et de ranger dans la poche intérieure de sa redingote. Il eut beau convoquer sa valetaille et exiger qu'elle fouillât sa maison de fond en comble, il eut beau refaire dix fois le trajet entre cette dernière et le boxon de la rue des Bons-Enfants, rien à faire, la précieuse missive avait disparu. Bel et bien disparu ! Et lorsque, le soir, il se présenta dans la vénérable et discrète bâtisse où il avait ses habitudes, la tenancière, l'air penaud, lui annonça que sa très chère Amandine, son Amandine adorée, s'en était allée, définitivement allée, à Fort-de-France sans doute, avec ce grand dadais de détective privé lequel avait, en outre, omis de régler la totalité de ses consommations...

« La chienne grise de mon père, Chougna, et son lévrier, Sénat, ont un tempérament joueur. À toute heure du jour, ils déboulent dans notre salon et exigent des caresses, ce qui met en rage ma mère et fait rire aux larmes mon père. "Tes chiens, Victor !" s'écrie-t-elle en les repoussant du pied. Si mon père est en train de dessiner, il fait mine d'être concentré sur son chevalet tout en rigolant dans sa barbe. S'il joue avec Charles, François-Victor et moi aux cartes, au billard ou au nain jaune — il affectionne tout particulièrement ce dernier jeu — il nous lance : "c'est à mon tour!" même si ce n'est pas le cas. Ma mère n'a jamais compris l'affection de son homme pour les chevaux et les chiens. Elle se veut parisienne jusqu'au bout des ongles et, dans ses moments de colère, de plus en plus fréquents à mesure que notre exil se prolonge à Guernesey, elle l'accable du nom de paysan... Mon bonheur n'a pas duré. Aussitôt après notre mariage, voici qu'Albert est muté aux Barbades! Il me déconseille vivement de le suivre. D'abord parce qu'il n'a pas informé ses supérieurs de notre union, ensuite parce que passer du froid polaire de la Nouvelle-Écosse à la chaleur suffocante des Antilles risquerait d'être dommageable à ma santé. "Tu m'attendras ici, ma chérie", me murmure-t-il, lorsqu'au matin, enlacés dans notre lit, nous finissons d'accomplir l'acte d'amour. "Désormais, tu es Mme Adèle Pinson, tu es l'épouse d'un officier de l'armée impériale britannique et chacun te portera le respect dû à ton rang. Dans moins de six mois, on m'en a donné la garantie, mon régiment regagnera l'Europe et nous nous rejoindrons là-bas." Je crois Albert mais j'ai peur, très peur que le destin ne vienne contrarier nos plans... La table tourne, elle se soulève, emportant nos mains posées pourtant bien à plat sur elle, elle se met à trembler, à rugir tel un fauve en cage, elle ricane. Mon père lui demande de convoquer Bouddha et Mahomet. François-Victor veut interroger le sage indien sur les fondements de sa sagesse. Il croit le christianisme fini. Trop de sang a été versé, trop de crimes ont été commis en son nom. La table retombe soudain avec fracas. Jules Allix, amoureux transi de ma personne, qui participe pour la première fois à nos séances, semble tétanisé. Assis à mes côtés, je sens une odeur de sueur fauve monter de sa poitrine. Ce jeune homme, malgré sa belle allure et le fait qu'il ne déplaise point à mes parents, n'arrive pas à la cheville de mon Albert Pinson. Il égaye mes mornes journées de Jersey et j'accepte volontiers de lui faire la conversation, mais sans lui donner trop d'espoir. La table se remet à tourner, à une vitesse vertigineuse cette fois-ci, manquant de nous faire verser de nos chaises. Nous tentons désespérément de contrôler ses mouvements. La frayeur nous gagne tous. Il est bien deux heures du matin et ma mère dort depuis longtemps. Charles propose, dans un souffle, que nous arrêtions la séance. Trop tard ! Jules Allix se dresse comme mû par un ressort et se met à hurler. Puis, il court dans la pièce en tous sens, renverse chaises et piles de livres, déchire les rideaux, crache au visage de Charles et de mon père qui tentent de le retenir. Sa voix est si puissante que nos plus proches voisins se réveillent. De sa fenêtre, Mr Bolton, un honorable commerçant, bonnet sur la tête et chandelier à la main, nous demande de faire silence en nous traitant de *crazy frenchies*.

« Jules Allix a sombré dans la folie en pleine séance de spiritisme. À Marine Terrace. Dans notre propre maison. Jules Allix, ce fier jeune homme qui rêvait de me conquérir... »

Michel Audibert ne décolérait pas. Depuis que Céline s'en était revenue à Saint-Pierre avec cette bougresse à l'esprit chimérique qui prétendait, à tort ou à raison, être la fille de Victor Hugo, son amante le négligeait. Elle avait résilié le bail locatif de sa case du Morne Tricolore, mais ce n'était point pour venir loger chez le poète comme il essayait de l'en convaincre depuis des lustres. « Je ne veux pas dépendre d'un homme, fût-il un grand-grec tel que toi ! » telle était l'antienne de la pacotilleuse qui, toutefois, acceptait de passer la nuit dans son lit quand ils avaient tous deux trop bu, en compagnie de la Bohème, à L'Escale du Septentrion, petit événement qui, à vrai dire, se produisait plus rarement que souvent. Madame avait, en effet, pris ses quartiers chez un négociant dénommé Verdet, chantre de la suprématie blanche et rédacteur épisodique du journal *Les Antilles*. Il n'y avait d'ailleurs pas que Michel Audibert pour s'inquiéter du comportement insolite de Céline : ses consœurs, à commencer par Ginette, Négresse bourrue et généreuse, qui parlait avec un fort accent de son île, Sainte-Lucie, et qui n'hésitait pas à tancer Céline quand elle la voyait sur le point de commettre ce qui, dans sa parlure imagée, avait pour nom « couillonnaderie », s'en étaient émues au point d'être venues en délégation auprès du poète pour l'informer d'une catastrophe imminente. Si Céline persistait à négliger son commerce, elle finirait tôt ou tard par agacer ses fournisseurs à travers l'Archipel et détruirait les liens qu'elle avait patiemment tissés depuis une bonne vingtaine d'années avec sa clientèle. « Car on ne s'improvise pas, Dieu m'en est témoin !, pacotilleuse, s'insurgeait Ginette. Si à Saint-Vincent, à Antigue et à la Jamaïque, notre chère Céline est peu achalandée, partout ailleurs, surtout à Trinidad, à Porto Rico, à La Havane et à Carthagène des Indes, mamzelle est imbattable. Elle est aussi très appréciée à Grenade et à Saint-Thomas. Et je ne parle même pas de la Martinique ! »

Le poète ne sut que répondre aux pacotilleuses qui, de guerre lasse, reprirent la mer, furieuses d'avoir été abandonnées par leur reine, celle qui bataillait avec les capitaines de bateau quand ils fixaient trop haut le prix des passages, celle qui d'un coup de reins tentateur ou d'une œillade assassine savait circonvenir les plus rustres d'entre les douaniers, celle qui, lorsque l'absence subite de vent éternisait leur périple, savait les enchanter avec des histoires extraordinaires : la rencontre foudroyante de sa mère Conchita et de son père, Bàà, sur les quais de Port of Spain un jour que ce dernier injuriait les flots ; l'assassinat, demeuré impuni, d'Ariane pour une sombre histoire de coutelas de Saint-Domingue fournis avec un trop grand retard ; le passage de main en main d'un mystérieux sablier rempli de sable du désert de Gobi, propriété d'un vieux Chinois de la Jamaïque auquel il avait porté chance toute sa vie, que Céline avait possédé un temps avant, pour son malheur, de s'en défaire auprès d'un riche planteur de Marie-Galante ; la lettre d'adieu à sa mère agonisante du côté de Jacmel, en Haïti, que l'écrivain public Chrisopompe de Pompinasse avait rédigée dans un créole sublime ; son aventure au cœur de la forêt amazonienne avec un certain John-Thomas (aventure dont elles doutaient de la véracité). Leur reine, rien à dire, était une conteuse émérite quoiqu'elle s'en défendît. Jamais ses consœurs ne se lassaient de ses récits. Qu'elle les eût déjà répétés cinq ou six fois ne changeait rien à l'affaire ! On écoutait toujours Céline avec un ravissement sans limite.

« Tout ça, c'est de ta faute, monsieur Michel ! éructa Ginette, c'est toi avec les poèmes idiots que tu ne cessais de lui envoyer, qui lui as mis ces idées farfelues dans le crâne. Hon !... Nous autres, on n'a jamais vendu comme livres que la Bible, *Le Grand* et *Le Petit Albert*, *Le Dragon rouge*, c'est tout ! Ça suffit à notre clientèle ! Qui d'autre, si ce n'est toi, qui l'a poussée à colporter ceux de ce bougre... quel est son nom déjà ?... Hu... Hugo. Victor Hugo ! Tu es fier de toi, j'imagine !... »

Michel Audibert accusa le coup d'autant qu'il n'éprouvait aucune espèce d'admiration pour le proscrit de Guernesey. Loin de là ! Manuel Rosal, le romantique de la Bohème, avait même failli le convoquer en duel parce qu'il avait pris comme une insulte personnelle le fait que Michel ait accusé l'auteur des *Contemplations* de n'être qu'un « commerçant d'adjectifs et de vers ampoulés ». Ce soir-là, ils s'étaient tous réunis dans un caboulot des bords de la Roxelane, réputé pour sa soupe de pied, aliment qui avait le don de revigorer les noctambules et autres noceurs invétérés qui foisonnaient depuis que le cours du sucre de canne était remonté en Europe. Une soudaine et inespérée prospérité s'était abattue sur la ville de Saint-Pierre, prospérité dont même la plèbe grappillait quelques miettes puisque les riches en profitaient pour tailler leurs jardins ou faire repeindre leurs demeures. En septembre 1870, ceux qui avaient dansé dans les rues en chantant à tue-tête « Vive la Prusse ! » se redécouvraient, à peine une année plus tard, d'ardents patriotes. Les socialistes avaient même oublié que l'insurrection du Sud, qui avait failli conduire la Martinique sur le même chemin que Saint-Domingue, à savoir celui d'une rupture définitive d'avec la France, avait été matée dans le sang. Les révoltés avaient été, leurs chefs en tout cas, jugés par un tribunal militaire et fusillés au Polygone de tir du jardin Desclieux, à Fort-de-France. Seul Michel Audibert avait célébré leur geste dans un poème suffisamment obscur pour qu'il n'eût point à subir les foudres de la censure. Il en voulait à Hugo, soi-disant grand défenseur de la veuve et de l'orphelin, de n'avoir pas écrit un mot en défense de ce soulèvement populaire qui avait fait grand bruit dans la capitale française, faisant la couverture des principaux journaux dix jours de suite.

« Rien d'étonnant à cela », avait-il ajouté par pure provocation envers Manuel Rosal qui avait déjà bu plus que de raison et que Saint-Gilles, le continuateur de *L'Énéide*, suivait à la trace pour la plus grande joie de l'aubergiste trop heureux d'accueillir des hôtes aussi prestigieux et surtout dispendieux.

« Que veux-tu insinuer par là ? Qu'Hugo n'aime pas les Nègres peut-être ? Dis-le franchement ! rétorqua Rosal.

— Oh ! Ton grand monsieur a une lourde hérédité, je te signale. Oublierais-tu que son cher père, le général Hugo, avait commis un texte, en 1818 ou 1819, si je ne m'abuse, dont je peux te citer le titre ronflant de tête. Voilà : *Mémoire sur les moyens de suppléer à la traite des Nègres par des individus libres, d'une manière qui garantisse pour l'avenir la sûreté des colons et la dépendance des colonies.* Éloquent, n'est-ce pas ?

— Je ne vois pas ce qu'il y a de mal dans ce texte que je n'ai certes pas lu, intervint Saint-Gilles, mais dont le titre annonce l'abolition de l'esclavage, me semble-t-il... »

Michel Audibert jeta un regard plein de méprisante commisération au latiniste. Il observa Adèle Hugo qui, prostrée comme à son habitude et vautrée dans les jupes de Céline Alvarez, lui sembla avoir réagi. Elle avait souri d'une façon qu'on ne pouvait interpréter avant de chuchoter à l'oreille de sa protégée qui s'empressa de la réconforter en lui caressant les cheveux. Le poète se demanda si les déclarations habituelles, hautement affichées, de son amante selon lesquelles elle ne voulait pas d'enfant et n'en avait jamais voulu ne relevaient pas de la bravacherie. Toutes ses consœurs en avaient, progéniture dispersée à travers l'Archipel, qu'elles comblaient de cadeaux à chacune de leur visite, sauf justement Céline. Nul n'avait réussi à savoir si elle faisait un usage régulier de ces décoctions à base d'ananas vert qui avaient le pouvoir de dégrapper les fœtus dans le ventre des femmes, les laissant comme mortes pendant etcetera de jours ou si elle était bréhaigne. Tout bêtement bréhaigne. Céline laissait planer un doute savant à ce sujet lequel, jusqu'à l'arrivée inopinée d'Adèle, n'avait, il est vrai, guère passionné Michel Audibert.

« Que non ! reprit-il. Le général Hugo est venu après la bataille. Son mémoire ne visait qu'à combler le vide créé par la suppression de la traite des Nègres, voilà tout ! Comment peux-tu, mon cher Saint-Gilles, confondre abolition de la traite et abolition de l'esclavage ? En fait, le père de Victor Hugo ne voulait qu'adjoindre des esclaves blancs, pris aux Enfants trouvés, aux milliers d'esclaves noirs qui s'échinaient dans les champs de canne au seul profit des békés. Mettre des orphelins aux fers, belle preuve de philanthropie, n'est-ce pas ? »

Céline, qui était un peu à froid avec lui, quoiqu'elle regrettât parfois la tendresse dont il avait toujours fait preuve à son endroit, se redressa. Elle était vêtue d'une robe bleue en lamé du plus bel effet qui contrastait avec le rouge vif du madras qui lui enserrait le front. Ce bref mouvement imposa le silence aux débatteurs. Son corps avait une telle présence qu'il suffisait qu'il s'anime pour qu'autour d'elle tout semblât se figer presque au garde-à-vous. C'est grâce à cette aura qu'elle avait pu tenir successivement tête au maire de Saint-Pierre, à M. Verdet, au président du Cercle de l'Hermine et à la Mère supérieure qui dirigeait la Maison coloniale de Santé. Céline Alvarez Bàà était l'exemple même de ce que l'on appelait en créole une mâle-femme ou une femme-à-deux-graines.

« Et quand bien même ! fit-elle d'une voix anormalement douce. Comment quelqu'un comme toi, Michel, peut-il souscrire à un adage aussi bête que tel père, tel fils ? Que le général Hugo ait été un scélérat, je veux bien, mais que Victor ait hérité de ses défauts, permets-moi d'en douter ! »

Depuis que sa bien-aimée fréquentait la maison Verdet son langage s'était châtié. Il n'y avait là rien d'étonnant : les pacotilleuses étaient des caméléons. S'adapter à chaque langue nouvelle, à chaque pays différent, aux mœurs et aux croyances les plus insolites, goûter aux mets les plus divers ou les plus étranges, faisait partie intégrante de leur existence quotidienne. Il y allait même de leur survie. Céline ne proclamait-elle pas, riant aux éclats : « À Trinidad, je suis anglaise, à la Martinique, française, à Cuba, espagnole, à Saint-Thomas, danoise, à Curaçao, hollandaise et, mesdames et messieurs, au Paradis, je serai paradisienne. Ha-ha-ha ! » Pour l'heure, elle s'était muée en parfaite aristocrate coloniale, du moins en ce qui avait trait aux manières de s'exprimer. Michel Audibert la contempla et se dit en son for intérieur qu'hélas, il n'arriverait sans doute jamais à faire d'elle une « audibertienne » en dépit des efforts qu'il déployait depuis maintenant une décennie. Et voilà maintenant qu'elle lui échappait encore plus !

« Hugo fils ! Vous voulez vraiment que je vous le décrive par le menu ? fit-il, la gorge légèrement nouée. Fort bien ! Allons-y !...Votre vénéré Victor est un flagorneur-né, un flatteur invétéré des puissants contre lesquels il ne se révolte que lorsqu'il tombe en disgrâce, un égoïste et surtout un commerçant des lettres. Vous oubliez toutes ces odes dans lesquelles il porte aux nues rois et nobles ! Ode à la mort de Mlle de Sombreuil, ode aux funérailles du roi Louis XVIII, ode au sacre de Charles X, ode pour le baptême du duc de Bordeaux. Vous oubliez aussi la pension de mille francs que Louis XVIII lui avait octroyée sur sa cassette particulière ! Mais je lui aurais volontiers pardonné tout ce fatras s'il avait possédé ne serait-ce qu'une once de talent et...

— Halte là ! brailla Rosal, fin saoul à présent. Si Hugo n'a point de talent, tes poèmes sans queue ni tête ne valent même pas des gribouillis d'écolier. »

Michel Audibert ignora l'estocade. Il savait que son ami non seulement n'avait plus toute sa tête, mais était aveuglé par sa passion pour le père d'Adèle. Et puis qui serait assez fou pour tenter de discuter avec un romantique ? Ce qui le préoccupait depuis quelque temps, c'était la perspective de voir Céline s'éloigner de sa vie à jamais à cause de cette idée fixe qui lui avait germé dans l'esprit à la faveur d'il ne savait quel furieux élan de générosité : ramener Adèle

Hugo à son père. Il regrettait qu'au début, il n'ait pas pris très au sérieux les multiples démarches de la pacotilleuse auprès des autorités, celles-ci allant jusqu'à solliciter l'intervention du gouverneur de la Martinique en personne par le truchement d'une lettre pompeuse rédigée par le sieur Chrisopompe de Pompinasse en qui Audibert avait toujours vu un charlatan. Un traficoteur de mots et de phrases ronflantes, lui aussi, qui profitait de l'ignorance crasse de la négraille. Un sombre pressentiment l'habitait désormais. Troublait son équanimité coutumière. Il avait la certitude que Céline ne reviendrait pas aux Antilles une fois qu'elle aurait goûté aux fastes de la vieille Europe. Surtout si l'opportunité se présentait à elle de faire le voyage jusqu'en Andalousie, terre de ses aïeux du côté maternel, à laquelle elle portait une vénération sans égale. Audibert se rassurait parfois en se raccrochant à l'espoir qu'Hugo ferait mauvais accueil à sa bien-aimée ou que la froidure de l'hiver tempérerait son enthousiasme. Il savait pertinemment qu'il n'existait aucun moyen de convaincre Céline d'abandonner son projet. Les pacotilleuses, frottées aux aventures les plus périlleuses, aguerries par leurs périples insulaires et continentaux, n'étaient pas des poupées de porcelaine. La peur d'affronter l'inconnu leur était étrangère. Ce soir-là donc, à L'Escale du Septentrion, Michel Audibert se décida à porter le coup de grâce. Il n'avait jamais vraiment cru qu'Adèle était ce qu'elle affirmait être. Demandant le silence, qu'il obtint difficilement, il s'approcha d'elle en lui faisant une révérence burlesque. La Bohème observa son manège, interloquée, se demandant où le bougre voulait en venir. Céline posa une main protectrice sur la jeune Blanche.

« Mamzelle Hugo, fit Audibert d'une voix doucereuse, vous connaissez bien l'œuvre de votre père, je suppose...

— Elle n'est pas en état de te répondre ! » s'écria Céline.

Adèle se dégagea de l'étreinte de cette dernière, fixa le poète droit dans les yeux et, détachant chaque syllabe, déclara :

« À Jersey, après le repas du soir, il nous arrivait, mes frères et moi, de lire ses poèmes à haute voix. Je me mettais au piano aussi pour accompagner Charles qui possède une très belle voix de basse. Pourquoi donc cette question ? »

Audibert qui, tout comme ses camarades, n'avait jamais vu Adèle dans ses moments de claireté d'esprit, faillit battre en retraite. La pensée que l'usurpatrice était en train de dévoiler son jeu l'en retint.

« Fort bien ! L'ode à la jeune fille d'O-Taïti vous est familière, je présume ?...C'est l'un de ses rares textes à posséder un accent de sincérité. »

Oh ! dis-moi, tu veux fuir ? et la voile inconstante
Va bientôt de ces bords t'enlever à mes yeux ?

C'était la voix de Manuel Rosal qui s'était mis debout et déclamait dans une sorte d'exaltation, déclenchant une salve d'applaudissements amusés chez les autres clients de L'Escale du Septentrion. À la grande stupéfaction de tous, Adèle lui coupa la parole et continua à réciter la supplique à la fille d'O-Taïti :

Cette nuit j'entendais, trompant ma douce attente
Chanter les matelots qui repliaient leur tente.
Je pleurais à leurs cris joyeux.

Michel Audibert comprit qu'il venait de perdre la partie. Pour sauver la face, il se joignit à Rosal et à la jeune femme et, levant son verre de rhum, enchaîna à son tour :

Pourquoi quitter notre île ? En ton île étrangère,
les cieux sont-ils plus beaux ? a-t-on moins de douleurs ?

Le navire qui nous conduisait au pays d'Adèle Hugo était d'un luxe inouï. Grâce à la générosité de M. Verdet, nous avions pu éviter l'entassement des cabines de troisième classe, situées presque au niveau des cales. Nous nous trouvions en seconde, parmi des mulâtres de bonne famille qui accompagnaient leurs rejetons, futurs étudiants brillants qui s'en reviendraient un beau jour à la Martinique bardés de diplômes et qui, à n'en pas douter, prendraient la succession de leurs parents. Ils nous dévisageaient d'un air mi-interloqué, mi-ironique, s'étant rendu compte d'emblée qu'il ne s'agissait pas d'une jeune fille békée voyageant avec sa servante noire. L'attitude étrange d'Adèle leur était aussi un motif d'interrogation, mais ils nous tenaient à l'écart et s'arrangeaient pour nous laisser toutes deux seules à notre table, à l'heure des repas. En effet, au lieu d'aller se promener sur les coursives comme je l'y incitais, ma protégée préférait arpenter inlassablement les couloirs sombres du navire, pieds nus, mais vêtue d'une nouvelle robe de mariée qu'elle m'avait obligée à lui faire coudre, ne saluant personne, ne s'écartant pas pour laisser passer les gens âgés et, parfois, chantonnant une chanson en anglais, une ritournelle apprise lors de son long séjour à Halifax. Par bonheur (ou pour notre malheur), la nouvelle se répandit très vite que la fille du grand poète Victor Hugo se trouvait à bord. Un Blanc créole, du nom de Lahoussaye de Vigier, qui se vantait de posséder etcetera d'hectares plantés en canne à sucre dans la région du Vauclin, au sud de la Martinique, m'arrêta dans l'escalier qui conduisait au pont supérieur, serrant mon poignet libre dans sa grosse main velue et me lança :

« Alors comme ça, tu accompagnes la fille de ce bandit d'Hugo, hein ? Un révolutionnaire ! Un bougre qui refuse d'accepter que les Napoléon continuent à diriger la France ! »

Comme je ne disais mot, il en conclut que je n'étais qu'une domestique stupide et passa son chemin. J'avais pour habitude de fermer à clef la porte de la cabine que je partageais avec Adèle, craignant qu'en mon absence, elle s'aventurât jusqu'aux troisièmes classes où voyageaient des individus à la mine patibulaire. On racontait qu'il s'y passait de drôles de choses : jeux clandestins, échauffourées entre soûlards, viols même. Le capitaine avait été contraint de placer trois passagers particulièrement perturbateurs dans la geôle du navire. Mais mes craintes se révélèrent vite infondées. Dès le neuvième jour de voyage, ma protégée semblait avoir recouvré toutes ses facultés mentales et je la découvris, assise devant la petite table qui faisait face à l'unique hublot dont disposait notre cabine, en train de rédiger paisiblement son « Journal d'exil », sans doute les ultimes pages, non point vêtue en épousée mais d'une tenue coquette, jaune et bleu, achetée la veille de notre départ de Saint-Pierre chez le Syrien El-Fandour, tenue qui lui allait à ravir. Était-ce dû à l'air du grand large ? À la perspective de revoir son pays natal ? D'embrasser à nouveau son père ? Peut-être à tout cela à la fois. Elle ne m'avait pas entendue entrer, concentrée qu'elle était sur sa tâche, et je ne fis rien pour la déranger. Je voyais son dos légèrement courbé, parsemé de longs cheveux d'un noir éclatant, qu'agitait, pour la première fois, une respiration régulière. Ses gestes étaient aussi ceux d'une élève appliquée comme si Adèle était enfin parvenue à dompter cette brusquerie qui, en général, faisait sursauter ou mettait mal à l'aise ceux qui la rencontraient pour la première fois. Je réfléchissais au destin et à ses facéties : pourquoi m'avait-il poussée à larguer ma carrière de marchande voyageuse, d'arpenteuse incessante des îles, pour me consacrer tout entière à cette jeune Blanche qui, certes, aurait pu être ma fille, cette fille que j'avais toujours rêvé de mettre au monde, mais qui hormis la nuit, où elle se lovait tout contre moi, semblait perdue à jamais dans ses chimères ? Pourquoi nos pas s'étaient-ils croisés sur les docks de la Barbade et m'étais-je aussitôt prise d'affection pour sa personne ? Je m'allongeai sans bruit sur notre couchette et m'assoupis. Lorsque j'ouvris les yeux, il faisait déjà nuit et Adèle avait ramené notre repas du restaurant. Elle s'était installée à mes côtés, le visage souriant, apaisé même, et me caressait les chevilles avec une douceur extrême. Une sensation de plaisir jamais éprouvée jusque-là, même sous les doigts du plus expert de mes amants, ce MacAllister de Trinidad qui ne jurait que par la reine Victoria, m'envahit peu à peu. Retroussant mes jupes avec un luxe de précautions, Adèle me palpa les cuisses dans un mouvement circulaire si tendre, si chargé d'amour, que je manquai de défaillir. De crainte qu'elle ne me réveillât, elle s'arrêtait de temps à autre et approchait son visage très près du mien, détaillant chacun de mes traits avec une curiosité qui me surprit. Peut-être me voyait-elle vraiment pour la première fois, elle qui ne jetait qu'un regard vide sur le monde. Son souffle fit tressaillir mes lèvres mais une force impérieuse m'interdisait d'ouvrir les yeux. Je voulais demeurer là, étendue sur la couchette, abandonnée à ses caresses et au roulis du navire. Livrée tout entière au seul désir de cette jeune femme que je ne connaissais pas vraiment puisqu'elle ne parlait jamais d'elle que par bribes, préférant évoquer son beau lieutenant Pinson auquel elle trouvait toutes les qualités. Qui était cette Adèle qui prétendait porter le nom célèbre d'Hugo ? Une folle à lier ? Une pauvresse qui vivait dans l'univers des contes de son enfance ? Ou au contraire une usurpatrice, un imposteur de génie qui avait monté, comme l'avait cru un temps Manuel Rosal, une histoire abracadabrante dans l'unique but de regagner l'Europe sans débourser un liard. Il était, en effet, fréquent qu'arrivés aux Amériques, des soldats ou des fonctionnaires royaux abandonnassent leur conjointe au profit de créatures insulaires, en général des mulâtresses de petite vertu, et que les répudiées finissent, faute de ressources, dans quelque bordel de La Havane ou de Valparaiso, aguichées par les promesses fallacieuses de rabatteurs. Certaines d'entre elles, plus courageuses, tentaient de regagner l'Europe par leurs propres moyens. Le doute parfois m'habitait, je dois l'avouer.

« Maman ! Il est l'heure de dîner... », finit-elle par dire à haute voix en me secouant par l'épaule.

Je feignis d'émerger d'un profond sommeil et de m'étonner de la voir à mes côtés. Je savais bien qu'à tout instant, elle pouvait retomber dans un état d'abattement ou faire une crise de démence, ses périodes de lucidité ne durant jamais très longtemps. Je lui pris les mains qui étaient incroyablement chaudes et les gardai entre les miennes pour continuer à ressentir cette étonnante douceur que ses attouchements m'avaient procurée. Mon trouble tardait à se dissiper et j'en éprouvais une manière de gêne.

« Tu n'as pas faim ? me demanda-t-elle d'une voix timide.

— Et toi, tu as déjà mangé ?

— Je n'en ai pas envie. Tiens ! Je t'ai apporté des pâtes et de la viande. Cela sent très bon, n'est-ce pas ? »

Et de me tendre le plat en métal, piquant un morceau qu'elle fit mine d'avaler goulûment. Cette gaminerie me détendit. La métamorphose d'Adèle était totale. Chose qui raviva quelque peu mes interrogations et dut m'assombrir, car la jeune femme me fit, inquiète :

« Tu as des soucis, maman ? »

Je fis un geste de dénégation et m'attaquai au repas qui, pour de vrai, était d'une succulence rare. Cela ne ressemblait pas du tout aux mets bouillis à la hâte qu'on servait habituellement aux passagers de seconde classe. Devançant mon interrogation, Adèle me déclara, riant aux éclats, qu'elle était parvenue à se faufiler parmi ceux de la première et que les serveurs n'y avaient vu que du feu.

« Je ne suis donc pas si misérable que ça...

— Tu ne l'as jamais été, ma fille ! Tu es magnifique.

— Dis-moi, une fois que nous serons à Paris, tu resteras à mes côtés, n'est-ce pas ? Mon père possède une maison suffisamment vaste, je suis sûre qu'il sera ravi de t'héberger.

— Tu crois ? Une vieille Négresse comme moi ? »

Adèle se raidit. Comme si elle venait seulement de prendre conscience de mon âge et que la couleur de ma peau était bien différente de la sienne. Mais elle se ressaisit vite et me fit d'un ton enjoué :

« Vieille ? À quarante-trois ans, on ne l'est pas encore !...

— Quarante-sept ! corrigeai-je.

— Certes, mais tu as conservé un corps ferme auquel, je crois, notre bon M. Verdet n'était pas insensible. Ha-ha-ha !... »

J'étais stupéfaite. Si le riche négociant qui nous avait gracieusement hébergées à Saint-Pierre, par vénération pour le poète Hugo, n'avait pu dissimuler très longtemps l'émoi que je lui inspirais, il avait toujours su éviter de le montrer en présence d'une tierce personne, y compris Adèle, bien qu'il fût persuadé que dans son état elle n'aurait rien remarqué. En public, il était froid et distant avec moi. Dès que nous nous retrouvions seuls dans son jardin, l'après-midi, son attitude changeait du tout au tout. Il n'était plus le Blanc créole hautain, voire dédaigneux, dont chaque parole claquait comme un ordre, mais un petit garçon énamouré qui n'osait se dévoiler, ce qui m'amusait au plus haut point. Qu'Adèle eût deviné l'ambiguïté de sa relation à ma personne me prouvait qu'au mitan de son désarroi, elle n'en continuait pas moins à poser un regard aiguisé sur le monde.

« J'ai... j'ai une question... fis-je soudain.

— Ah ! Je connais ta question et toi, tu en connais la réponse.

— Comment ça ?

— Oui, j'ai bien épousé le lieutenant Pinson à Halifax, si c'est ce que tu veux savoir !

— Je ne parlais pas de cela...

— Madame Céline Alvarez Bàà, sachez aussi, une bonne fois pour toutes, que je suis bien la fille cadette de Victor Hugo ! Ha-ha-ha !... D'ailleurs, vous en aurez la preuve très bientôt. »

Je finis mon repas en silence, mi-désarçonnée, mi-rassurée. Le navire se mit à tanguer très fort et dans les coursives, nous entendîmes les marins se précipiter sur le pont supérieur. Des cris d'enfants apeurés brisèrent net notre huis clos. Quelqu'un cogna plusieurs fois à notre porte en criant :

« Mauvais temps en perspective ! Mauvais temps ! Attachez-vous à vos couchettes ! »

Cette nuit de tempête fut interminable mais incommensurablement légère. Nous nous étendîmes nues, complètement nues, en dépit du froid qui semblait transpercer les parois de notre cabine et nous nous caressâmes jusqu'au devant-jour. Très lentement. Très doucement. Bercées par les flots déchaînés et par notre propre ivresse...

10

Carnets de Henry de Montaigue

Le Chartier, mon cher et vénéré maître, avait raison : il ne faut jamais prendre parole de femmes pour argent comptant. À Halifax, la serveuse du O'Brady m'a entraîné sur une fausse piste, sans doute à la demande de ce roublard de lieutenant Pinson. Il ne voulait surtout pas que j'apprenne sa mutation à l'île de la Barbade. À Saint-Pierre de la Martinique, je me suis laissé emporter dans un tourbillon de volupté par une catin qui ne rêvait que d'une chose et une seule : épouser un Européen. La chair aux senteurs d'épices d'Amandine avait de quoi, il est vrai, faire tourner la tête au plus raisonnable des hommes. La première fois que j'ai échoué dans le boxon qui l'employait, je ne l'ai pas tout de suite remarquée dans cette nuée de créatures mielleuses qui envahissait le salon jaune dès la tombée du jour, toujours trop précoce à mon gré sous les Tropiques. J'ai d'abord succombé aux jambes interminables d'une certaine Irène qui prétendait avoir été chanteuse d'opéra à Mexico dans son jeune temps. Dès qu'elle s'installa à califourchon sur mes jambes, faisant craquer le fauteuil que m'avait royalement attribué la tenancière, j'en oubliai aussitôt les quelques rides qui lui décoraient l'entour des lèvres. Elle se mit à se frotter contre moi en me dévisageant sans vergogne, le regard empreint d'une lubricité sauvage, et voyant que je ne lui résistais pas, elle se pencha sur moi pour me mordiller le cou. Ses amies riaient aux éclats, battaient des mains, la félicitaient comme si elle réalisait là une manière d'exploit. Je ne compris que plus tard la raison d'un tel enthousiasme : j'étais le seul Blanc-France, comme elles disaient, parmi les clients qui, peu à peu, avaient pris leurs quartiers dans l'endroit. Tous les autres étaient des mulâtres, hormis deux ou trois Blancs créoles désargentés. La haine entre les deux races, qui pourtant se côtoyaient journellement, m'avait interloqué. Ce n'est pas que j'éprouvais une affection particulière pour les gens de couleur, mais ceux de la Martinique me paraissaient si policés, si bien moulés dans la culture française, que j'en oubliais leur origine. D'ailleurs, personne n'évoquait l'Afrique! Et la fille aux grandes jambes s'était vexée lorsque, après nos ébats, je lui avais fait part de mon admiration pour le grain de sa peau. « Je ne suis pas une Négresse! avait-elle aboyé, changeant du tout au tout et se levant du lit dans l'instant. Je suis une mulâtresse, monsieur! Mon grand-père paternel était aussi blanc que vous. » Je m'étais tenu coi, la regardant avec ravissement se baigner dans la grande bassine en fer-blanc qui occupait tout un angle de la pièce. Des feuilles, au parfum entêtant, y flottaient au-dessus d'une eau que le soleil, qui traversait la fenêtre durant le jour, avait réchauffée. Ce spectacle était simplement magique. J'aurais été un peintre que j'aurais trouvé là mon bonheur.

« Je suis en quête d'une jeune femme blanche qui se fait

accompagner par une dame noire des îles anglaises..., *fis-je pour tenter de détendre l'atmosphère.*

— Connais pas !

— Elle s'appelle Adèle... Adèle Hugo. Cela ne vous dit rien ? »

Elle haussa les épaules, finit de s'habiller, se recoiffa vivement dans le miroir de sa commode avant de me planter là. Le deuxième jour, je me fis lutiner par une créature plus accommodante. Julina avait une petite voix ridiculement enfantine et me demandait sans cesse de lui sucer le pouce lorsque nous faisions l'amour. Son sexe avait un goût de sel marin. Avant de venir travailler, elle prenait toujours un bain de mer, non pas sur la plage, en forme de croissant de lune, de Saint-Pierre mais dans celle de la commune voisine, Le Carbet, où l'on était plus tranquille. Son frère la ramenait à cheval ou bien elle se faisait déposer par la première calèche venue. À l'entendre, elle vivait là une grande aventure quotidienne. En fait, elle n'exagérait qu'à peine. La majorité des catins vivaient cloîtrées dans le boxon, sous la surveillance implacable de la tenancière, femme revêche qui y tenait une sorte de bar où elle s'employait à délester les clients de leurs ultimes deniers. « Un coup de rhum avant la chose, trois coups de gin après, glapissait-elle, y a rien de mieux pour vous garder en santé, les hommes ! »

« Tu cherches une Adèle ? Pourquoi ? C'est ta fiancée, hein ? me fit Julina, sur un ton de reproche.

— Non-non, je suis juste l'ami de son père...

— Elle est belle, si je comprends bien ? C'est une belle Blanche avec de beaux cheveux plats et un nez bien droit ?

— En tout cas, elle n'a pas les yeux bleus », fis-je en guise de plaisanterie.

Julina crevait d'une incompréhensible jalousie. Tant que nous nous trouvions ensemble, tous les deux, lovés au fond de son alcôve, j'étais son homme, son homme à elle, et je n'avais pas le droit de prononcer le nom d'une autre femme. J'apprenais, à mes dépens, à connaître les mœurs créoles. Sur un ton aigre, elle me lança :

« Hon! Ça m'étonnerait que tu la retrouves, mon bougre. Tu sais combien d'habitants y a à Saint-Pierre?

— Vingt mille? Trente mille?

— Puisque tu le sais!... »

Ma chance — du moins ce qu'au départ, je crus être ma chance — fut ma troisième rencontre : Amandine. Elle était si volubile, si bien renseignée sur tout ce qui se passait et dans la ville et à travers la Martinique, que je ne doutais pas un seul instant qu'elle me permettrait de trouver l'endroit où se cachaient Adèle et sa protectrice noire. Je dus pour cela lui promettre le mariage. Pas moins.

Au bout de douze jours de voyage en haute mer, Céline Alvarez Bàà devina que le bateau commençait à pénétrer dans les eaux froides de l'Atlantique Nord. Elle le sentit d'abord au subtil changement de couleur de l'écume qui, de nacre, se mua en un blanc grisé vaguement menaçant, puis à l'air frisquet du matin qui l'obligeait à se couvrir d'un gros châle quand elle montait prendre l'air sur le pont supérieur. La plupart des passagers européens avaient d'ailleurs déjà changé d'accoutrement : tous portaient désormais des chemises ou des robes à manches longues, sous de lourds manteaux qui leur baillaient l'apparence d'oiseaux de mauvais augure. Leur mine s'était, elle aussi, assombrie. Aucun d'eux ne semblait ressentir l'espèce de sourde excitation qui taraudait la pacotilleuse à l'approche du continent européen. Elle se demandait si Michel Audibert avait raison lorsqu'il affirmait que l'Andalousie dont elle rêvait n'avait rien qui pût être comparé à ce qu'elle découvrirait à son arrivée à Bordeaux. À l'entendre, cette terre, patrie des ancêtres maternels de Céline, était déjà un peu l'Afrique. Terre de soleil écrasant et de sécheresse, disait-il songeur. Tandis que celle où sa protégée, Adèle, avait vu le jour était tout en ciel bas et gris, en pluie et, au plus mauvais moment de l'année, en neige. Sans doute le poète enlaidissait-il les choses par amertume. Toujours est-il que Céline avait soif d'inconnu et se rendait finalement compte qu'en quinze années d'arpentage de l'Archipel et de la terre ferme qui lui faisait face, elle n'avait fait que tourner en rond. Tourner-virer au fond de la même calebasse. Certes, La Havane, tout au nord, hautaine et affairée, différait de Cayenne, l'endormie, tout au sud, et les hautes montagnes de l'île de la Dominique faisaient un profond contraste avec la platitude de la côte orientale de Panamá, mais à bien regarder, il s'agissait du même univers. Bien que les langues changeassent comme par exprès d'un lieu à l'autre, qu'ici les Nègres, là les Blancs ou les mulâtres, là-bas les Hindous fussent plus nombreux, que l'on n'y vénérât point les mêmes dieux partout, que les législations, surtout les douanières, mettaient un point d'honneur à ne jamais s'accorder, les pacotilleuses y évoluaient à la roue-libre-mes-amis.

« Nous sommes à-quoi-dire les seigneuresses de la mer des Antilles », plaisantait parfois sa mère, Carmen Conchita Alvarez.

En fait, le premier choc que reçut Céline fut celui des visages. Tous ces visages uniformément blancs qu'elle distingua sur les quais de l'ancien port négrier à l'instant où le bateau s'y amarra. Désemparée, elle chercha dans la foule un teint brun, jaune ou noir. Adèle se tenait à ses côtés, appuyée contre le bastingage, sans mot dire, mais avec un sourire plein de tendresse sur ses lèvres humides que la Négresse devait essuyer à intervalles réguliers. Il ne fut pas nécessaire de l'aider à faire ses valises, au demeurant peu nombreuses, tant la jeune fille avait l'air de vouloir quitter au plus vite la cabine étroite et sombre où, vingt-trois jours durant, elle s'était tenue cloîtrée. Les formalités de débarquement se déroulèrent avec une rapidité inconnue dans les îles. Point de douanier arrogant ou sourcilleux. Point de liste interminable de formulaires à remplir. Juste un rapide contrôle des passeports et l'étonnement du contrôleur au moment de tamponner celui de Céline. Plusieurs fois, il lut son nom à mi-voix, la dévisagea, tourna et retourna le beau passeport français flambant neuf qu'elle lui tendit, mais ne fit aucune remarque (passeport obtenu par le truchement de maître Constantin Danglemont, notaire de renom à la porte duquel Céline avait frappé, par pur hasard, au lendemain d'un certain carnaval au cours duquel l'homme avait ravagé les sens de Lucilla, la quarteronne de Sainte-Croix). Le douanier hocha la tête en souriant. Sans doute parce que Adèle s'était présentée la première et qu'il était persuadé que Céline était sa servante. Il est vrai que la fille d'Hugo avait fière allure. Ses longs cheveux noirs tombaient avec grâce sur ses épaules et son port de tête pouvait la faire passer pour quelque dame de la haute société. La pacotilleuse était stupéfiée par la métamorphose de sa protégée. Elle se comportait à présent comme quelqu'un qui s'en revenait d'un long voyage à travers les Amériques et qui, ayant vu du pays, pouvait se permettre de jeter un regard impérial sur sa terre natale. À la sortie du port, un homme entre deux âges se présenta à elles, vêtu d'un costume noir et d'un chapeau en feutre.

« Mademoiselle Hugo, veuillez prendre connaissance de cette missive, je vous prie..., fit-il, obséquieux à souhait.

— Nous vous suivons », rétorqua Adèle sans ouvrir l'enveloppe.

Son père leur avait fait réserver un hôtel non loin de la gare. De leur fenêtre, on distinguait le long sillon métallique du chemin de fer, surmonté d'un cafouillis de fils électriques où se posaient des oiseaux tristes, inconnus de la pacotilleuse. Céline ne parvenait pas à s'arracher à ce spectacle qui semblait indifférer Adèle. Elle s'était assise face à la commode de leur chambre et se contemplait dans le miroir, les deux mains posées sous le menton. La lettre d'Hugo était posée devant elle, froissée dans un geste d'humeur qui avait échappé à sa protectrice.

« Il se refuse toujours à me comprendre... », souffla-t-elle tandis que des larmes coulaient sur son visage, pourtant ragaillardi par le froid pénétrant qui envahissait les lieux.

La petite cheminée, dans laquelle crachotait un feu qui menaçait de s'éteindre, avait peine à les réchauffer, si bien qu'elles durent conserver leurs manteaux. Voulant se désaltérer, la Négresse andalouse remplit un verre d'eau au robinet qui lui arracha presque l'estomac tellement elle était froide. Pire qu'un coup de rhum bu cul sec ! Un train entrait en gare avec un bruit de ferraille, faisant trembler la fenêtre où elle avait le nez collé depuis leur installation. Elle observa ce miracle avec tant d'étonnement qu'Adèle ne put s'empêcher de rire.

« Tu auras tout le temps de faire connaissance avec cette machine, chère maman. Nous avons encore trois bons jours de voyage devant nous jusqu'à Paris... Tiens, lis ce que m'écrit mon cher père !

— Non-non...

— Allez, lis cette lettre, s'il te plaît ! Pas de cachotteries entre nous quand même... »

Céline Alvarez Bàà découvrait enfin l'écriture du grand Hugo. L'écriture émanant de ses dix doigts, pas ces lettres d'imprimerie froides, impersonnelles, que contenaient ses livres. Dans ses paniers caraïbes, depuis sa rencontre avec Adèle, elle avait pris l'habitude d'adjoindre à la Bible, au *Dragon rouge*, au *Petit* et au *Grand Albert*, certaines de ses œuvres tant en français que traduites en anglais et en espagnol. *Les Orientales* connurent un grand succès, tout comme *Han d'Islande* et *Les Misérables*. Michel Audibert, qui se refusait à publier ses œuvres, prétendait que l'imprimerie avait tué toute intimité entre l'auteur et le lecteur. Il distribuait ses textes manuscrits et rejetait toutes les propositions des journaux de Saint-Pierre dans lesquels, chaque matin, ses confrères en poésie livraient leurs émois parnassiens ou symbolistes, plus rarement romantiques. L'écriture d'Hugo lui baillait raison ! Elle était incroyablement douce, presque féminine, et contrastait avec la puissance torrentielle de son verbe. Notant qu'un doute l'habitait, Adèle se pencha sur l'épaule de la Négresse et murmura :

« Ceci est bien de la main de mon père... Petite, il m'arrivait de m'asseoir sur ses genoux pendant qu'il était à sa table de travail.

— Il a de la bonté en lui, une grande bonté...

— L'excès de bonté conduit à la tyrannie, chère maman. Napoléon Bonaparte aimait aussi le peuple français, il l'aimait d'un amour démesuré, mais il a conduit notre pays à la déroute... »

Céline défroissa consciencieusement la lettre pour ne pas risquer d'en perdre un seul mot. Son long séjour à la Martinique avait contribué à la familiariser avec la langue française qu'elle maîtrisait moins bien que celle de son père, l'anglais, laquelle lui était tout aussi maternelle que celle de sa mère, l'espagnol. Elle avait toujours vécu entre ces deux idiomes sans que cela provoquât en elle le moindre déchirement et pour les besoins de son commerce, elle se débrouillait aussi en hollandais, en papiamento et en créole (ne baragouinant toutefois que deux-trois phrases dans la langue des Danois). En fait, le français leur était, à elles, les pacotilleuses, la langue la plus étrangère car, partout où il était parlé, existait un créole que leurs clients utilisaient plus volontiers avec elles. Mais son père, à elle, Céline, descendait d'un esclave qui avait accompagné ses maîtres à Trinidad au moment de la Révolution française, comme des dizaines d'autres familles blanches créoles de la Guadeloupe, de la Martinique et de Sainte-Lucie. Fuyant la guillotine, ils avaient fait souche à Maraval, à Morne Coco, à Paramine et pour certains, beaucoup plus au nord, à Blanchisseuse, où le français et le créole étaient restés longtemps les seules langues en usage. Puis, peu à peu, la frontière entre les deux idiomes avait fini par s'estomper, le second prenant le pas sur le premier. Son père, qui avait tenu, par fidélité à ses origines, à lui bailler cet insolite prénom qu'était Céline, conservait pieusement une grammaire française et un almanach coloré qu'il lui déchiffrait le soir, une fois qu'il eut abandonné son métier de cocher à Palm Plantation et se fut installé dans la capitale en tant que ferronnier. Elle ne comprenait pas un traître mot de ce qui sortait de ses lèvres hésitantes, mais la douce musique du français s'installa aux tréfonds de son esprit, prête à prendre son envol à la moindre occasion. Le séjour chez M. Verdet en fut, bien sûr, le déclencheur.

La lettre d'Hugo à sa fille était à la fois surprenante et sublime :

« Ma petite Dédé,

« Je n'ai jamais douté un seul instant que tu nous reviendrais, même si parfois, il m'arrivait de désespérer de te revoir. Je craignais que les portes du trépas ne s'ouvrent sous mes pieds dans ce moignon d'île qu'est Guernesey, ce que tous ceux qui se sont ligués contre ma personne n'ont cessé de souhaiter. C'est que de loin, je leur faisais encore de l'ombre ! S'ils savaient combien le cœur du vieil Hugo n'était traversé que par deux seules passions : celle de sa fille partie aux Amériques sans l'avoir même embrassé et celle de la patrie, de notre France qui a su conquérir l'Europe entière pour lui apporter les Lumières. Je tremblais pour l'une que j'imaginais, à tort sans doute, environnée de flibustiers et de brigands ; j'enrageais de voir l'autre jetée bas de son piédestal par ceux-là mêmes qui s'étaient arrogé le droit de gouverner sa destinée.

« Qui n'aime pas ses enfants d'amour vrai ne peut aimer son pays et inversement. Tu me reviens au moment où enfin le peuple français redresse enfin la tête et se rebelle contre ceux qui se sont employés à l'humilier. Quel plus grand bonheur puis-je espérer du maigre moment qui me reste à vivre ? Cette double épreuve que Dieu m'a infligée a changé ma façon de concevoir le monde. De l'exil, j'ai tiré des ressources si considérables que la littérature n'a plus suffi à me satisfaire, même si je continue à la considérer comme le plus accompli de tous les arts. Je me suis mis au dessin où tout le monde dit que j'excelle. Depuis ton départ précipité au-delà des mers, j'ai mesuré à quel point l'absence d'un être cher, dont on est sans nouvelles, peut être pire que le trépas. Au moins savais-je que ma chère Léopoldine reposait parmi les anges tandis que toi, je te voyais au cœur de mille tourments, dont celui de l'amour n'était pas, j'en suis sûr, le plus insurmontable. La meilleure preuve en est que te revoilà parmi nous !

« Je suis heureux que tu aies pu te défaire de cet attrait funeste pour cet officier saxon dont j'ai fini par oublier le nom. Une nouvelle existence va commencer pour toi, aux côtés de ton père, de ta famille (privée, hélas, de l'affection de ta chère mère), de tous ceux qui se sont morfondus pour toi pendant tant d'années. Tes frères, Charles et François-Victor, ont hâte de te revoir.

« Sois sans crainte aucune : je t'ai pardonné. Mardi, à onze heures du matin, je serai là à t'attendre sur le quai de la gare.

« Ton père qui t'aime. »

Le voyage jusqu'à la capitale fut horrible. Chaque fois que les deux femmes s'installaient dans un compartiment, il y avait toujours quelqu'un pour trousser le nez, ricaner ou protester à la vue de la Négresse qu'était Céline. Certains se levaient même et tentaient d'obtenir une autre place auprès des contrôleurs, chose qu'ils n'obtenaient pas toujours. De guerre lasse, ils préféraient voyager debout dans le couloir plutôt que de se trouver assis à leurs côtés plusieurs heures durant. La pacotilleuse était suffoquée par la honte. Adèle, perdue dans ses pensées, ne se rendit pas compte de ce manège. Céline observait son beau visage ovale dont le chagrin n'avait pas réussi à ternir tout à fait l'éclat. La passion unique, dévorante qui l'habitait demeurait pour elle un pur mystère. Comment pouvait-on se livrer corps et âme à quelqu'un qui, en plus, vous dédaignait ? Et puis, était-il bien certain qu'elle avait épousé le lieutenant Pinson ? Le certificat qu'elle brandissait à la moindre occasion pouvait être aussi faux que les passeports avec lesquels Adèle s'était déplacée, neuf ans durant, à travers les Amériques. Sans doute ce genre de passion était-il lié au caractère propre des sédentaires. Ceux qui vivaient l'entier de leur vie au même endroit, s'exprimant dans la même langue, adorant un seul et même dieu, goûtant aux mêmes plats. L'inconstance de l'officier britannique avait bien poussé Adèle à enjamber l'Atlantique, geste certes aventureux pour une jeune femme non accompagnée, mais au plus profond d'elle-même, elle ne rêvait que de posséder un gentil mari et une jolie maison. Les pacotilleuses, à l'inverse, muaient, telles des femelles-serpents, à chacun de leurs déplacements, se fondant dans les foules étrangères avec une facilité qui déconcertait le commun des mortels. Elles menaient ainsi plusieurs vies de front, insensibles (en apparence du moins) aux griffures du destin.

Céline essayait de se faire une idée du lieutenant Pinson au travers des descriptions que la jeune Blanche lui en avait faites sans trop y parvenir. En réalité, ce qu'Adèle disait de lui était peu précis : elle n'avait que le mot « superbe » à la bouche dès qu'elle évoquait sa personne. Superbe regard bleu, superbe front, superbe poitrine, superbe stature. Céline resongeait alors à feu son père, l'Africain Bàà, natif de l'île de Trinidad, que tout un chacun s'accordait à trouver beau. Il est vrai qu'elle l'avait trop peu connu pour qu'une souffrance égale à celle d'Adèle pût l'habiter. La nuit, dans ses rêves, il lui apparaissait parfois et lui baillait des conseils qu'elle suivait toujours à la lettre, mais au réveil, elle était incapable de se souvenir de ses traits. Seule sa voix la hantait tout au long du jour, la chargeant de toute la force et le courage nécessaires pour affronter le neuf d'une journée.

Hugo les attendait en compagnie d'une femme, un peu moins âgée que lui, qui portait un chapeau à rubans qu'elle devait retenir à cause du vent. Céline le reconnut immédiatement à sa barbe broussailleuse et au fiévreux de son regard. Il était toutefois de plus petite taille qu'elle ne l'avait imaginé, ce qui expliquait sans doute pourquoi il s'appliquait à se tenir le buste très droit. S'aidant d'une canne, il claudiqua jusqu'à elles, le long des quais, abandonnant son accompagnatrice, et face à une Adèle figée, il ouvrit les bras en s'écriant :

« Ma fille ! Ma chère Dédé, enfin ! »

Puis, entrevisageant la pacotilleuse d'un air curieux, il lui lança :

« Que vous soyez remerciée de tous vos efforts, madame ! La lenteur du courrier a fait que j'ai reçu presque en même temps les lettres que vous m'avez envoyées des Barbades et celles de la Martinique. Mais, grâce à Dieu et à vous, tout est bien qui finit bien ! »

Adèle se laissa étreindre sans réagir. Elle avait à nouveau sombré dans l'espèce de léthargie, entrecoupée de brusques frissons, qui la rendait si étrange aux yeux de ceux qui n'étaient pas habitués à sa personne. Bien qu'il fît des efforts pour dissimuler son trouble, Céline devina que le poète était en proie à un profond émotionnement. Il ne devait pas reconnaître la jeune fille si brillante et enjouée qui éclairait ses mornes journées à Jersey et Guernesey. Ses épaules s'affaissèrent plus sous le poids de la douleur que sous celui de la valise d'Adèle dont il s'était emparé. Arrivé à hauteur de la dame qui l'avait accompagné, il se tourna vers Céline et lui fit :

« Mme Drouet... Juliette Drouet, ma meilleure amie. Juliette, je te présente Mme Céline Alvarez qui a eu la bonté de me ramener ma fille des Antilles. »

La femme fit un bref salut de la tête en évitant le regard de la Négresse. Elle avait l'air d'assez mauvaise humeur. À l'élégance de ses vêtements et à ses gants de soie, Céline comprit qu'il ne s'agissait pas d'une de ces petites bonnes dont raffolait Hugo comme s'en moquait parfois Adèle dans ses rares moments de lucidité. Il devait s'agir de celle que la jeune femme ne désignait jamais autrement que comme l'Autre. Cette créature qui, maîtresse attitrée de son père, avait eu le culot de le suivre en exil et qui avait vécu dans une maison située à quelques mètres de Marine Terrace, en l'île de Jersey. Lorsque le couple Hugo fut contraint, par les autorités britanniques, de déménager à Guernesey, elle en fit de même puisque sa demeure se trouvait à portée de voix de Hauteville House ! « Et, avait précisé Adèle, chaque fois que nous nous rendions, ma mère et moi, en Angleterre ou sur le continent, l'Autre n'hésitait pas une seconde à pénétrer chez nous et à y prendre ses aises. » Mais jamais Adèle ne s'était fait l'écho d'un quelconque conflit ouvert entre l'officielle et la maîtresse.

« Prenons un fiacre ! » fit le poète.

En fait, la distance entre la gare et le domicile d'Hugo était ridiculement courte aux yeux de la marcheuse qu'était Céline. Ils arrivèrent à destination en à peine dix minutes. Juliette Drouet continua sa route à bord du même véhicule sans répondre au salut de son amant. Des domestiques les attendaient sur le trottoir, sautillant de manière drolatique, sans doute pour chasser la sensation de freidure. L'une d'elles eut un sursaut de recul à la vue de Céline mais l'aida à porter ses bagages au premier étage. Là, dans un salon encombré d'ouvrages où trônaient trois lourds fauteuils de cuir se trouvaient affalés un jeune homme ayant une forte ressemblance avec Adèle ainsi qu'un homme d'âge mûr. Tous deux étaient plongés dans la lecture d'un journal et sursautèrent lorsque la porte s'ouvrit. Le premier, François-Victor, frère d'Adèle, se précipita sur elle et lui caressa longuement les cheveux comme s'il s'était agi d'une gamine. Il avait l'air plus interloqué que peiné devant l'absence de réaction de celle qu'il n'avait pas vue depuis près d'une décennie. L'autre prit Céline à part et lui demanda :

« Toi parler français ?

— Oui, monsieur...

— Moi docteur Humbert. Depuis quand toi t'occuper d'Adèle ?

— Un an et demi, monsieur...

— Il lui arrive crier la nuit ? Elle s'alimenter normalement ? »

Forte du conseil que lui avait baillé M. Verdet ce fameux jour où le Cercle de l'Hermine avait invité Adèle à déjeuner, Céline continua à lui répondre en anglais, ce qui le surprit fort. Désormais, c'était lui qui se trouvait dans l'embarras ! Le front soucieux, il fit signe à Victor Hugo de les rejoindre et lui demanda de traduire. Le poète parlait un bon anglais, patiné par vingt ans d'exil. Céline expliqua par le menu le comportement déroutant de sa fille laquelle passait de l'état de prostration à celui de vive excitation, parsemé de suppliques et de jurons, le tout entrecoupé de très brefs instants de raison. Elle évoqua son journal intime que le docteur voulut consulter séance tenante, ce qui eut le don d'agacer Hugo.

« Elle a aussi passé deux mois à la Maison coloniale de Santé de Saint-Pierre où elle a été soignée, sans grand succès, par des médecins européens... », ajouta Céline en français, désarçonnant du même coup le disciple d'Hippocrate.

Hugo la remercia et demanda à l'une des domestiques de la conduire à sa chambre. Le frère d'Adèle avait fait s'asseoir la jeune femme en face de lui et ne cessait de répéter à voix basse :

« Tu ne me reconnais pas... ? Allons, Dédé, fais un petit effort, je t'en prie ! »

Voyant Céline quitter les lieux, la jeune femme se précipita sur elle, s'agrippant à sa robe, les yeux exorbités et poussant des sortes de hurlements à vous fendre l'âme. La pacotilleuse savait qu'il lui suffisait de la serrer contre elle pour que la crise s'estompe, mais le docteur Humbert eut le temps de la saisir par le bras et se mit à lui palper le pouls. Adèle se dégagea sauvagement et chercha à lui mordre la main. Céline eut toutes les peines du monde à la faire lâcher prise. La paume du docteur Humbert portait de profondes marques de dents. Tétanisé, il n'avait pas poussé le moindre cri. François-Victor le conduisit vers la cuisine où une domestique attendait de servir une collation.

« Fort bien ! fit Hugo d'une voix lasse. Vous dormirez dans la chambre d'Adèle, madame Bàà... »

SÉANCE DE SPIRITISME DU 22 AVRIL 1872
(NUIT)
DIX HEURES ET DEMIE

Présents : Victor Hugo, Céline Alvarez Bàà, Adèle Hugo

Victor Hugo. — À qui voulez-vous parler ? Si c'est à moi ou à la Négresse, trois langues nous conviennent, le français, l'anglais et l'espagnol. Si c'est à ma fille, les deux premières suffiront.

— *Cela m'est égal.*

Céline Alvarez Bàà. — I don't recognize your voice. Speak louder, please !

— *Taisez-vous ! Pas d'anglais ici !*

Victor Hugo. — Êtes-vous en colère ?

— *Très en colère !*

Victor Hugo. — Acceptez nos excuses ! Êtes-vous un esprit satisfait de son sort ?

— *[Pas de réponse.]*

Céline Alvarez Bàà. — Dans l'au-delà, la palabra « felicidad », le mot « bonheur » a-t-il un sens ?

— *[Vive agitation sous la table.]*

Adèle Hugo. — Mon homme, Albert Pinson, est-il heureux en ce moment?

— *L'heureuseté ne peut se concevoir sans la souffrance.*

Adèle Hugo. — Mon Dieu, j'espère qu'il ne lui est rien arrivé. Dites-le-moi, je vous en supplie!

— *Rien n'arrive et tout arrive. Cela dépend du lieu où l'on se place.*

Victor Hugo. — Votre lieu se trouve où?

— *Dans l'absolu ou dans l'infini, comme vous voudrez. Ici et ailleurs. Partout.*

Céline Alvarez Bàà. — ¿ Sabe Usted donde se halla mi madre? Carmen Conchita Alvarez?

— *En el infierno! Con los diablos del vodù.*

Céline Alvarez Bàà. — ¿ Puedo hablar con ella?

— *Non! La porte de l'enfer est toujours fermée. Ha-ha-ha!*

Victor Hugo. — Est-ce que Léopoldine nous entend? Est-ce qu'elle nous voit?

— *Entendre et voir n'ont pas de sens là où je me trouve.*

Adèle Hugo. — Mon Albert...

— *Taisez-vous donc! Voulez-vous que je m'en aille?*

— Victor Hugo. — Les grands esprits — Bouddha, Jésus, Mahomet — sont-ils à vos côtés?

— *Pas ce soir. Ils méditent dans l'infini.*

Victor Hugo. — Les grands poètes alors ? François Villon ? Chateaubriand ?

— *Brouez, bénards ! Eschecquez à la saulve :*
Car escornés vous estes, à la roue.

Victor Hugo. — Villon ? Êtes-vous là ? Sachez que j'apprécie beaucoup vos ballades en bref langage !

— *Ha-ha-ha !...*

DÉVIRÉE DANS L'ARCHIPEL

Alé-a sé ta'w, viré-a sé ta mwen.
« L'aller t'appartient, le retour est mien. »
(proverbe créole)

11

Céline Alvarez Bàà guette les bruits de la nuit parisienne, assise dans la pénombre du galetas au plafond trop bas dans lequel on l'a priée de se tenir afin de ne pas incommoder la vue des visiteurs tardifs. Au début, elle s'allongeait aux côtés d'Adèle, dans la chambre de cette dernière, et la regardait dormir, l'éventant de temps à autre lorsque quelque sueur perlait à son front ou lui tenant la main quand le corps de la jeune femme était agité de secouades inexplicables. Alors la Négresse lui chantonnait ces vieilles mélopées du temps où l'esclavage régentait les champs de canne à sucre, mots creusés par la douleur, intonations charroyant un choc-en-bloc d'espérances, d'enrageaisons, de tristesse, de lassitude aussi, et soudain la face d'Adèle semblait s'éclairer. Une sorte de paix s'installait, enveloppant le corps des deux femmes enlacées. Hugo frappait à la porte, entrait sans attendre de réponse et contemplait la scène, le regard lourd d'inquiétude.

« N'ayez crainte, monsieur ! murmurait Céline Alvarez. Elle est apaisée, oui... »

La stature massive du poète, sa barbe en broussaille, ses yeux qu'on aurait juré toujours prêts à fulminer, sa voix presque caverneuse, tout en Hugo l'impressionnait bien que leur cohabitation datât maintenant de quatre bons mois. Il s'approchait du lit, le visage fermé, observait sa fille un long moment, jetait des regards perplexes à la pacotilleuse avant de tourner les talons. Parfois, au moment de refermer la porte de la chambre, il se retournait et fixait Céline dans le mitan des yeux sans mot dire. Tard dans la nuit, il recevait du monde : des apprentis poètes, des politiciens, des créanciers, des actrices de théâtre en quête d'un rôle, des dames de petite vertu. Certains voulaient à tout prix saluer Adèle et sans être dupe de leurs sentiments, le poète les conduisait à son chevet. La vue de Céline les indisposant ou les terrifiant, ils ne s'attardaient guère. Le bruit commença à se répandre qu'Hugo avait fait appel à une sorcière africaine pour guérir la folie de sa fille. Les visites se multiplièrent par pure curiosité morbide. Hugo fut contraint de demander à Céline Alvarez de déménager. Tout au fond de la chambre d'Adèle un escalier en colimaçon menait à un galetas où s'entassaient des livres, de vieux meubles, des vêtements devenus trop petits et des coffres où le poète conservait ses archives. La Négresse sut s'y faire une place plus ou moins confortable. L'endroit était mal chauffé, ce qui l'obligeait à dormir sous un lot de couvertures.

Par une lucarne, il lui arrive de guetter les apparitions de la lune qui ici, en Europe, est bien pâlichonne à son goût. Quand, à minuit passé, chacun sait que plus aucun importun ne s'annoncera, Hugo grimpe les trois premières marches de l'escalier et demande :

« Madame Bàà, ma petite va bien ?

— Elle a eu une courte agitation avant de prendre sommeil, mais elle s'est calmée, monsieur...

— Merci en tout cas !

— Monsieur Hugo !...

— Qu'y a-t-il donc ?

— Le climat de Paris ne convient pas à notre chère Adèle. Il lui faut du soleil... Laissez-moi la ramener avec moi aux Antilles, s'il vous plaît ! À Saint-Pierre, je vous assure, elle commençait à se porter comme un charme...

— Je... je verrai cela, madame Bàà... »

Céline Alvarez Bàà écoute le crissement des fiacres sur les pavés mouillés. Les miaulements affolés des chats de gouttière. Elle est attentive à la nuit européenne où tout semble mourir d'un seul coup. Malgré les lampadaires, ce qu'elle aperçoit de la rue la fait frissonner : une sorte de grand vide prêt à happer toute créature humaine qui oserait s'y aventurer. Une antichambre du néant. La rue, accablée d'obscurité et de silence, la fascine. Elle ne peut en détacher ses yeux. Seuls les râles intermittents d'Adèle parviennent à l'arracher à sa stupeur. Elle descend alors l'escalier en bois avec précaution, s'arrêtant chaque fois qu'elle a le sentiment d'avoir fait craquer une marche, se laissant guider par les lueurs du chandelier qui, jusqu'à l'aube, veilleront sur le sommeil de la jeune femme. Céline s'agenouille au bord de son lit et se met à prier. En espagnol d'abord, puis en anglais. Elle n'a jamais pu le faire en français quoiqu'elle ait appris cette langue avec un expert en la matière, son amant Michel Audibert, lequel pouvait citer à loisir Ronsard, Du Bellay ou Lamartine.

La maison Hugo est plongée dans le sommeil. Juliette,

la maîtresse du poète, a gagné immédiatement sa chambre dès qu'elle est rentrée de ce que le premier appelle sa « vadrouille quotidienne », sans que Céline puisse deviner si derrière cette expression se cache de la désinvolture ou, tout au contraire, une colère rentrée. Elle sait Hugo jaloux. Elle le devine soupçonneux. Mais l'homme est bien trop occupé par ses aventures ancillaires, par la politique dans laquelle il se voit, malgré sa déconvenue à son retour d'exil, jouer un rôle prédestiné, par l'égarement de sa chère Dédé et surtout par la continuation de son œuvre pour avoir le temps de surveiller les aller-venir de celle qu'il nomme parfois, par erreur, Adèle. Ce prénom que partagent sa chère fille et la mère de cette dernière. Preuve, s'il en est, qu'il n'a pas totalement oublié son épouse légitime, décédée quelques années plus tôt. Juliette ne s'en formalise point. Sous des dehors posés, voire patelins, elle paraît, à Céline, être une femme d'une détermination extrême, une femme au cœur sec, qui a appris à jongler entre ses intérêts matériels — Hugo, tout près de ses deniers qu'il soit, est devenu un millionnaire et ne s'en cache pas — et les élans de sa chair que la maturité devait exacerber. Elle n'avait toutefois montré aucune hostilité particulière envers celle qui lui avait ramené la fille de son homme au bercail. Il est vrai que Juliette est à mille lieues d'imaginer que l'insatiable appétit charnel d'Hugo pût le pousser à forniquer avec une vulgaire Négresse. Juliette présente, la maison s'affroidure. À l'inverse, la petite Dédé, qui est quelqu'un de sensible et de fragile, sait l'égayer. Lorsqu'il lui arrive de retrouver ses esprits, elle s'emploie à se rendre sympathique et ferme les yeux sur les frasques de son père. Serviable dans l'âme, elle relit les articles que son frère Charles s'apprête à publier, lui proposant d'une voix douce des corrections et lui recommandant la modération. *L'Événement* a, en effet, fait l'objet de saisie en diverses occasions.

Pour tromper l'ennui, Céline fait le tour de la maison. Au mince rayon de lumière qui se faufile sous la lourde porte du cabinet de travail d'Hugo, elle devine le poète en action. Longtemps, elle avait cru qu'il demeurait rivé à sa table, le front penché sur les feuilles de papier bleu ciel qu'il affectionnait, la plume levée, en attente de l'inspiration, mais quelle ne fut sa surprise, un soir qu'elle avait osé jeter un œil par la lucarne du palier qui mène au galetas, de le voir arpenter la pièce en long et en large ! Hugo était fort agité, faisait de grands gestes comme s'il prenait à témoin des créatures invisibles, se rasseyait pour se lever quelques instants après, prononçait entre ses dents, afin de ne pas réveiller son monde, des paroles difficilement compréhensibles, puis d'un pas décidé, se dirigeait vers son écritoire — il rédigeait, en fait, debout ! — et traçait des lignes et des lignes sans marquer une seule seconde d'hésitation. Céline en avait été tout bonnement stupéfaite. Comme il était différent de son cher Michel Audibert, le poète pierrotin, qui, une fois leurs ébats achevés, se drapait d'une robe de chambre et, le visage fermé, s'asseyait à sa table devant laquelle il méditait des heures durant avant de jeter un seul mot sur le papier ! Différent aussi de Manuel Rosal, pourtant romantique déclaré, qui disait nourrir sa muse grâce à une fréquentation assidue des boxons et qui écrivait n'importe où. Sur le premier bout de papier venu. Sur un coin de table dans un caboulot pourtant affreusement bruyant, entouré de marins, de gabarriers ou de catins. Sur les châles de ses amantes de passage, persuadé qu'ainsi, elles ne l'oublieraient jamais. Quant à Saint-Gilles, ce bon Gigiles, il ne se déplaçait qu'avec une armée de dictionnaires, de versions latines et françaises de *L'Énéide*, œuvre qu'il avait l'ambition de continuer, tout cela fourré dans un baluchon crasseux dont il ne se séparait jamais.

Chaque nuit, Céline descend, pas à pas, au rez-de-chaussée, attentive à ne pas faire craquer les marches de l'escalier. Précaution inutile car les servantes dorment d'un sommeil de plomb, épuisées par une journée entière de nettoyage, récurage, astiquage, lustrage et par la confection des repas. C'est qu'Hugo est un maniaque de la propreté. Avec lui, un meuble ne brille jamais assez. Un parquet n'est jamais convenablement frotté. Un véritable tyran domestique ! Un homme qui peut exiger que l'on repasse quatre fois sa chemise au motif qu'elle comporterait des plis, bien évidemment imaginaires. Monsieur ne sort jamais qu'attifé et poudré comme s'il avait encore, à son âge, l'obligation de plaire. Cela faisait sourire Adèle. Soudain, ce soir-là, une ombre se glisse aux cuisines, une ombre sanglotante. Sans voir son visage, à cause de l'obscurité, Céline sait qu'il s'agit de cette jeunette de l'Aveyron — seize ans à peine — qu'Hugo a embauchée quelques mois plus tôt alors que les trois servantes qu'il a déjà à son service, quand bien même il les fait trimer, suffisent amplement à la bonne marche du ménage. Elle parle un patois rocailleux que la pacotilleuse a du mal à saisir, mais elle est bien la seule à lui montrer une certaine déférence. Pour les autres, elle n'est que l'incarnation féminine du Diable.

« Hermione, tu es souffrante ? » murmure Céline en avançant prudemment dans le noir.

La servante a dû se dissimuler derrière un buffet. Ou sous cette vaste table en bois de chêne dont Hugo est si fier, table que lui, l'amateur de brocante, a achetée à prix d'or et dont il jure devant ses amis qu'elle date de l'époque médiévale. « D'illustres et preux chevaliers y ont posé leur chope d'ambroisie ! » aime-t-il à clamer avec un sérieux qui frise le farcesque. Il avait expliqué à Céline qu'au Moyen Âge, le pays des ancêtres maternels de cette dernière, l'Andalousie, était un lieu de haute civilisation et depuis lors, celle-ci n'avait cessé d'en rêver. Chaque fois qu'il lui arrivait d'aller aux cuisines, elle ne manquait pas de poser une main furtive sur cette table, une sorte de caresse dans laquelle la timidité le disputait à la fierté, comme si elle tentait d'établir un contact, par-delà les siècles, avec ces hommes qui s'en étaient allés conquérir l'Afrique et y avaient ramené des Négresses pour leur servir à la fois de concubines et de domestiques. Elle songeait au tout premier, le señor Alvarez, gentilhomme de Cadix, et à la toute première, Luisa de Navarette, native de la Casamance. Dans la bouche de sa mère, Carmen Conchita Alvarez, au cours des longues nuits de cabotage entre Carthagène des Indes et Curaçao ou entre Kingston et Jacmel, ces deux ancêtres prenaient la forme de géants tutélaires qui n'avaient cessé de veiller sur leur destinée à elles, pauvres marchandes de rêve.

« Hermione, je sais que tu es là ! Allons, n'aie pas peur ! Je ne vais pas te dévorer toute crue, ma chérie. Ha-ha-ha ! »

La voix de Céline prend un accent sépulcral. À son

corps défendant. Sans doute à cause du silence qui semble figer la maison Hugo, ordinairement agitée tout le jour et jusqu'à des heures tardives de la nuit par les aller-venir d'admirateurs du poète ou d'intrigants. La jeune Aveyronnaise bondit jusqu'à la porte qu'elle décrochète en un virement de main. Céline, qui pourtant redoute le froid, lui emboîte le pas. Les deux femmes se prennent spontanément par la main et se mettent à marcher sans mot dire. La ville semble comme dévastée. Partout des ruelles éventrées, de vieilles maisons à balconnet, ravissantes au possible, en voie d'être démolies. Des amas de pierres et de pavés qui couvriraient bientôt ces avenues à perte de vue qu'a tracées un homme tout-puissant auquel Hugo voue une détestation sans pareille, le baron Haussmann. « Après vingt ans d'exil, je ne reconnais plus ma ville, peste le poète devant chacun de ceux qui lui rendent visite. Napoléon le Petit est un misérable ! Pire : un scélérat. Il a tué l'âme de Paris, son cœur datant du XIIIe siècle, ses échoppes animées, ses marchés à même le trottoir, ses portefaix, ses diseuses de bonne aventure, ses aigrefins aussi. Il en a fait une cité teutonne, voilà ! »

Céline et la jeune servante avancent à l'aveuglette. Comme enveloppées par l'ombre de ces immeubles impressionnants, de huit ou dix étages, dont la construction n'est pas achevée. Deux étrangères dans la ville. Deux âmes errantes. Chacune engoncée dans ses pensées. De temps à autre, des créatures haillonneuses, à la voix avinée, surgissent de nulle part. Des vagabonds qui se mettent à brailler, l'air menaçant, et qui, à la vue de la Négresse, s'escampent sans demander leur reste. Les deux femmes pouffent alors de rire et se serrent plus fort les mains. Bientôt le ciel s'éclaircit et elles aperçoivent le clocher de Notre-Dame. Le cœur de Céline Alvarez Bàà se met à chamader. Elle se souvient de la promesse que lui avait faite jadis, au beau mitan de la forêt guyanaise, son seul et unique amour, John-Thomas :

« Je suis adventiste mais pour toi, je suis prêt à t'épouser dans la plus belle cathédrale du monde ! »

Tout cela est bien loin. Comme si leur quête effrénée de la pépite d'or, qui devait les transformer en seigneurs de l'île de Saint-Vincent, s'était déroulée dans une autre vie. Seule persistait, quoique ténue, l'odeur fauve du corps baigné de sueur de son amant après l'acte charnel. Comme le temps avait le don d'effacer les visages ! De son père, l'Africain Bàà, Céline n'avait conservé que la dégaine, ces gestes amples, démonstratifs, dont il était coutumier chaque fois qu'il se laissait emporter par son ire à l'encontre de l'océan, coupable à ses yeux de dissimuler les cadavres jetés par-dessus bord à l'époque de la traite négrière. D'Ariane, foudroyée par la balle — oui, une seule ! — d'un irascible commerçant guadeloupéen, sur l'échelle de coupée du navire qui venait d'accoster au port de Basse-Terre, elle n'avait gardé en mémoire que les joues recouvertes de poudre orangée. De sa mère, à elle, Carmen Conchita : une paire d'yeux noirs et brillants, ennuagée d'une infinie mélancolie.

« Là ! Regarde, madame ! » fait brusquement Hermione.

Au pied de Notre-Dame, la nuit est illuminée par mille loupiotes. Des grappes de gens mangent, boivent, rient, se chamaillent ou se lutinent, hommes, femmes et enfants mêlés, la plupart en guenilles. Il y a là des lépreux, des unijambistes, des aveugles qui agitent leur sébile en tous sens, des catins ravagées par la vérole, des orphelins ou de simples boit-sans-soif qui braillent des chansons paillardes. Une bouffée de joie envahit Céline. Le sentiment de retrouver une chaleur humaine qui, depuis son arrivée à Paris, lui a fait défaut. Le charivari du marché aux épices de Carthagène des Indes, les hurlades des docks de Bridgetown, le ouélélé du quartier La Galère, à Saint-Pierre de la Martinique, ou du Malecon à La Havane. Elle retient la jeune Aveyronnaise qui, effrayée, tente de rebrousser chemin. Bientôt, elles s'enfoncent au cœur de ce fouillis d'ombres et de voix, s'émerveillant de l'habileté d'un jongleur, partageant un quignon de pain ou une goulée de vin avec le premier venu. Elles s'oublient à la Cour des Miracles. Se séparent même sans vraiment l'avoir voulu. À cause de l'obscurité, nul ne prête attention à la couleur de Céline, ce qui lui fait aussi un bien énorme, jaugée, scrutée qu'elle est chaque fois qu'elle met le nez dehors, moquée ou insultée parfois, voire attaquée comme ce matin où elle avait emmené Adèle faire un brin de promenade dans un parc public. Deux garnements, d'à peine dix ans, l'avaient pourchassée à coups de pierre en hurlant : « Hou-ou ! Va-t'en, le Diable ! »

Minuit sonne longuement à l'horloge de Notre-Dame. Suivi d'un étonnant silence. Céline cherche la jeune servante et est prise de panique à l'idée que cette dernière ait pu se perdre ou que quelque malheur ait pu lui arriver. La pacotilleuse se met alors à jouer des coudes, écarquillant les yeux pour tenter d'apercevoir le fichu de l'Aveyronnaise. Elle bouscule un groupe de femmes qui jacassent en espagnol. L'une d'entre elles l'accable d'injures et reste gueule grande ouverte quand Céline lui rétorque dans le même idiome :

« *¿ Qué te pasa ? ¡ Soy buscando mi hija !* (Qu'est-ce qui t'arrive ? Je suis en train de chercher ma fille !)

— *¡ Excusame, querida mía !... Oh ! Una negra ! Qué maravilla !* » (Excuse-moi, ma chérie !... Oh ! Une Négresse ! Quelle merveille !)

Et la gitane de lui prendre la main gauche, d'en approcher une bougie en continuant à s'exclamer, attirant ses compagnes qui à leur tour caressent la paume de Céline en disant :

« *¡ Qué blancura, madre de Dios !* » (Quelle blancheur, sainte mère de Dieu !)

La première en étudie attentivement les lignes, plisse le front, sourit, se ravise et la réexamine en faisant glisser son index sur chacune d'elles. Puis, elle s'écarte en lâchant :

« *¡ Muy complicado, mujer ! Tienes un destino de mariposa* » (Très compliquée, mon amie ! Tu as un destin de papillon...)

Céline continue son chemin, se frayant avec difficulté un passage, de plus en plus émotionnée. La jeune Aveyronnaise a probablement quitté les lieux et est en train d'errer seule dans les rues de Paris ! Sa quête demeure vaine. Elle décide alors d'attendre et s'assied sur les marches de la cathédrale tandis que l'aube commence à rosir les confins du ciel. Avant qu'il ne fasse tout à fait jour, l'étrange faune de la Cour des Miracles se disperse, son allégresse se muant du même coup en une sourde taciturnité. C'est alors que la pacotilleuse découvre les eaux brunâtres de la Seine et en ressent une sorte de déception. Elle l'avait imaginée cousine du Maroni, là-bas, à l'ouest de la Guyane, ou de l'Ozama qui traverse la ville de Saint-Domingue avec une majesté tranquille. Au lieu de cela, elle voit une ridicule coulée d'eau, presque immobile, sans cris d'oiseaux ni fleurs aquatiques, encombrée de barques et de péniches. Tel est donc le fleuve dont rêvaient Saint-Gilles et Manuel Rosal, pauvres poètes abusés par le pouvoir mystérieux de la littérature !

« C'est toi Céline Alvarez ? Allez, viens, suis-nous ! »

La voix est sèche, sans être vraiment brutale. Le sergent de ville l'aide à se relever, car une vague de fatigue vient de submerger la pacotilleuse qui a grand-peine à garder les yeux ouverts. Titubant, elle suit l'homme et deux de ses compagnons d'armes qui l'escortent jusqu'à la maison de Victor Hugo. Au grand jour, elle se rend compte à quel point la jeune servante et elle ont marché. Le poète l'attend sur le seuil, le visage sévère.

« Je ne vous gronde pas, fait-il, mais évitez à l'avenir de suivre cette pauvre petite imbécile ! »

La jeune Aveyronnaise est affalée contre la table de la cuisine où les autres servantes la laissent dormir jusqu'à midi ce jour-là. Quant à Céline, elle doit accourir dans la chambre d'Adèle qui n'a cessé de la réclamer, et s'employer à calmer la crise qui secoue celle-ci. Une crise plus terrifiante que toutes celles dont elle a été témoin jusqu'à présent.

JOURNAL D'UN POÈTE AUX PORTES DU GRAND ÂGE

6 avril

Ce fut ma première Négresse.

9 avril

J'ai encore dans la bouche le vin noir de ses seins. Au contraire de Juliette, elle n'a pas dégagé d'odeur âcre lorsque nos corps se sont pénétrés. En fait, c'est moi qui me suis fondu dans sa sueur animale, comme si mon corps plongeait dans les abysses. Je me suis senti naître une seconde fois. Sensation étrange et délicieuse tout à la fois. À recommencer chaque fois que ce sera possible. Pourvu que nous n'ayons pas réveillé ma petite Dédé !

Déjeuner avec Sainte-Beuve aujourd'hui. Je l'aime de moins en moins. Sans véritable raison. Je n'ai, il est vrai, jamais considéré les hommes de petite taille, hormis Napoléon bien sûr.

27 avril

J'ai fait embaucher une nouvelle servante. L'ancienne refusait que je la baise à la hussarde sur la table de la cuisine. Au début, elle s'était laissé faire, étonnée que je lui susurre dans l'oreille des cochoncetés tout droit sorties des Halles. Pour un poète, il n'existe pas de mot vulgaire ou inconvenant : chaque mot prend son sens dans le vers où il est inséré et seulement là. C'est pourquoi je hais les dictionnaires. La nouvelle servante, G., est très compréhensive. Elle ne se révulse pas en voyant des taches d'urine sur mon pantalon de nuit. Elle ne se plaint pas que ma barbe lui picote le cou ou le front. Mieux : elle s'assoit sur un escabeau pour prendre mon braquemart entre ses lèvres qu'elle aspire telle une goule. Je me sens à chaque fois tout revigoré.

5 mai

La santé d'Adèle m'inquiète au plus haut point. Son attachement morbide à cette Négresse des îles aussi. Cette dernière, hélas, n'a pas l'élégance et l'instruction de la Jeanne Duval de M. Baudelaire — Tiens ! Elle possède les mêmes initiales que ma Juliette Drouet —, mais au moins parle-t-elle plusieurs langues et je prends un infini plaisir à deviser avec elle dans celle du grand Cervantès. J'ai l'impression de retrouver un peu de ma prime enfance, là-bas, en Castille.

Il ne se passe pas un seul jour sans que la pensée de Léopoldine ne m'assombrisse. Pourquoi le destin s'acharne-t-il sur mes filles ? On me croit grognon, d'humeur volatile ou arrogant, mais c'est parce qu'au détour d'une conversation, il arrive que l'image de la première s'impose brutalement à moi et que j'en perde le simple goût d'exister. Son absence, le poids terrible de son absence, me donne des envies de destruction. Puisqu'elle n'est plus, le monde ne devrait plus continuer de marcher, ni la terre de tourner.

Je mesure à présent le grand tort que j'ai eu d'avoir sous-estimé le penchant de Dédé pour cet officier saxon. Je croyais sincèrement que seul l'attrait de l'uniforme la poussait vers ce rouquin au visage inexpressif. Attachement fugace d'adolescente, pensais-je. Premières chamades d'un jeune cœur qui bientôt battrait plus vite et plus fort pour d'autres hommes bien plus avenants que cet Albert Pinson. Son nom m'avait fait rire : je persistais à le prononcer à la française, chose qui agaçait au plus haut point ma Dédé. « Tu roucoules pour ton pinson », la gouaillais-je.

Maintenant, tous les docteurs consultés déclarent que Dédé a définitivement perdu la raison et qu'il conviendrait de l'interner sans plus tarder. Je m'y refuse ! Ma fille, mon unique fille désormais, restera à mes côtés. Quoi qu'il advienne. La présence de cette Céline Alvarez Bàà lui semble être un baume. Dès qu'elle est en proie à une crise, il suffit à cette Négresse d'apparaître, de lui parler, de la serrer entre ses bras pour qu'elle retrouve un peu de calme. Étonnant ! Ne serait-elle pas, cette Céline, un tantinet sorcière ?

Dans son galetas, j'ai découvert deux petits livres étranges : *Le Petit Albert* et *Le Dragon rouge.*

12 mai

Qu'est-ce que la folie ? J'ai beau lire et relire Érasme, j'avoue que je ne comprends pas. Sans doute la folie d'amour est-elle grandement différente de la folie ordinaire. Pourtant, j'ai beaucoup aimé, ma femme d'abord, Juliette ensuite et moult autres créatures de l'espèce féminine, et pourtant je n'ai point perdu la raison pour autant. Il est vrai que ce Pinson fut le premier et le seul amour de Dédé. Elle prétend l'avoir épousé mais cet imbécile de détective d'Henry de Montaigue m'assure n'avoir trouvé aucune preuve de cette fameuse union. Ni à Jersey ni au Canada. Ni même aux Barbades.

Ma nouvelle servante est un délice de femme. Elle devance mes attentes. Dès que la maison se calme, vers le milieu de la matinée, que Dédé repose dans sa chambre, veillée par la Négresse, et que Juliette s'en va courir les magasins — quelle fichue dépensière, celle-là ! —, la jeunotte vient dans mon bureau, entre sans frapper, se love entre mes jambes et se met à m'embrasser. La posture assise est un régal pour les sens. Elle exige moins de mouvements, mais elle procure des sensations inouïes. Elle retarde surtout la sortie de mon foutre.

J'éprouvais une joie débornée à la seule idée de ressentir sur ma peau le sel de la mer des Antilles. Il me semblait qu'elle était plus dense, plus caressante que celle qui borde les côtes de France. J'en avais assez de ces rues pavées et grisâtres, encombrées de gens affairés, emmitouflés jusqu'au cou, parfois en loques pour les plus pauvres. Quand Hugo me demandait d'accompagner sa servante au marché, j'en revenais le cœur serré. Tant de marmailles dépourvues de famille qui erraient dans les environs, mendiant une pomme, une vulgaire pomme, ou deux sous avec lesquels ils s'achèteraient du pain rassis ! Tant de femmes éplorées, jeunes ou décaties, qui attendaient, tristement, qu'un marchand veuille bien les embaucher pour une heure ou deux ! Et la foule qui ne leur accordait pas une miette de regard. Cette foule que le dénantissement indifférait. Je savais que jamais je ne pourrais me faire à cette existence-là. Jamais. Là-bas, chez moi, la misère n'était pas moins grande — ce serait mentir sur la vérité que de le prétendre, oui ! — mais elle était mille fois plus supportable du seul fait que le froid ne vous rongeait pas les os et que vous trouviez toujours une âme charitable pour vous venir en aide. Combien de fois n'avais-je pas moi-même payé un repas à un vieux-corps abandonné ou à une femme en quête d'un petit job qui lui permettrait de ramener dans sa case ne serait-ce qu'un fruit à pain ou une patte de bananes jaunes ?

J'avais aussi hâte de retrouver mes fournisseurs dont je craignais qu'ils m'aient oubliée ou m'aient tout bonnement rayée de leurs listes. J'étais partie en France comme une voleuse, sans un mot d'adieu, sans une missive d'excuses. Sans explication aucune. J'étais le petit doigt qui s'était irrespectueusement détaché de la main que constituait la confrérie des fournisseurs et celle des pacotilleuses. J'avais comme trahi une sorte de pacte. Je me sentais honteuse, indigne pour tout dire. Mais je m'en revenais aussi toute fière d'avoir fait les grands magasins parisiens, d'avoir palpé les tissus les plus soyeux, essayé des chapeaux à l'extravagance achevée sous le regard ahuri des vendeuses dont certaines devaient voir une Négresse pour la première fois. La féerie de ces lieux, en particulier de La Belle Jardinière, fut ma récompense. Ma seule vraie récompense car après un semblant de rémission à notre débarquée en France, la santé mentale d'Adèle se détériora à nouveau. J'avais fait ce rêve étrange qu'elle s'était arrêtée au mitan d'un escalier de pierres qui descendait dans les entrailles de la terre, dans l'attente d'une main secourable autre que la mienne. Une main maternelle ou paternelle. Il est vrai que feu Mme Hugo était une ombre. On aurait juré qu'elle s'amusait à traverser la vaste demeure que le couple s'était achetée au retour d'exil grâce, me révéla le poète, aux sommes considérables que lui avait valu la vente des *Misérables*, puis des *Travailleurs de la mer*. Ce fantôme énervait beaucoup Juliette Drouet. À peine adressait-elle la parole à son amant, sans pour autant laisser transparaître la moindre contrariété ou tristesse. Au petit déjeuner, elle était déjà ailleurs, ne faisant aucun geste pour aider sa belle-fille à prendre une bouchée ou à s'essuyer les lèvres. Entendait-elle Hugo qui discourait ? J'en doute. L'homme parlait, parlait, parlait, telle une crécelle du vendredi saint. Parfois, son fils Charles était des nôtres et tous deux commentaient le dernier numéro du journal *L'Événement* dont celui-ci était l'un des gérants. Le sort du pays semblait les passionner davantage que celui de ma pauvre enfant. Dès que huit heures sonnaient à l'horloge murale, Juliette se précipitait dans sa chambre, s'attifait, se posait une voilette sur le visage et lançait d'un ton négligent, sans s'adresser à personne en particulier :

« Je ne serai pas là de la journée. J'espère que le temps sera clément aujourd'hui... »

Hugo sombrait alors dans une espèce d'abattement. Comme si ses soixante-dix ans passés pesaient de tout leur poids sur ses épaules. Il demeurait assis près de la table jusqu'à tard dans la matinée, immobile, indifférent aux criailleries d'Adèle que je m'efforçais de calmer. Peu avant le déjeuner, des hordes de flatteurs carillonnaient à la porte d'entrée. Poètes et gens de théâtre surtout. Tout ce beau monde sollicitait d'être reçu par le grand homme lequel, à mon grand dam, ne faisait aucun tri. Il écoutait avec la même attention (à moins qu'il ne fît semblant) le jeunot tremblotant qui lui lisait d'interminables vers qui, à mon humble avis, ressemblaient trop aux siens ou le conspirateur vêtu de noir, au regard fuyant, qui déployait devant lui des documents prétendument secrets qui permettraient de confondre ou de renverser quelque tyranneau européen. Ces visiteurs se contentaient des grognements d'Hugo quoiqu'ils fussent ininterprétables. À la vérité, le poète était devenu un peu dur d'oreille et je m'amusais à l'idée que n'entendant qu'à moitié leurs billevesées, il devait souvent comprendre l'inverse de ce dont ils l'entretenaient. De temps à autre, il me faisait un clin d'œil complice, accompagné d'un sourire en coin. Je devinais qu'il était l'heure d'arrêter cette comédie et demandais à Annette, la vieille servante, de renvoyer sur-le-champ les courtisans qui attendaient leur tour dans le vestibule. Aussitôt le calme revenu, Hugo retrouvait son énergie habituelle, énergie étonnante pour un homme au seuil de la vieillesse. Nous montions au galetas, par une sorte d'accord tacite, et il se jetait sur ma personne, me labourant les chairs, les yeux curieusement clos. Je me laissais faire quoique j'éprouvai rarement du plaisir. La sensation d'être happée par une houle déchaînée, d'être soulevée, roulée, triturée comme si je ne pesais pas davantage qu'un fétu de paille, m'était par contre fort agréable. Je devenais une île, une petite île tropicale, que couvrait, de son aile l'immense, la puissante Europe. Hugo n'acceptait aucun geste de tendresse de ma part. Il m'enserrait les poignets jusqu'à me faire mal, m'interdisait de tenter la moindre caresse, le plus petit baiser. Ou bien il m'écartait les cuisses pour s'enfoncer en moi de toutes ses forces sans s'inquiéter de mes cris de douleur, ni des servantes qui devaient se presser au pied du galetas, faisant mine de balayer la chambre d'Adèle et d'en épousseter les meubles. Certaines me jalousaient, d'autres me détestaient à cause de cela. Comme Hugo en changeait fréquemment, aucune ne disposait du temps suffisant pour développer une vraie inimitié à mon endroit. À peine avaient-elles le loisir de maugréer :

« Chienne de Négresse en rut, va ! »

L'après-midi, le poète retrouvait un semblant de bonne humeur. Adèle s'endormait enfin après s'être agitée toute la matinée. Après aussi avoir déversé tout un lot de paroles dénuées de sens, de jurons, de supplications au lieutenant Pinson, le tout entrecoupé de quintes de toux à vous fendre l'âme. Assuré que tout allait bien, Hugo s'habillait avec élégance, s'arrangeait longuement la barbe dont la longueur prenait des proportions dignes de celle d'un patriarche, au garde-à-vous devant le miroir du salon, avant de réclamer sa canne d'une voix de stentor. C'était là un rituel auquel la maisonnée se soumettait bien volontiers Il cessait d'un seul coup d'être le vieil homme accablé qui tournait et retournait sa cuiller dans son bol de lait matinal. Il retrouvait sa prestance. M. Hugo était de sortie ! Il s'en allait flâner à travers les rues de Paris, en grand amoureux de cette cité qu'il chérissait par-dessus tout.

12

« Vous partirez du Havre, ma bonne amie. »

Il me semble entendre encore la voix d'Hugo. Corps voûté. Jambes flageolantes. Tout ce que le grand homme refuse, lui qui, hormis un anthrax, n'a jamais été atteint de la moindre affection sérieuse. Lui qui s'en est toujours vanté, grimpant les escaliers avec l'allant d'un gamin, mangeant et buvant comme quatre, taquinant toute créature féminine qui passe à ses côtés, dès l'instant où elle a la chair fraîche. « Plus il vieillit, plus monsieur les apprécie », m'avait glissé Juliette Drouet, sa maîtresse de toujours, qui avait fini par s'accommoder de ma présence et avec laquelle — ai-je cru comprendre — Hugo n'avait plus, depuis des lustres, que des rapports platoniques. Elle était bien meilleure femme que je ne l'avais imaginé au départ. Meilleure en tout cas que l'épouse d'Hugo, cette Adèle que je n'ai pas connue et dont le souvenir continue de hanter la demeure du poète. En fait, à compter de l'exil à Guernesey et des fugues répétées à Paris d'Adèle-mère, Juliette est, peu à peu, devenue la vraie, la seule compagne, du proscrit. De la fenêtre de la maison qu'elle avait louée dans l'île, elle pouvait voir Hauteville House où elle était parfois reçue, non pas dans le plus grand secret comme on aurait pu le penser, mais au vu et au su de tous. D'Adèle-fille. De ses frères Charles et François-Victor. Et même de Mme Hugo qui, l'afflux d'invités aidant, faisait mine de ne pas se rendre compte de la présence de sa rivale laquelle, il est vrai, se faisait discrète.

« Elle aurait eu bien du toupet à me morguer, m'avait dit Juliette, car il était de notoriété publique qu'elle se donnait du bon temps avec le parrain de la petite Adèle. Un gnome répugnant du nom de Sainte-Beuve qui a régné un temps sur le petit monde des lettres parisiennes... »

Ce que Juliette avait omis de me dire et que m'avait révélé Annette, la fidèle servante de la maison Hugo depuis des décennies, c'est que la rumeur prétendait aussi qu'Adèle-fille était le fruit de cette relation adultère, chose que j'avais, pour ma part, peine à croire. Ma chère enfant, celle que j'avais sauvée des griffes de la négraille à Barbade, celle que j'avais protégée des assauts lubriques d'une meute de marins aux approchants de l'île de Grenade, celle que j'avais réussi à extraire des griffes des Grands Blancs de la Martinique et de leur sinistre Maison coloniale de Santé, non, cette Adèle-là ne pouvait être le rejeton d'un autre homme qu'Hugo. En dépit de la déraison qui la rongeait jour après jour, elle en avait le caractère, l'orgueil démesuré, tout cela mâtiné d'extrême bonté.

Hugo m'avait réservé une belle surprise : je voyagerais en première classe. C'était là une marque d'attention sans pareille, car l'homme était très près de ses sous. Je m'amusais beaucoup à la vue de Charles ou de François-Victor essayant de lui arracher un supplément sur la sorte de pension qu'il leur accordait le 28 de chaque mois. Le vieil homme, pourtant riche à millions, prenait un air accablé, fourrageait avec nervosité dans sa barbe, un peu trop longue à mon goût, avant d'aligner la liste des dépenses, même les plus menues, qu'exigeait la tenue du ménage. Mais, le plus souvent, Hugo finissait par céder.

Le navire à bord duquel je devais regagner les Antilles occupait la moitié du quai principal des docks havrais. Sa blancheur en imposait à la grisaille du petit matin traversé par un vent frisquet. Les employés du port observaient les manœuvres des hommes de bord d'un air rêveur, de même que des groupes de curieux dont certains étaient venus accompagner des parents. Cela s'embrassait, pleurait, se baillait moult encouragements, se souhaitait bonne chance ou longue vie. Il n'y avait que moi, la Négresse des îles, à n'avoir personne qui pût atténuer le serrement de cœur dont j'étais la proie depuis l'avant-veille, quand Hugo et Juliette Drouet m'avaient conduite à la gare de l'Ouest. Adèle, qui pourtant allait beaucoup mieux, n'avait pas voulu sortir de sa chambre. Elle s'était contentée d'exiger qu'elle et moi nous y restions seules, une matinée entière, et, sans prononcer un seul mot, elle s'était lentement déshabillée, m'avait, à mon tour, débarrassée de mes vêtements avant de m'attirer dans ses draps. Enlacées, sans bouger le moins du monde, presque soudées l'une à l'autre, nous avions écouté le vacarme qui montait de la rue.

Toutefois, si j'étais la plus esseulée d'entre les voyageurs en partance pour les Amériques, je devais être sans conteste celle qui charroyait le plus de bagages. Quatre grosses valises pleines à craquer de gaines, jarretelles, soutiens-gorge, culottes en soie et jupons. J'avais dévalisé les grands magasins avec l'aide amusée de Juliette Drouet, munie d'une bourse de douze mille francs que m'avait offerte Hugo « en récompense, me fit-il d'un ton très solennel, de tous les efforts que vous avez déployés pour arracher ma fille aux griffes du malheur ». Ma profession, il est vrai, avait d'emblée constitué une énigme pour lui, les colporteurs, en Europe, étant principalement, voire exclusivement, des hommes. Le dimanche après-midi, il me convoquait dans son bureau et me demandait de lui raconter ma vie, de lui décrire les îles surtout dont le climat, presque identique du début à la fin de l'année, le laissait perplexe. En fait, Jeanne Duval, l'égérie de son ami Baudelaire, lui en avait déjà longuement parlé, ce que trahissait la précision de certaines de ses questions. Immanquablement, il soupirait :

« Ah, si j'avais su tout cela avant d'écrire *Bug-Jargal*! Une œuvre de gamin prétentieux, ma bonne amie. De la pure forfanterie littéraire... Je ne sais pas si je le conserverai dans l'édition de mes œuvres complètes. C'est à voir... »

Mes encombrantes valises devaient changer le cours de mon destin. Alors que deux portefaix s'efforçaient, non sans peine, de les haler jusqu'à ma cabine, un homme dans la quarantaine, coiffé d'un haut-de-forme, me dévisagea avec une curiosité dans laquelle je crus lire de la bienveillance. Il attendait, sans faire montre d'impatience, que le couloir fût dégagé. Je compris qu'il allait être mon plus proche voisin. Il me sourit et me lança :

« Je suis le marquis de Châteaureynaud pour vous servir, madame. »

Puis, il s'avança vers moi, me prit la main droite qu'il baisa avec une qualité de respect dont aucun Blanc n'avait jamais fait preuve à mon endroit. J'étais si confuse que je demeurai clouée sur le pas de ma porte, incapable d'articuler la moindre phrase de remerciement. L'ébouriffure de mes cheveux semblait le fasciner. Je me souvins que le vent les avait dérangés au moment d'accéder à bord et je m'en voulus de ne les avoir pas attachés avec un fichu. Quelle tête de sorcière noire devais-je avoir !

« Je n'ai pas voulu vous importuner », fit à nouveau l'homme dont le coin des lèvres était marqué par deux plis d'amertume, chose qui ne gâchait en rien son étonnante beauté.

Je m'enfermai pendant les deux heures suivantes dans ma cabine alors même que je m'étais promis de faire un ultime adieu à cette terre d'Europe que je ne reverrais sans doute plus. Au moment où la corne du navire s'était mise à bramer, je m'étais précipitée au hublot mais n'avais aperçu qu'une partie des quais où une foule de gens faisaient de grands gestes d'au revoir, agitant pour certains des mouchoirs. Mon cœur s'était serré à la pensée d'Adèle et de sa santé déclinante. La nuit, dans ses rêves agités, elle évoquait la Birmanie, ce lointain pays d'Asie où son lieutenant Pinson se trouvait en garnison, du moins en était-elle persuadée. Quoique, à mon humble avis, ce scélérat eût déjà dû regagner l'Angleterre où il coulait des jours paisibles auprès de son épouse canadienne, ayant déjà complètement effacé de son esprit l'émoi qu'un jour, à

Jersey, il avait suscité dans le cœur d'une jeune exilée au patronyme célèbre.

« Chère dame, nous n'avons pas eu l'honneur de vous voir au dîner », fit une voix derrière ma porte.

Je n'avais pas vu la nuit tomber. J'étais restée assise sur ma couchette, plongée dans d'insondables cogitations. Désemparée à n'en point douter. La France m'avait changée. À mon corps défendant. J'avais le sentiment d'être devenue moins forte, moins dure avec moi-même et je bataillais ferme contre ce que je considérais comme un coupable abandon. Si je voulais reprendre mes pérégrinations à travers l'Archipel, il me faudrait me ressaisir au plus vite, car pacotilleuse équivaut à femme-à-deux-graines-entre-les-jambes, pas poupée de porcelaine, foutre ! Mon voisin de cabine frappa deux coups discrets à ma porte. Son entêtement m'irrita mais je lui ouvris, veillant cette fois-ci à arranger ma coiffure.

« Nous n'allons pas faire de façons entre nous, n'est-ce pas ? Vous serez bien obligée de me supporter durant trois bonnes semaines. Ha-ha-ha !... »

Sa voix était doucereuse, trop doucereuse pour que je ne me méfie pas de lui. J'avais été payée pour savoir que nombre d'entre les invités masculins d'Hugo qui faisaient mine d'être déférents à mon égard n'étaient en fait motivés que par une seule et unique chose : avoir compagnie charnelle avec la Négresse. La plupart, une fois les présentations faites, ne s'en cachaient même pas. Ils me fixaient des rendez-vous dès que le poète avait le dos tourné, ou bien me glissaient des billets doux qui avaient le don d'amuser Adèle. Le plus insistant avait été ce mulâtre agité d'Alexandre Dumas qui vivait entre Bruxelles et Paris pour fuir ses innombrables créanciers, avais-je cru comprendre. Il avait suscité en moi une stupéfaction telle que je mis du temps à me dégager de ses insistantes poignées de main. Je n'avais jamais vu un homme de couleur qui se comportât à l'exact d'un Européen ! Et quand je fis le reproche à Adèle de ne m'avoir jamais dit que le meilleur ami de son père était d'ascendance antillaise, elle s'exclama, comme abasourdie :

« Mais M. Dumas n'est pas un Nègre ! C'est... un romancier célèbre. »

Personne ne faisait, il est vrai, allusion à la couleur de sa peau ni à ses abondants cheveux frisés, du moins en face de lui. Je suscitais chez Dumas une curiosité égale à celle que j'éprouvais pour sa personne, sans doute parce que, lui aussi, n'avait peut-être jamais eu affaire à une authentique Négresse, Jeanne Duval, dont il lui arrivait de vanter l'élégance, étant devenue très vite une parfaite Parisienne. Il se mit à tourner autour de moi, tel un chien reniflant sa proie, partagé entre l'attraction et le dégoût, questionnant Hugo sans vergogne sur ses probables relations intimes avec ma personne comme si je ne comprenais pas le français. Quoique se vantant d'être « frères de naissance » — ils étaient nés la même année — et « jumeaux de plume », Dumas ne manquait jamais une occasion de rappeler, à chaque réception donnée par Hugo, qu'il avait écrit le tout premier drame romantique.

« Mes chers amis, clamait-il. Quand *Henri III et sa Cour* connut un triomphe à la Comédie-Française, notre hôte, alors gamin en culottes courtes, était au premier rang de ceux qui m'applaudirent ! »

C'était là pure vantardise, m'apprit Juliette Drouet,

car l'année suivante, en 1830, Hugo gagnait la bataille d'*Hernani*, devenant du même coup le chef de l'école romantique. Ce dernier ne prenait jamais ombrage de celui qu'il appelait, mi-affectueux, mi-ironique, « mon grand basané », mais leur relation alternait brouilles et réconciliations bruyantes. Pour ma part, je ne pus jamais me défaire d'un sentiment de malaise face à cet homme de couleur dont l'accent, les manières, les goûts et les plaisanteries étaient identiques à ceux de n'importe quel Européen de sa classe. Mon voisin de cabine, si entreprenant, m'effrayait bien moins que lui en tout cas. Il poussa ma porte et me tendit un bol recouvert d'une serviette de table.

« J'ai pensé à vous ! Un peu de soupe ne vous fera pas de mal. Mais dorénavant, souvenez-vous que le dîner est à sept heures. C'est un peu tôt, je le concède, mais ainsi va la vie en mer, semble-t-il... »

Le marquis de Châteaureynaud ne quitta ma cabine qu'aux premières heures du jour. Son père avait fui un demi-siècle plus tôt la révolution de Saint-Domingue, y laissant une plantation de sept cents carreaux de caféiers et de cacaoyers dans la plaine de l'Artibonite. Ruinée, sa famille s'était repliée sur les terres d'un vieil oncle en basse Vendée, mais le bruit courait que le nouveau président de l'île, qui portait à présent le nom d'Haïti, était prêt à restituer une partie de leurs biens aux anciens colons pour peu qu'ils acceptassent d'y résider de manière permanente. Je ne voulus pas décourager cet homme, qui respirait la naïveté, mais je savais qu'il allait au-devant de graves déconvenues car, pour fréquenter Port-au-Prince, où je m'approvisionnais en statuettes en bois précieux et en potions aux mille vertus, je doutais fort du succès de son entreprise. N'était-ce pas le seul endroit de tout l'Archipel où l'homme blanc ne pouvait plus se comporter en seigneur et maître ? Mon amant de là-bas, Ti Jacques, n'avait de cesse de s'en vanter, lui qui tenait en profonde commisération les Nègres, « encore sous le joug », disait-il, de Cuba, de Barbade, de la Jamaïque ou de la Martinique. Mais le marquis finit par me convaincre : il possédait une lettre, dûment signée par le nouveau président haïtien, nommément adressée à sa famille, qui autorisait cette dernière à rentrer en possession de son ancienne propriété. Une belle lettre frappée aux armoiries rouge et bleu de la jeune république nègre.

« Je serai, j'imagine, bien seul, une fois sur place, me fit-il, moi qui ne connais rien du pays. Si vous acceptiez de m'y accompagner, je ferais de vous la maîtresse de l'Habitation Grand'Rivière, mais sans doute êtes-vous déjà prise... »

Je ne réagis point à sa proposition, lasse que j'étais des promesses sirop-miel des hommes, de leurs rêves enflammés, qu'ils fussent noirs, blancs, mulâtres ou de quelque autre complexion. J'ignore pourquoi — comme les méandres de la pensée sont indéchiffrables ! —, mais je songeai sur le moment à celle que m'avait faite mon propriétaire, à Trinidad, l'Indien Mounsamy qui portait un point rouge au mitan du front. La petite case qu'il me louait se trouvait à proximité d'un temple, dédié à la déesse Kali, dont il était le prêtre. Longtemps, je m'étais tenue à l'écart des cérémonies qui s'y déroulaient, indifférente à cette débauche de fleurs de bougainvillées rouges et jaunes, de noix de coco cassées en deux, de plats de riz au safran, d'étoffes colorées et de bouteilles de rhum que les fidèles, accourus de partout, déposaient au pied de cette divinité tout en psalmodiant des chants monotones dans un idiome lui aussi dépourvu de mélodie. En réalité, je ne faisais que résister aux séductions du tamoul, moi qui, à l'instar de toutes les pacotilleuses, étais une « championne en langues » comme disait, admiratif, Chrisopompe de Pompinasse, le meilleur écrivain public de la ville de Saint-Pierre. Un jour, me croyant seule, je m'aventurai jusqu'à l'entrée du temple que gardait une curieuse pierre jaune, striée des traces du sang qui giclait lorsque le sacrificateur tranchait d'un geste féroce la tête des cabris qui servaient à apaiser la divinité. Bien que Ti Jacques, mon amant d'Haïti, m'eût maintes fois conduite dans des cérémonies vaudoues, ces dernières se déroulaient toujours au plus noir de la nuit, afin d'échapper à la vindicte de l'Église catholique, et je n'eus jamais vraiment peur, même quand on voyait des hommes montés par des loas soulever des tambours géants que cinq personnes auraient eu toutes les peines du monde à déplacer. Ou quand Legba chevauchait quelque mambo, la transformant en fol coursier qui se ruait sur les fidèles, hennissant et se cabrant des heures durant. Or, là, devant ce temple hindou, aux proportions pourtant plus que modestes, en plein jour, alors que le soleil régnait sans partage dans un ciel d'un bleu indigo, j'eus peur. Oui, une qualité de peur sans-manman me fit frissonner et je m'arrêtai net. L'intérieur du temple, dont la porte était ouverte, était plongé dans une pénombre inquiétante que trouait le scintillement d'une multitude de lampes à huile. À l'instant où je m'apprêtais à rebrousser chemin, une main affectueuse se posa sur ma nuque. Je sursautai, ce qui fit rire Mounsamy. J'étais furieuse contre moi-même de m'être laissé surprendre dans cette position, moi qui affectais la plus grande indifférence face à ce que j'avais du mal à considérer comme une vraie religion. Pour dire la franche vérité, elle m'apparaissait comme un culte barbare importé de la lointaine Asie qui était voué à disparaître puisque bon nombre d'Indiens se convertissaient, de gré ou de force, au christianisme.

« La déesse te ressemble, Céline. Entre, n'aie pas peur ! » me fit Mounsamy, toujours très amical. « Elle ne te fera aucun mal.

— Je n'ai rien à faire là-dedans ! rétorquai-je, croyant à une mauvaise plaisanterie. Je ne faisais juste que passer par ici...

— Tu es une femme de grand courage. Tu ne crains pas les tempêtes, les coups du sort, les maladies, les hommes sans aveu. Hé oui ! Je t'entends parfois quand tu causes avec tes amies... Pourquoi la déesse, qui protège les gens au cœur pur, te fait-elle si peur ? Kali sait reconnaître les siens. Allons, viens ! »

Je me laissai conduire comme une enfant. Une paix sans partage régnait à l'intérieur du temple. Une paix qui me tranquillisa peu à peu. J'écarquillai les yeux mais ne parvins à distinguer que les formes d'une statue qui était pourvue de plusieurs bras, arqués à la manière des danseuses du nadron, ce théâtre chanté qu'à certaines périodes de l'année, Mounsamy et les siens pratiquaient plusieurs nuits d'affilée dans une sorte d'état hypnotique. Il m'était arrivé de les observer, d'assez loin, et cela m'avait vite ennuyée en dépit des costumes chatoyants des acteurs et de leurs cabrioles pleines d'agilité. Je ne voyais point Kali. Dans mon dos, j'entendais Mounsamy rire entre ses dents. Agacée, je lui fis :

« Tu n'aurais pas une torche? »

Il se contenta de prendre, sur le sol, deux lampes à huile et de les placer à hauteur de la divinité. Je faillis pousser un cri d'effroi : Kali était noire. Du plus beau noir qui soit! Noir-bleu. Ces hindous étaient à n'en pas douter des démons. Comment pouvaient-ils adorer une déesse qui portât cette couleur chargée de maudition? Dieu, la Vierge Marie, Jésus, l'archange Gabriel n'étaient-ils pas blancs? Et quant aux divinités du vaudou, n'étant pas représentées par des statues ou des images, il ne m'était jamais venu à l'idée qu'elles pouvaient être, quoique venues d'Afrique, de la même couleur que ceux qui les vénéraient. Seule Erzulie-Fréda, celle dont ma mère, Carmen Conchita, avait, inexplicablement fini par devenir l'humble servante, arborait fièrement sa peau claire, ses longs cheveux-soie et ses yeux verts de mulâtresse. En fait, pour moi, le Grand Maître de l'Univers du vaudou et le Bon Dieu du christianisme n'étaient que les deux faces d'une seule et même entité, le premier s'occupant principalement du destin des Nègres, le second de celui des Blancs.

« Kali la noire veille sur nous depuis l'Inde, me fit Mounsamy qui avait repris tout son sérieux. Elle a protégé notre traversée des deux océans jusqu'à ce pays de Trinidad et grâce à sa bonté sans pareille, nous sommes encore là. Nous n'avons pas tous péri dans les champs de canne à sucre... Approche! Plus près, allons, ne crains rien, Céline! Tu peux lui caresser le visage... »

Dès que le plat de ma main se posa à l'endroit que l'Indien m'indiqua, je ressentis un bien-être nonpareil. J'étais devenue légère. Comme allégée du poids de mon corps. Mes soucis semblaient eux aussi envolés.

« Tu peux lui demander une grâce...

— Ce que je voudrais le plus, même la Sainte Vierge Marie n'a pas accepté de me le bailler, murmurai-je.

— Kali la noire est aussi généreuse que les eaux du Gange. De quoi s'agit-il, Céline ? »

J'hésitais à m'ouvrir à Mounsamy, car je le savais fort amoureux de moi et jaloux à en crever de MacAllister, mon beau fonctionnaire nègre de l'administration coloniale britannique. N'ayant qu'une confiance modérée dans l'espèce masculine, je ne voulais pas qu'il utilisât contre moi, par pur dépit, le secret qui me rongeait depuis tant et tellement d'années. Mais peut-être était-ce là l'occasion tant attendue, inespérée, de trouver remède à mon mal.

« Je veux un enfant... Tout le monde me croit bréhaigne, mais moi, je sais que quelqu'un a dû m'attacher les entrailles. Qui ? Je ne sais pas.

— Aucun charme diabolique ne peut résister à la bonté de Kali la noire. Elle a le pouvoir de chasser la déveine. Il suffit de croire en elle. Malheureusement, tu doutes et ça, elle le sait ! Sortons, je vais voir ce que je peux faire pour toi, Céline... »

Je quittai Trinidad deux jours plus tard sans que Mounsamy ne me reparlât de sa divinité couleur de charbon ni d'une quelconque action de grâce que j'aurais pu entreprendre pour voir germer en moi le petit être dont je ne cessais de rêver depuis l'âge de vingt-deux ans, âge auquel je m'étais séparée de celle qui me donna le jour, pour vivre toute seule ma vie de pacotilleuse. De retour dans l'île le mois d'après, Mounsamy m'accueillit avec une ferveur inhabituelle, lui dont le regard ne cessait de me faire reproche de rejeter ses avances.

« J'ai jeûné pour toi, me déclara-t-il. J'ai aussi beaucoup prié. Kali la noire accepte de mettre fin à ton calvaire à condition que tu suives ses préceptes à la lettre. Attention, ce sera très dur ! Rien à voir avec vos actes de contrition chrétiens que vous expédiez en six-quatre-deux.

— Qu'est-ce que je devrai faire alors ?

— D'abord jeûner toi aussi, pendant trois semaines. Pas de viande, pas de rhum, pas de fornication, pas de mauvaises pensées, pas de médisances. Puis, rendre grâce à Maliémen, Madouraïviren et Bomi. Pour ça, nous irons au temple de San Fernando. C'est assez loin d'ici, mais cela en vaut la peine. Une fois que tu auras accompli ce pèlerinage, je te préparerai spécialement pour Kali la noire. Ça te convient, Céline ? »

J'étais partagée entre deux attitudes. Ou bien rire de toutes ces simagrées hindouistes, d'autant que je n'avais jamais pu me faire à l'idée que la divinité que servait Mounsamy fût noire comme un péché mortel. J'en avais parlé à Lucilla, Ginette et Maria qui ne m'avaient, évidemment, pas cru. Ou bien taire mes appréhensions — ce bougre-là fricotait avec des forces supérieures à n'en pas douter ! — et me soumettre aux épreuves qu'il m'avait préparées. Le jeu en valait-il la chandelle ? Aurais-je le courage, comme ma mère, de traîner une bedondaine tout en continuant à voyager entre les îles, cela jusqu'à la veille de l'accouchement, charroyant mes ballots de marchandises sous l'œil méprisant des marins lesquels semblaient tous avoir oublié d'où ils étaient sortis ? Hon ! Ils méritaient bien le qualificatif de sans-manman que leur appliquaient les terriens. Et puis, si Kali la noire réussissait à faire un miracle, aurais-je encore la force, comme Ginette, de porter un bébé sur un bras et de traîner deux paniers de marchandises de l'autre sans que personne ne me plaigne ou ne m'offre son aide ? J'en doutais fort. Mais Mounsamy sut se faire convaincant. À l'entendre, les dieux chrétiens étaient morts depuis que l'Europe avait érigé un autel à une nouvelle divinité : l'Argent. Si nous autres, Indiens et Nègres, nous trouvions déportés en ces terres d'Amérique, loin, très loin des continents où nos ancêtres virent le jour, grandiloqua-t-il, c'était parce que les Blancs avaient obéi à sa loi. C'est pourquoi cette race-là se montrait si-tellement implacable. Si avide de tout dominer, de tout conquérir, insoucieuse de piétiner sur son passage langues, religions, musiques, architectures.

« Mais il y a des choses que le dieu Argent ne peut pas faire, sentencia Mounsamy. Réveiller les entrailles d'une femme lui est impossible ! Par contre, Kali la noire, à condition de suivre fidèlement ses ordres, saura dissoudre le charme maléfique qui t'empêche d'enfanter. »

L'Indien me demanda sept mille livres sterling pour intercéder auprès de sa divinité. C'était là une somme considérable, mais, selon lui, Kali la noire exigeait d'importants sacrifices d'animaux dans de tels cas. Il avait prévu pas moins d'une douzaine de moutons, autant de coqs, plus trois sacs de riz et deux caisses de rhum. Je lui remis toutes mes économies, ce qui était loin de suffire, et empruntai auprès de mes amies pacotilleuses lesquelles firent assaut de générosité. Mais, après tout, n'avaient-elles pas, toutes, déjà mis des marmailles au monde ? Il était bien naturel qu'on me permît d'éprouver semblable joie, comme me l'expliqua Maria dont pourtant, trois des rejetons étaient nés suite à des viols qu'elle avait subis en haute mer. Ainsi donc, Mounsamy, une fois que je lui eus remis la somme demandée, déclara qu'il allait se retirer durant sept jours dans son temple. C'est qu'il avait fort à faire pour convaincre Kali la noire d'accéder à ma requête, moi qui n'étais point hindouiste. J'attendis donc patiemment le huitième jour. Le temple ne se trouvait qu'à une cinquantaine de pas de la petite cahute que me louait l'Indien chaque fois que je faisais escale à Trinidad. Tous les matins, j'observais de loin son toit pointu, vaguement inquiète. Pas un bruit n'en sortait. Ses portes, pour une fois, étaient fermées raide-et-dur. Au neuvième jour, je ne tins plus en place. Qu'était-il arrivé au prêtre hindou ? Kali la noire ne l'aurait-elle pas foudroyé ? J'eus beau cogner aux portes, héler le nom du prêtre, le supplier de me répondre, trépigner de colère, rien n'y fit. L'idée me vint de solliciter MacAllister, mais je me retins. Il se gausserait de ma personne, lui qui était devenu un presbytérien accompli ! Je fis donc appel à Ginette et Maria qui décidèrent d'enfoncer la plus petite des portes. Ce fut un jeu d'enfant. En fait, Kali la noire n'était protégée que par un assemblage grossier de planches qui ne méritait pas le nom pompeux de temple. À l'intérieur, un grand vide. Tout l'endroit avait été débarrassé et de la statue de la divinité et des lampes à huile et des guirlandes de fleurs séchées et des rubans de tissu rouge que j'avais pu voir le jour où Mounsamy m'y avait introduite. Et bien sûr point de prêtre en train de méditer !

« *Boug-la kouyonnen'w, mafi !* » (Ce type t'a couillonnée, ma fille !) déclara Ginette avec son accent saint-lucien qui d'ordinaire me faisait sourire.

Pourquoi pensais-je à cet épisode rocambolesque de ma vie à l'instant même où le marquis de Châteaureynaud me proposait de le suivre en Haïti ? Je croyais pourtant l'avoir définitivement effacé de ma mémoire. Ce qui n'avait pas été facile, car j'avais mis des années pour finir de rembourser ma dette auprès de mes consœurs qui, Dieu soit loué !, s'étaient montrées compréhensives et surtout peu bavardes. Qu'on apprît l'incident et c'en aurait été fini de mon statut de reine des pacotilleuses de l'Archipel ! Je tentais de résister au marquis qui portait beau malgré sa quarantaine avancée. Et si la plantation Grand'Rivière était aussi une chimère ! Les Nègres d'Haïti avaient brisé leurs chaînes depuis trois quarts de siècle maintenant et il était peu probable, à mon humble avis, qu'ils acceptassent qu'un Blanc, même muni d'un document officiel, pût récupérer les terres sur lesquelles ses ancêtres avaient tenu les leurs en esclavage. Le bateau fit une brusque embardée qui nous obligea à nous agripper au rebord de ma couchette. Ce faisant, nos corps se rapprochèrent.

« On aborde la ligne où les eaux froides de l'Atlantique rencontrent les eaux chaudes, me souffla le marquis. Le chaud et le froid, le noir et le blanc, l'homme et la femme, tout marche par deux dans cette vie, chère amie... »

Il me prit les mains dans les siennes et les baisa longuement. Il n'en fallut pas davantage pour me subjuguer.

« Voilà donc Céline partie ! Une porte sur le monde se referme brutalement pour moi. Les paroles apaisantes de mon père me parviennent comme une sorte de bourdonnement qui, à force, font éclater mes tempes. Je n'entends pas ses mots, je ne perçois même pas l'intonation si particulière de sa voix lorsque l'inquiétude ou la tristesse l'habitent. Je suis désormais seule. La nuit, d'affreux cauchemars viennent troubler mon sommeil et je dors la tête enfouie dans mes oreillers... Albert avance vers moi, le visage altier, dans son bel uniforme rouge sang, et à chacun de ses pas, une force terrible me tire en arrière. Il a beau allonger ses mains dans ma direction, il ne parvient pas à m'atteindre. Un grand vide nous sépare. La terre soudain s'abrunit, comme si le soleil avait couru se cacher au fond des ténèbres. Des ombres, pareilles à des oiseaux du malheur, volettent autour de moi en ricanant. Allant au rebours de mon naturel, je m'agenouille et je prie. Mais le sol se dérobe sous ma personne et je me sens tomber. Ma chute est infinie. Il n'y a rien à quoi je puisse m'agripper. Tout a disparu... Pourquoi ne m'as-tu pas attendue, petite mère ? Pourquoi ? Là-bas, aux Amériques, j'ai survécu grâce à la certitude que jamais tu ne me renierais. Quand bien même je t'avais quittée à l'improviste. Sans te laisser la moindre lettre d'explication. Sans m'être assurée que je ne te briserais pas le cœur. Je t'imagine découvrant ma chambre déserte, mes draps défaits, mes vêtements sens dessus dessous. Je t'imagine courant, cheveux dénoués, pieds nus, dans les ruelles encore endormies de St Peter Port, sur la minuscule plage où déjà s'affairaient ces pêcheurs bourrus avec lesquels nous prenions tant de plaisir à converser l'après-midi. Tu interroges le monde. Les hommes, les arbres, les oiseaux, les flots. Les flots surtout ! Ta voix se perd. Elle demeure sans écho. Oui, j'imagine le désespoir dans lequel ma fuite a dû te plonger. Tu as dû resonger à notre Léopoldine adorée et à la traîtrise de la Seine. À cette femme-enfant qui a perdu la vie à l'instant même où elle atteignait le sommet du bonheur. Ta fille. Ma sœur. La chair de notre chair. Et toi, à ton tour, qui as quitté ce monde sans qu'il t'ait été donné de me revoir une dernière fois. Quelles furent, petite mère, tes ultimes pensées ?... »

Si, au retour de son équipée parisienne, Céline avait, non sans difficultés, réussi à se faire admettre à nouveau dans les rangs des fourmis-à-z'ailes, si elle avait retissé patiemment les liens avec ses principaux fournisseurs à travers l'Archipel et remis un brin de baume au cœur à ses amants (sauf Michel Audibert qui lui gardait une rancune tenace, non pas qu'il s'inquiétât d'éventuelles accointances charnelles entre Hugo et sa chérie-doudou mais parce qu'il la soupçonnait de préférer désormais la poésie de l'auteur des *Contemplations* à la sienne), elle avait oublié tout net à quel point les douanes françaises étaient vétilleuses sur le chapitre de la chose politique. À quel point aussi dans ces îles, on mettait des mois et des mois, voire des années, à prendre acte des changements qui s'étaient produits dans la métropole. Elle s'escrima donc, quand le lot d'ouvrages que lui avait dédicacés Hugo fut saisi, à clamer :

« M. Hugo n'est plus un exilé, tonnerre de Brest ! Il est

rentré en France avec tous les honneurs, je vous dis. Il est admiré, fêté, célébré partout. N'importe quel jour, il peut devenir président de la République ! »

Les sbires, qui assuraient le contrôle des marchandises sur le port de Saint-Pierre, lui avaient ri au nez. Ils n'avaient jeté qu'un œil distrait aux sculptures en bois et aux liqueurs aux propriétés miraculeuses qu'elle ramenait de l'Habitation Grand'Rivière, en Haïti, pour ne s'intéresser qu'à *Ruy Blas*, aux *Châtiments* ou encore aux *Orientales*, lisant et relisant, d'un air dubitatif, les phrases, pour le moins ampoulées, que le grand homme avait tracées à son intention. L'une d'elles en particulier attira l'attention d'un subrécargue duquel, dans un lointain passé, Céline avait refusé les avances. L'homme en référa avec jubilation à son chef, un Blanc-France à l'allure peu avenante. Ce dernier, le front plissé, fit courir son index sous les pleins et déliés de la dédicace qu'il marmonna plusieurs fois comme s'il était désireux de bien s'assurer de ce qu'il découvrait avant d'exploser :

« Eh ben, bravo, chère dame ! On fait dans la sédition, si je ne m'abuse.

— *Man pa... pa ka konpwann sa... sa ou ka di a...* (Je ne... ne comprends pas ce que vous... vous voulez dire...), balbutia Céline, interloquée.

— Sédition, j'ai dit ! Sé-di-tion ! Albert, comment dit-on ça en créole, cette Négresse a l'air d'être dure de la comprenette.

— *Gawoulé*, chef.

— Voilà ! *Garoulé*, c'est clair à présent, hein ?... Écoutez-moi ça, messieurs : "À ma Mauresque au teint d'ébène qui m'a fait connaître les plaisirs les plus ardents et dont la race parviendra un jour, j'en suis persuadé, à briser le joug qui l'opprime depuis tant de siècles." C'est pas beau, hein?... Alors comme ça, ma bonne dame, votre race serait opprimée? Votre race vivrait sous le joug? Et vous me direz que ça, c'est pas une incitation au garoulé!... »

Céline fut halée sans autre forme de procès jusqu'à la geôle de Saint-Pierre. Par bonheur, Samantha, une pacotilleuse qui avait passé les contrôles avec succès, fut autorisée à garder ses quatre paniers lourdement chargés. On n'était pas des voleuses dans la confrérie. On s'entraidait dans le malheur. Céline savait qu'elle retrouverait ses marchandises intactes le moment venu ou, à tout le moins, le produit de leur vente au cas où son amie aurait poussé la gentillesse jusqu'à faire la tournée de ses pratiques. On l'enferma dans une minuscule cellule où on l'oublia durant deux jours, ne lui laissant qu'une gourde remplie d'une eau au goût terreux ainsi qu'une sorte de gamelle dans laquelle des tranches de fruit à pain rôti marinaient au mitan d'une sauce-chien préparée à la va-vite. Au matin du troisième jour, on l'autorisa à sortir pour se décrasser à la fontaine de la geôle. Les prisonniers de sexe masculin venaient d'y terminer leur toilette. Parmi eux, Céline reconnut immédiatement la carcasse longiligne et un peu voûtée du plus célèbre écrivain public de Saint-Pierre, le sieur Chrisopompe de Pompinasse.

« Les nouvelles vont vite, très chère! lui lança-t-il malgré les gardiens qui le repoussaient à coups de crosse. On dit qu'après ton séjour parisien, tu t'es installée en princesse en Haïti, or que vois-je? Madame est dans les fers. Ha-ha-ha!... J'espère que ta mère a reçu la lettre avant de... »

L'expert en orthographe-grammaire-rhétorique, comme il aimait parfois à se définir, doté qu'il était d'un grand sens de l'autodérision, n'eut pas le temps de terminer son envolée. Deux coups de matraque bien sentis sur la nuque l'estourbirent, chose qui déclencha l'hilarité des bandits de grand chemin et autres faquins auxquels on avait passé des chaînes aux pieds, la geôle de Saint-Pierre n'étant pas, de notoriété publique, l'endroit inviolable dont se vantait le maire de la ville devant les visiteurs étrangers. En effet, les épouses ou les concubines des prisonniers y déambulaient à leur guise, soudoyant le personnel, soucieuses d'apporter à leurs hommes de quoi améliorer le pitoyable ordinaire de l'établissement sous peine de recevoir une raclée lorsque les bougres en sortiraient. Certains prisonniers achetaient même l'autorisation de sortir quelques heures par jour à condition qu'ils évitassent de se faire remarquer dans les lieux publics. Mieux : tel ou tel, qui avait pourtant dûment purgé sa peine, y revenait de temps à autre pour jouer aux dés ou aux cartes avec les gardiens que rongeait le désœuvrement. À la vérité, la direction n'était pas très regardante sur la durée des peines que les tribunaux infligeaient à cette racaille, sauf quand il s'agissait de prisonniers ayant commis des délits de nature politique. Un mulâtre républicain et anticlérical, qui avait tué en duel un Blanc-pays monarchiste, y croupissait même depuis quinze ans alors qu'il n'avait été condamné qu'à la moitié de ce temps. Céline Alvarez Bàà savait bien tout cela et c'est pourquoi elle se prit à désespérer. Ni Samantha, ni Lucilla, ni aucune autre de ses amies pacotilleuses ne disposaient de relations suffisamment haut placées pour la faire élargir. Quant à Michel Audibert, qui ne pouvait ignorer la mésaventure qu'elle venait de subir, il était peu probable qu'il bougeât le petit doigt en sa faveur. Monsieur lui en voulait de s'en être allée accompagner Adèle Hugo à Paris malgré son désaccord cent fois réitéré, tant en privé qu'à L'Escale du Septentrion où la Bohème avait ses quartiers. Peut-être que Manuel Rosal, s'il était le romantique sincère qu'il affirmait être, ferait un geste, lui qui était avide de connaître le détail de la vie de Victor Hugo. À moins que Saint-Gilles, le continuateur velléitaire de *L'Énéide*, ne condescendît à abandonner un court instant le dialogue soi-disant permanent qu'il entretenait avec les muses. Son père n'était-il pas un franc-maçon influent ?

Céline avait beau passer en revue tous ceux qui, de près ou de loin, pouvaient être en mesure de lui porter secours, elle dut s'avouer qu'en final de compte, elle n'en trouvait aucun qui fût assez courageux pour défier la justice. Elle repensa alors à ces deux années qu'elle venait de passer au service d'une seule et unique cause. D'une cause, après tout, absurde. Celle de guérir Adèle Hugo de sa passion pour un scélérat, cet Albert Pinson, qui, allez savoir !, avait peut-être déjà atteint le grade de capitaine ou de colonel dans cette Birmanie que la pacotilleuse ne pouvait même pas désigner sur une mappemonde et qui avait déjà oublié qu'un jour, il avait, à Jersey, enflammé le cœur d'une jeune fille pleine d'innocence. Absurde aussi était l'attachement qui l'avait liée à cette dernière dès l'instant où elle l'eut arrachée des griffes des deux maquereaux qui, sur les docks de Bridgetown, en l'île de Barbade, se gourmaient pour sa possession. Céline vit apparaître le visage d'Adèle. Elle songea à leurs étreintes et frissonna. La douceur fiévreuse de la peau de la jeune Blanche réveilla en elle des sensations oubliées. Elle aurait été bien en peine de dire si celles-ci relevaient du plaisir de la chair ou de l'affection filiale. Sans doute des deux à la fois. Les jours s'écoulèrent, mornes et sans espoir. Elle avait renoncé à les compter. À quoi bon ? Un beau matin, l'un des gardiens, accompagné d'un homme de loi, ouvrit sa cellule sans crier gare et lui fit :

« Monsieur va s'occuper de vous ! »

L'inconnu, qui se présenta comme avocat, lui tendit une lettre écrite en anglais. Elle était datée du 17 juin 1875. Un certain sir John-Thomas of Bathsheba, éminent personnage de l'île de Saint-Vincent, exigeait des autorités françaises qu'elles libérassent sans délai celle qu'il présentait pompeusement comme étant sa digne épouse, Lady Céline Alvarez Bàà of Bathsheba.

DEUXIÈME PÉRIPLE D'EN-FRANCE

Sé kouvèti ki sav sa ki ni an kannari.
« Seul le couvercle sait ce que contient la marmite. »

(proverbe créole)

13

Nous savons déchiffrer les morsures du temps, les traces obscures sur le dos de la mer et aussi l'allégresse soudaine d'une vague surgie de nulle part, empanachée de son écume aux reflets sauvages. C'est que nos yeux demeurent longtemps posés sur l'au-loin. Adossées à nos paniers, nous taisons notre langue dès que la terre a cessé d'être visible. L'agitation de l'équipage, les malsonnances qu'ils brocantent d'un pont à l'autre nous laissent impavides. La mer, en ses étages de bleu et de noir, emprisonne nos songes et celles d'entre nous qui fument — toujours le cigare, plus rarement quelque pipe en terre — s'enfoncent alors dans de purs délices. Ma mère se met à déparler, mêlant tous les idiomes de l'Archipel, ce qui veut dire que ses mots remontent le passé en zigzag, font des dévirées en arrière avant de fuser droit devant eux comme mus par une force secrète. Nous l'écoutons à moitié. Bientôt sa voix se confondrait avec le roulis, se transformerait en une plainte démesurément étalée, une litanie presque apaisante qui se poursuivrait jusqu'aux confins de la nuit. Ce moment arrivé, elle se réveillerait brusquement et interpellerait les étoiles à-quoi-dire de très vieilles connaissances. Elle leur baille des noms qui ne figurent dans aucun traité de cosmologie, pas plus que dans le savoir des marins, des noms à elle, tantôt altiers, tantôt pleins de dérisoireté. Leurs migrations n'ont aucun secret pour elle car, affirme-t-elle, il ne faut pas se fier à l'immobilité du ciel. Aucune étoile ne demeure à la même place. Comme nous, les pacotilleuses, elles voyagent sans cesse et il suffit d'en adopter une ou deux, pas davantage, pour toujours mesurer avec certitude les mouvements de la Voie lactée. L'étoile que s'est choisie ma mère a été baptisée par elle l'Irrésolue. Elle est située à la droite de Vénus, assez bas sur le ciel. C'est la seule dont on aperçoit le halo même par temps couvert. Carmen Conchita se dénude alors les bras et les jambes et prend un bain d'étoiles, debout, seule à la proue du bateau. Et pour de vrai, la lumière de l'Irrésolue semble nimber ses traits d'une tendresse qui pétrifie l'homme de quart. Le bougre commence d'abord par la moquer avant de brailler : « Carmen, mets-toi toute nue, ma Négresse, comme ça, j'en profiterai moi aussi. Ha-ha-ha ! » Mais, très vite, ses railleries s'effilochent à mesure qu'avance la nuit et que l'Irrésolue se projette tout droit sur le pont avant, à l'endroit exact où ma mère la dévotionne. Ses commères sont moins démonstratives. Mais chacune d'elles a élu également une étoile parmi ces mille millions de points scintillants qui rehaussent la noirceur de la nuit à la façon de diadèmes.

La nuit en mer est considérablement plus belle qu'à terre. Belle est d'ailleurs bien trop faible pour la décrire. Il faudrait dire somptueuse. Les pacotilleuses sont fiancées à la nuit, de tout temps. C'est pourquoi, au grand jour, elles ont cette démarche somnambulique. Michel Audibert, mon mulâtre de la Martinique, homme de lettres émérite qui fabrique des poèmes à ma seule intention, me lançait : « Céline Alvarez, tu marches dans tes rêves, très chère ! » Il ne s'était, le gandin, jamais aventuré en haute mer, sinon à bord de ces grands voiliers à quatre mâts qu'il empruntait une fois l'an pour se rendre à Bénézuèle où vivait une partie de sa famille. Navires si-tellement vastes qu'on pouvait s'enfermer dans sa cabine pendant tout le voyage sans jamais éprouver sur sa figure la rudesse des embruns, chose impossible à bord des goélettes qui faisaient la traversée de l'Archipel. M. Michel ne savait donc pas de quoi il parlait. Il n'y a, en effet, pas plus éveillée, pas plus lucide, qu'une pacotilleuse, car l'alliance de la nuit et de la mer vous renvoie immédiatement à la dérisoireté de l'existence humaine. C'est pourquoi nous observons avec un souverain détachement les gestes maniérés, les parlures pleines de gammes, les colères, les joies débornées ou les tristesses inguérissables, tout cela qu'affectent les terriens. Nous n'y trouvons que vanités, mais nous ne faisons aucune objection pour ne pas les froisser. Ils ne comprendraient pas, emmuraillés qu'ils sont dans leurs certitudes, eux qui n'affrontent la mort qu'à intervalles irréguliers. Car à la nuit et à la mer se lie, insensiblement, inexorablement, le charme de la mort. On la sent là, toute proche, présente, cachée à l'en-bas des flots ou bien voletant dans les airs, invisible mais bien réelle. Et c'est ainsi que nous l'apprivoisons. À chacun de nos déplacements, nous apprenons à mieux la connaître. Nous palpons sa solitude immense, l'envie qui l'habite de se conjuguer à la vie, à nos vies. En mer, la nuit, il n'existe plus de frontières entre la vie et la mort. On jurerait, oui, une seule et même entité, immémoriale, terrifiante d'inconnu et de belleté. Cela nous laisse sans voix. Nos chanters s'étranglent net au fond de nos gorges et nous avons le sentiment que jamais le devant-jour ne viendra. Jamais.

L'Africain Bàà, esclave dans l'enfance à Trinidad, homme devenu libre, façonné-modelé-purgé par la canne à sucre, fils rebelle de cette plante qui faisait la richesse des îles — pour une fois égales en quelque chose — ne sut probablement pas que ma mère comprenait parfaitement ses cris de haine à l'endroit de la mer. Elle n'avait pas fait l'effort, je suppose, de le lui expliquer. Quand il hurlait, les jours où une enrageaison immotivée s'emparait de lui : depuis les côtes de Guinée jusqu'aux Caraïbes, il y a une enfilade de crânes et d'ossements qui attendent une sépulture. Nos pères continuent donc de souffrir ! Vous verrez qu'un beau matin, Ogoun-Ferraille, le commandeur des dieux, l'asséchera d'un seul méchant coup de tonnerre et que nous pourrons ainsi marcher d'une traite d'ici à là-bas. Et sur le chemin de notre retour au pays ancestral, c'est ce déroulé de squelettes disloqués qui nous servira de repères ! Cette vision d'apocalypse, qui avait le don de bailler la chair de poule à quiconque l'entendait pour la première fois, n'impressionnait guère Carmen Conchita. Tout au long de l'Archipel, elle savait repérer les traces des corps voltigés par-dessus bord au temps de l'antan. Corps d'esclaves révoltés. Corps de Nègres démangés par le pian et le scorbut. Mutilés. Ou simplement terrassés par la tristesse. « Beaucoup des nôtres sont morts de tristesse, oui », me murmurait-elle. Il n'y a pas eu que la méchanceté des Blancs. Et nous conservons en nous une parcelle de ce sentiment, nous, les pacotilleuses, femmes de vagabondage marin, bien plus en tout cas que ceux qui croupissent dans les îles, rivés à des terres qui ne leur appartiennent pas en propre. Qui ne leur appartiendront jamais. Chaque île, en effet, a conservé son nom caraïbe et c'est pourquoi elle continue d'appartenir au premier peuple qui l'a habitée quand bien même il a été massacré jusqu'au dernier. Nous y demeurons d'éternels locataires, ce qui explique pourquoi nous pouvons nous sentir à l'aise comme Blaise dans n'importe quelle partie du vaste monde. Privés de nos patries d'origine, l'univers est devenu nôtre. Nous ne disposons plus que d'une seule adresse : la drive sans fin. Ainsi soliloquait ma mère. Ses mots, énigmatiques à souhait, exprimaient ce que ressentaient confusément ses consœurs plus frustes ou, tout bonnement, plus discrètes. Elles la traitaient d'ailleurs de femme-bandit ! « *Fout ou bandi ankò'w, Carmen !* » lui lançaient-elles en créole, s'étonnant qu'elle charroyât avec elle sa fille à peine nubile, moi donc, Céline Alvarez, alors que leurs rejetons à elles, semés d'île en île, demeuraient sous la garde d'une proche parente ou d'une marraine. « Car c'est pas une vie, pacotilleuse, foutre ! » sentenciaient-elles. C'est une épreuve, un fardeau qu'il convient d'épargner aux êtres qui vous sont chers et d'abord au fruit de ses entrailles. Mais si pour ma part, j'avais des frères et des sœurs, je n'ai jamais vu l'ombre de leur figure. Aux escales, ma mère, une fois sa marchandise vendue, me remettait aux bons soins de quelque autre pacotilleuse et faisait une échappe. Ses absences pouvaient durer une petite heure, l'entier d'une journée ou bien un paquet de temps. Je tremblais à l'idée qu'elle ne revînt point. Les oreilles aux aguets, je tentais de deviner, dans les causements bougons qu'elles échangeaient avec Ariane et les autres, l'endroit où elle projetait de se rendre et le pourquoi de son silence à mon égard. Il y était question d'un amoureux jaloux à consoler, d'anciennes dettes à régler, de marmailles à embrasser vitement-pressé, de pèlerinages secrets à des Vierges installées à l'intérieur des terres. À Saint-Christophe revenait le nom d'un certain James, dit l'Aîné. À Cariacou, celui de Petite Mamzelle Eugenia. Ailleurs, de Françoise, Armando, Hank et tant d'autres, chacun désigné, plus souvent que rarement, par son surnom et j'avais fini par compter que ma mère avait enfanté dix-sept fois. Devenue grande et femelle, je fus persuadée que mes entrailles bréhaignes étaient une vengeance du ciel contre une si abondante lignée.

JOURNAL D'UN POÈTE AU BORD DU GRAND ÂGE

18 juillet 1873

J'ai consenti à cet étrange caprice d'Adèle. C'est bien la dernière fois. Sa Négresse sera une nouvelle fois à ses côtés avant les grandes chaleurs. Du moins si ma lettre l'a convaincue de revenir à Paris. L'aura-t-elle même reçue ? J'imagine mal comment, dans ces îles que l'Europe gouverne de loin, fonctionne l'administration. Si la gendarmerie y traque voleurs et assassins, si les juges y font respecter nos lois, si le courrier y est distribué à qui de droit. Rien qu'avec ce que cette Céline Alvarez Bàà m'a raconté de ses aventures, il y aurait de quoi écrire dix romans. À la vérité, je ne l'ai jamais crue qu'à moitié. Cette race doit être bigrement douée pour l'affabulation.

22 juillet 1873

Je ne dors plus guère la nuit tandis que le jour, de grandes vagues d'assoupissement m'assaillent. Est-ce cela la vieillesse ? Cet âge que ni Léopoldine, ni Charles, ni François-Victor n'auront connu. Cet âge qu'a approché Adèle, ma chère épouse, qu'avec le temps, je viens à apprécier. À quel moment nos vies se sont-elles séparées ? Quand ce grand et vaste amour qui nous unissait s'est-il irrémédiablement distendu ? Dans l'avenir, de doctes esprits ne manqueront pas de le dater : dans la nuit du 16 au 17 février 1833, écriront ces charognards des lettres, Hugo a connu bibliquement une actrice au talent médiocre, Juliette Drouet, qui jouait un second rôle dans *Lucrèce Borgia*, et ne s'en est plus séparé jusqu'à la fin de ses jours. En fait, comme chez les mahométans et les Nègres, Adèle n'a pas été effacée de mon cœur, elle est, en fait, devenue ma première épouse, celle qui d'amante se mue peu à peu en grande sœur ou en mère pour son homme et qui accepte, sinon adopte, les épouses plus jeunes que celui-ci s'octroie. Je suis un affreux polygame nègre, voilà ! Juliette est ainsi ma seconde épouse, Biard — trop tôt arrachée à la vie — la troisième, Blanche la quatrième. Aucune de mes autres passions, ô combien multiples, n'a compté. Ce ne furent que de brefs épanchements des sens. Mahomet n'accordait-il pas aux hommes bien nés le droit de posséder quatre femmes ?

Seule cette Céline Alvarez et son grand corps couleur de tabac ont réussi à troubler cette peu chrétienne conviction qui m'habitait. Eût-elle été de notre race que j'aurais pu, sans effort aucun, me contenter de sa chair fabuleuse, de ses étreintes si puissantes qu'il en émanait une odeur de commencement du monde. Mais sans doute tout cela n'est-il dû qu'à la nouveauté ou plutôt à la différence de nos complexions et de nos humeurs.

Cette fois-ci, je ne la baiserai point.

29 juillet 1873

Je n'ai jamais négligé Dieu. Il m'est souventes fois arrivé de douter de lui mais j'ai toujours courbé l'échine devant ses décisions les plus incompréhensibles que moi, pauvre mortel, j'avais l'audace de trouver injustes. A-t-il réellement désiré que Léopoldine et Charles se noient dans la Seine en pleine fleur de l'âge ? Et si oui, pourquoi ? Pourquoi aurait-il voulu les priver d'une existence si pleine de promesses ? Quant à ma petite Dédé, était-il inscrit dans le grand livre du destin qu'elle s'amouracherait jusqu'à la folie d'un officier saxon jusqu'à le suivre aux Amériques ? Mais peut-être Dieu n'est-il point en cause. Peut-être que c'est là l'œuvre de Satan. J'avais commencé, autrefois, à consacrer une fresque à cet ange déchu.

4 août 1873

La Négresse est dans nos murs. Pour la seconde fois. Elle n'a point vieilli. Les races primitives gardent longtemps un visage enfantin. Elle m'a grandement amusé l'autre soir. Voulant ranger son galetas, elle a ouvert le coffre où je range mes manuscrits et s'est exclamée : « Mais, monsieur Hugo, vous avez là plus de livres que vous n'en avez jamais publiés ! » Point si sotte. Odes inabouties, ébauches de roman, drames qui ne verront sans doute jamais les planches, pamphlets contre l'humaine sottise et la tyrannie qu'il m'écœure d'achever. La moitié de mon existence au bas mot. Quelle étrange passion que l'écriture ! De moi, quand la mort m'aura pris dans ses bras, il ne restera que ces milliers et milliers de lignes, publiées ou inédites, inutiles témoins de ce miracle chaque jour renouvelé qu'est le souffle vital. La vieillesse vous y rend plus attentif. On sent battre son cœur fatigué. On mesure le moindre craquement de ses os. On s'étonne du fétide de sa chair, de son odieuse mollesse. Paradoxe suprême : être jeune, c'est oublier qu'on possède un corps.

De tout ce fatras de manuscrits, que parfois il me prend l'envie de brûler, je ne retiens finalement que *La Fin de Satan*. À sa relecture, je ne peux m'empêcher de trouver une étrange parenté entre cette Céline Alvarez Bàà et Isis-Lilith, créature maléfique qui porte à bout de bras les armes dont se servira Caïn pour perpétrer son crime : l'airain, le bois et la pierre. La Négresse n'en serait-elle pas la réincarnation ? Ne m'a-t-elle pas, à moi aussi, jeté un sort, pour que l'obscur de sa peau puisse exercer tant d'attrait sur ma personne ? Oui, moi qui écris :

Ces temps noirs adoraient le spectre Isis-Lilith,
la fille du démon, que l'Homme eut dans son lit
avant qu'Ève apparût sous les astres sans nombre,
monstre et femme que fit Satan avec de l'ombre

afin qu'Adam reçût le fiel avant le miel,
et l'amour de l'enfer avant l'amour du ciel.

Céline Alvarez Bàà, ange ou démon ? Le saurai-je jamais...

L'homme Hugo est un monstre. Sa voix vous laisse sans voix, oui. Il suffit qu'il ouvre la bouche pour qu'on ait l'impression d'entendre rouler des rochers de rivière brusquement charroyés par une pluie d'hivernage. Ses pommettes s'enflamment. De ses prunelles au noir fiévreux naissent des sortes de flèches de lumière qui vous transpercent en pleine poitrine. Tout son corps, malgré sa taille plus que modeste, semble vivre d'une vie plus puissante que celle du commun des mortels. Adèle, qui n'est pourtant pas une petite poupée, disparaît entre ses bras. Il l'étreint si fort que je crains un instant qu'il ne l'étouffe. Quelques larmes, seul signe d'humanité, dérivent au long de ses joues mangées par une barbe en broussaille qu'il lisse d'un geste machinal. Il ne prononce pas un seul mot. Je m'étais, après neuf années d'absence, imaginé des effusions bruyantes, des baisers à n'en plus finir, un flot de paroles mélangées à de tendres caresses filiales. Rien de tout cela. Hugo est un bloc d'homme. Un être de pierre, hiératique, sévère, en qui on sent bouillir un sang indompté. D'abord, il n'a pas une miette de regard pour moi, la Négresse débarquée des Amériques. Il paie le conducteur du fiacre en le remerciant d'une tape sur l'épaule et s'empare de la valise de sa fille qu'il conduit vers le perron de sa demeure. Je reste plantée au mitan de la rue, moi, Céline Alvarez Bàà, frissonnant dans ma robe créole parce que l'automne est en chemin, cette curieuse saison que je ne connaissais que par les livres et les quelques marins européens qui avaient sollicité, vainement, mes faveurs. Je n'étais pourtant point regardante à la couleur mais aux manières. Qu'un homme fût noir, mulâtre, blanc ou rouge, pourvu qu'il se comportât avec ce mélange de chaleur et de désinvolture qui nous caractérisait, nous autres, gens de l'Archipel, j'étais toute disposée à me laisser galantiser, sans qu'au bout de ces billevesées il y eût un consentement assuré, à supporter ses paroles sucre-saucé-dans-miel, voire même ses privautés, mais qu'il arborât le froid dédain de l'Européen et voilà que je lui tournais aussitôt le dos ! Ah ! Que de simagrées ne m'a pas accablée cet Henry de Montaigue et son bataclan de détective privé ! Sa loupe, son pendule, ses cartes du continent américain qu'il déployait devant moi pour tenter de m'en imposer et surtout essayer de me soutirer quelque renseignement sur l'objet de sa quête. À l'entendre, le plus grand poète de l'univers lui avait confié la noble tâche de retrouver sa fille préférée qui s'était enfuie de l'autre côté des mers à la poursuite d'un amour éperdu et vain. Hon ! Oubliait-il, ce bougre efflanqué, qu'Adèle était désormais ma fille ! Ma fille à moi, oui, toute blanche qu'elle fût. Toute déraisonnable qu'elle se montrât. C'est moi qui l'avais recueillie sur les quais de Bridgetown, en l'île de la Barbade, alors qu'elle errait dans sa robe de mariée, déclamant à tous vents des propos incohérents. C'est encore moi qui l'avais protégée des autorités britanniques pour la conduire clandestinement à la Martinique dans l'espoir que, dans ce territoire français, on pût s'occuper de sa personne et lui bailler les soins dont elle avait besoin. Hélas ! Le maire de Saint-Pierre ne trouva rien de mieux à faire que de signer un arrêt d'internement dans un sinistre bâtiment de pierre, plus vaste qu'une cathédrale, dénommé la Maison coloniale de Santé. Savait-il seulement, ce monsieur de Montaigue, quels trésors de patience et de malintrie il m'avait fallu déployer pour arracher ma tendre Adèle aux griffes de ces deux docteurs assassins qu'étaient les sieurs Rufz et De Luppe, praticiens nouvellement arrivés de France qui prétendaient mettre en œuvre des méthodes révolutionnaires pour soigner les maladies mentales ? Ils croyaient dur comme fer que les décharges électriques journalières qu'ils infligeaient à leurs patients avaient le pouvoir, à terme, de leur permettre de retrouver la raison. Fous à lier eux-mêmes, voilà ce qu'ils étaient, ces deux médicastres !

Arrivés sur le perron, Adèle et Hugo se retournèrent d'un même geste. Tous deux s'étaient brusquement souvenus de ma présence. Le poète me fixa dans le coco des yeux, perplexe, avant de me lancer :

« Mais entrez donc, madame, vous êtes la bienvenue ! »

14

« Je veux ma Céline ! J'exige sa présence autour de moi ! Elle est la seule et unique personne à savoir que la déraison ne s'est pas totalement emparée de mon esprit. Mon père a beau déployer des trésors de tendresse, me prendre entre ses bras comme si j'étais toujours la gamine qui lui sautait sur les genoux du temps de son exil à Jersey et me couvrir de baisers en m'appelant "très chère petite Dédé", il demeure étranger à ma souffrance. Hugo est comme immergé dans son œuvre. Il fait mine de vous écouter, de compatir à tout ce qui entrave la bonne marche du monde mais, au fond, il ne vit que pour écrire, écrire et encore écrire. Cela, toujours debout, roide, devant son écritoire. »

J'avais quitté, deux ans plus tôt, un vieil homme encore vert, au verbe haut et à l'appétit charnel irassasiable, je retrouvais un être cassé au regard éteint. Hugo ne s'était à l'évidence pas remis de la mort de Charles et François-Victor quoique les petits-enfants qu'ils lui avaient baillés égayassent ses mornes journées en compagnie d'une Adèle qu'elle non plus, je ne reconnaissais pas. Je m'étais habituée à ce qu'elle alternât périodes de raison, certes courtes, et plongées brusques dans la déraison. Au cours des premières, je parvenais à établir le contact avec elle et je l'écoutais comme si elle était ma propre fille, la petite quinzaine d'années qui séparait nos âges aidant, d'autant qu'aux îles, on enfantait de bonne heure. En fait, j'étais la seule personne à profiter de ces moments, ô combien rares, du fait de ma présence constante à ses côtés. Pour tout un chacun, y compris Hugo, elle avait irrémédiablement sombré dans un univers qui tournait le dos à la réalité. Il disait, se voulant sobre :

« Ma petite Dédé s'est perdue ! »

La perspective de la confier à l'asile de fous de Saint-Mandé ne l'effrayait plus. Il n'avait retardé sa décision que pour l'unique raison qu'il voulait savoir si mon retour à Paris pouvait encore arracher la jeune femme à ses chimères. Non qu'il m'accueillît cette seconde fois de gaieté de cœur. Je ne constituais plus à ses yeux un objet ni de curiosité ni de désir. Il avait goûté à la chair de la Négresse et en avait fait le tour, comme je l'entendis souffler à l'un de ses invités qui s'étonnait de ma présence et le félicitait pour sa « solide santé ». Mais lorsque, le soir, nous nous retrouvions seuls au salon, il me considérait d'un œil tellement chargé d'admiration que j'en étais gênée.

Il savait ses jours comptés et était prêt à tout pour qu'un semblant de raison revînt sur le visage de Dédé. À la vérité, elle était effrayante lorsque les crises s'emparaient de sa personne. Ses joues se creusaient soudain dans un bruit de succion qui vous glaçait le sang, ses yeux se révulsaient, sa peau virait au grisâtre tandis qu'une tremblade sauvage lui secouait tout l'en-haut du corps. Elle se mettait à baver d'abondance sur la robe de mariée toute neuve que son père lui avait fait coudre dans l'espoir que ce grotesque accoutrement l'apaisât. En réalité, il lui baillait l'apparence d'un fantôme qui traversait les pièces de la maison, de jour comme de nuit, effrayant les servantes, lesquelles finissaient par rendre leur tablier, sauf la fidèle Annette, vieille fille silencieuse, qui semblait accomplir une sorte de sacerdoce. J'étais la seule à pouvoir approcher Adèle, mais mes étreintes, que j'accompagnais de vieilles comptines créoles, ne parvenaient plus à la calmer aussi prestement qu'autrefois. Je devais désormais lutter, moi aussi, avec une femme dans la force de l'âge, force que la folie décuplait. Nous tombions alors sur le parquet, nous y roulions, bousculant chaises et tables, elle cherchant à me bailler des coups de dent, ce qui faisait craquer ses mâchoires, moi, cherchant à la maîtriser en lui retenant la tête en arrière par les cheveux tout en veillant à ne pas lui faire mal. Je recevais des coups de genou dans le bas-ventre, des coups de coude dans la poitrine, mais je me retenais de hurler. Il fallait que je demeure stoïque, sinon à quoi aurait servi ce deuxième voyage en Europe ? Je finissais, heureusement, par avoir raison d'Adèle. Elle s'affaissait soudain, telle une poupée de toile, me livrant son corps trempé de sueur et exsangue. Dans ces moments-là, Hugo désespérait. Il partait s'enfermer dans son cabinet de travail d'où il n'émergeait que plusieurs heures plus tard.

Mais je lisais clair dans son âme : il était hanté par l'idée de sa mort. Terrifié à la pensée qu'il laisserait derrière lui une Adèle seule, sans défense face à des héritiers, neveux pour la plupart, qui n'hésiteraient pas une seconde à la dépouiller de la fortune qu'il lui léguerait. Trois fois déjà, il avait convoqué son notaire pour modifier son testament, mais il n'en était toujours pas satisfait. Il en vint à me promettre de m'y coucher si je lui faisais le serment devant Dieu de demeurer définitivement au chevet de sa fille, ce à quoi je me refusai. Par pure honnêteté. Parce que, aussi, je n'envisageais pas un seul instant de finir mes jours dans ce pays où je grelottais les trois quarts de l'année et où j'avais trop chaud le reste du temps. Pour tenter d'abattre mes préventions, il me fit miroiter la possibilité d'échappées régulières en Andalousie maintenant que le chemin de fer rendait aisé le franchissement des Pyrénées.

S'il y avait un lieu que le rêveur sacré n'aurait pu imaginer, c'était bien la Maison coloniale de Santé, à Saint-Pierre de la Martinique. Aussi me fis-je un devoir d'en décrire l'horreur à Hugo avant que, de guerre lasse, il ne se résolve à laisser interner sa fille à Saint-Mandé. Au petit matin, une ma-sœur grincheuse conduisait Adèle aux trois bassins que les docteurs Rufz et De Luppe y avaient fait construire, bassins qui recevaient l'eau de trois sources. Deux d'entre elles, l'une brûlante, l'autre tiède, tigeaient des flancs de la montagne Pelée, l'autre glaciale émanait d'un bras de la rivière Roxelane. Adèle était forcée de s'y plonger jusqu'au cou de longues minutes et la religieuse, indifférente à ses hurlements de douleur, la frappait à l'aide d'une badine chaque fois qu'elle tentait de s'en échapper. L'eau du premier bassin lui mettait la peau à vif, lui causant même de sérieuses brûlures aux bras et aux jambes, le reste de son corps étant protégé par une tunique en toile de jute. Dans le second, où elle devait rester plus longtemps, la scélérate maintenait la tête d'Adèle sous l'eau, ne la libérant que lorsqu'elle était sur le point d'étouffer. Son corps devenait jaunâtre à cause du soufre qu'on y avait ajouté. Puis, elle était complètement dénudée et jetée dans le troisième bassin où elle redoublait de hurlements terrifiants. Le séjour y était si long que la jeune femme se mettait à claquer des dents, quoiqu'elle ne tombât jamais en syncope comme c'était le cas de maints pensionnaires plus âgés. Ce traitement brutal achevé, on la ramenait dans sa cellule jusqu'au mitan de la matinée, moment où elle était prise en charge par les deux sinistres médicastres dans une salle où avait été installé un curieux appareil auquel on la ligotait. Là, elle y recevait des décharges électriques censées lui remettre le cerveau en ordre. Trop faible pour réagir, Adèle se livrait à ses bourreaux qui, sans émotion aucune, notaient ses réactions sur leurs calepins. De l'extérieur de la salle, on entendait leurs voix mêlées :

« Respiration au ralenti !

— Yeux révulsés, le pouls bat plus vite... Quatre-vingt-dix pulsations-minute...

— Muscles des bras complètement atones !

— Dents qui craquent, déformation des muscles faciaux...

— Retour à la normale ! Le sang revient aux joues. »

Aucun des parents des aliénés n'osait émettre la moindre protestation à l'encontre de ces traitements barbares, intimidés par le seul mot, jusque-là inconnu, de « psychiatrie ». Ils attendaient patiemment, dans les couloirs de l'hôpital, gamelle à la main, qu'on reconduise les patients dans leur cellule où ils les faisaient manger à la petite cuiller, car la plupart avaient grand-peine à desserrer les lèvres. Ce traitement journalier, fait de bains et de décharges électriques, s'accompagnait, trois fois par semaine, de séances dites d'expression au cours desquelles les fous étaient assemblés à l'ombre d'un énorme manguier-bassignac que la rage des cyclones avait épargné. Le personnel médical au grand complet, les ma-sœurs, les cuisinières et le jardinier de l'établissement, sous l'œil sévère de la Mère supérieure et celui, pour le moins perplexe, des parents, avaient pour consigne de feindre de se trouver sur quelque marché ou place publique. Ils devaient aborder amicalement les malades, plaisanter avec eux, s'enquérir de leurs nouvelles, essayer de leur vendre qui un morceau de tissu, qui une pipe ou encore quelque ouvrage pieux. Ici encore, les docteurs Rufz et De Luppe, très concentrés, griffonnaient des choses sur leurs calepins, n'intervenant jamais eux-mêmes dans cette comédie. Bien qu'ils s'employassent à diversifier les contacts entre les deux groupes, par une espèce d'attraction naturelle, les ma-sœurs, créatures au teint cireux venues de Basse-Normandie ou de Bretagne, finissaient toujours par s'agglutiner autour des malades blancs créoles et les infirmiers, tous de couleur, autour des mulâtres. Quant aux malades nègres, les plus nombreux, ils submergeaient le jardinier et le cocher de Mère Marie-Annette s'engageant dans des discussions à propos de combats de coqs ou de jeu de dés qui tournaient vite au pugilat. Au nom du sacro-saint principe de l'expression, il n'était pas question de les séparer. Yeux amochés et visages en sang étaient donc leur lot quasi hebdomadaire.

Seule Adèle demeurait sans partenaire. Parce qu'elle n'était pas native du pays. Parce que son accent européen intimidait. Parce que, aussi, elle était bien la seule à avoir sombré dans la déraison, non à cause d'une faillite commerciale, d'une dette de jeu, d'abus de rhum, de violences subies dès l'enfance ou de visions mystiques. Sa folie était une vraie folie. Une folie pure. Les rares fois où quelqu'un l'entreprenait, sur cette étrange agora dont le sol était jonché de mangues mûres à l'odeur de térébenthine, elle rétorquait, rageuse :

« Qu'on me laisse en paix ! Je suis l'épouse du lieutenant Albert Pinson. »

Ou alors :

« Mon mari est en route depuis la Birmanie pour venir me chercher. Il sera ici dans deux semaines. »

Je ne voyais pour ma part aucune amélioration dans l'état de ma protégée et, après mûre réflexion, décidai de la faire évader de la Maison coloniale de Santé. Je fis fabriquer de faux papiers, pour elle et moi — grâce au notaire de Lucilla, ce bon monsieur Constantin Danglemont — et nous embarquâmes sans encombre au port de Saint-Pierre à bord d'un navire en partance pour Bordeaux, après que j'ai amblousé ce grand échalas de détective dénommé Henry de Montaigue. Hugo écouta mon récit, mi-incrédule, mi-admiratif, puis, se levant de son fauteuil, le corps accablé par le grand âge, vint à moi et m'embrassa sur les deux joues. Attitude insolite de la part d'un homme qui, lors de ma première venue à Paris, m'avait considérée tout à la fois comme une demi-sorcière et une bête de plaisir.

« Hélas, madame Alvarez, je n'ai pas d'autre choix! Adèle ira à Saint-Mandé, sinon elle finira, après ma mort, en pauvre fille des rues... »

LE GRAND RETOUR

« À qui donc sommes-nous ? Qui nous a ? Qui nous mène ? Vautour fatalité, tiens-tu la race humaine ? »

Victor Hugo
(Les Contemplations)

15

Jamais Céline Alvarez Bàà, Négresse des îles en perpétuelle pérégrination, oiseau migrateur qui, tout comme ses consœurs pacotilleuses, était hors d'atteinte de la nostalgie — ce sentiment lugubre n'est-il pas propre à ceux qui ont les pieds solidement enchouqués dans leur sol natal et qui, un jour, pour une raison ou une autre, se trouvent contraints d'en partir ? —, jamais elle ne se serait prise de pitié pour cette jeune Blanche, à l'évidence privée de raison, qui tournoyait dans une incongrue robe de mariée immaculée sur les quais de l'île de Barbade, tandis que deux Nègres assoiffés de sang et de sexe se battaient pour sa personne, si le mot « poète » n'avait retenti dans la bouche de celle qu'elle en viendrait désormais à qualifier de « mon Adèle à moi ».

Jamais.

Céline Alvarez Bàà était tout bonnement fascinée par ceux qui possédaient le don d'écrire des choses qui la bouleversaient. Autant les simples paroles l'indifféraient, autant quelques lignes tracées sur la première feuille de papier venue ou imprimées dans un livre acheté au hasard de ses pérégrinations avaient le don de chavirer son cœur. Quoique le cœur de Céline fût inaccessible à la passion amoureuse, Michel Audibert était le seul d'entre ses amants à pouvoir se vanter d'occuper en permanence son esprit. Les poèmes qu'il lui faisait tenir par les capitaines des bateaux qui cabotaient à travers l'Archipel, brèves missives dûment protégées par des enveloppes cachetées à la cire, lui servaient de viatique. Combien de fois, au mitan d'une tristesse ou d'une solitude, dans un bar de La Havane ou sur un banc public de Pointe-à-Pitre, Céline n'avait-elle pas ôté de son sein l'un de ces précieux messages et ne l'avait lu et relu avec délectation, retrouvant sur-le-champ son allégresse de femme-debout ? Ah ! Elles avaient beau s'esclaffer, ses consœurs, se gausser de ces mots qui, à leurs yeux, n'étaient que du dérisoire, Céline savait quel baume ils lui procuraient. Elle avait toujours voulu vivre dans l'intimité d'un poète, l'épier à son insu, lire par-dessus son épaule, dans le but de découvrir le secret de son écriture, expérience qui ne lui fut jamais donné de faire. Quand elle était aux côtés de ses amants, la sachant prête à repartir à la moindre annonce d'un arrivage de marchandise dans une île ou l'autre, ils se consacraient exclusivement à jouir de son corps. Jamais elle n'avait vu un seul d'entre eux tenir la plume et encore moins écrire !

C'était là, pour elle, une douleur, oui...

L'Habitation Grand'Rivière, bien qu'à moitié en ruine, avait encore fière allure avec sa maison de maître à deux étages dont seul le rez-de-chaussée était occupé par une famille de lointains descendants d'esclaves qui s'était appropriée le patronyme de l'ancien propriétaire des lieux. Ils s'étaient contentés d'y ôter le « de », sans doute parce que la république toute neuve qu'était Haïti, en ce début du XIXe siècle, n'avait pas encore sombré dans le délire monarchique. Le marquis de Châteaureynaud connaissait l'histoire du pays sur le bout des doigts. Dès que j'eus accepté son offre de le suivre, il se fit un devoir de m'en instruire par le menu, s'arrêtant longuement aux frasques du roi Christophe et de l'empereur Soulouque. Après une courte escale à Saint-Pierre, au cours de laquelle je ne mis pas pied à terre de peur de rencontrer Michel Audibert, lequel avait cessé de m'envoyer ses poèmes énigmatiques tout le temps que j'habitai chez les Hugo, notre navire se dirigea vers l'île d'Antigue, s'arrêta à San Juan de Porto Rico avant de jeter l'ancre à Jacmel, dans le sud d'Haïti. Là, il était prévu qu'il restât deux ou trois semaines pour se faire radouber avant de gagner la capitale, Port-au-Prince. Impatient, le marquis de Châteaureynaud décida de continuer notre trajet à cheval bien que le capitaine du navire l'eût mis en garde contre les bandits de grand chemin et les sectateurs du Vaudou pour qui les Blancs isolés étaient une proie toute désignée. Mon amoureux avait souri. Pendant trois générations, répondit-il, sa famille avait arrosé la terre de ce pays de la sueur de son front, y plantant canne à sucre, tabac, café et cacaoyer, exportant en France chaque année plus de deux mille tonnes de marchandises et n'eût été la stupidité de Napoléon, elle aurait continué à le faire. Saint-Domingue serait restée française.

« Nous l'avons perdue à cause d'un nabot corse ! » grinça-t-il.

Quelques jours après que notre navire eut quitté le port du Havre, quand, enfin, il m'avait interrogée sur ma présence à bord et qu'à mon tour, je m'étais répandue en détails sur mes péripéties barbadiennes, grenadiennes, pierrotines et enfin parisiennes aux côtés d'Adèle, une grande colère l'avait envahi. Il détestait Victor Hugo. Non pas seulement à cause de l'homme lui-même mais parce qu'il désapprouvait l'admiration du poète pour l'exilé de Saint-Hélène. À l'entendre, en déportant Toussaint Louverture, celui-ci avait déclenché une révolte généralisée, privant du même coup la France des bénéfices de la plus riche colonie du monde. Provoquant aussi l'exode et la ruine de dizaines de milliers de planteurs blancs créoles dont son ancêtre à lui, Jérôme de Châteaureynaud. Mon marquis se sentait fils de cette terre qui ne l'avait pourtant point vu naître, à tel point qu'il n'hésita pas à acheter des chevaux et à me faire galoper de Jacmel à Léogane six jours d'affilée. Nous dormions chez l'habitant. Ou plutôt il s'imposait, dès que la nuit approchait, dans la première case venue. Saluant les gens comme de vieux amis qu'il n'avait pas vus depuis fort longtemps, blaguant, discutant sans se rendre compte que son français n'était guère compris. Je découvrais la formidable belleté de ce pays en qui (m'avait assuré Diego) Christophe Colomb avait vu un paradis. Une enfilade de mornes altiers couverts d'une épaisse végétation dont les pentes commençaient à être défrichées par des paysans rétifs à toute forme de commandement. Ils observaient notre passage d'un air farouche et répondaient rarement à nos gestes de sympathie. Je m'inquiétais de savoir comment Maxime pourrait reprendre les rênes de l'Habitation Grand'Rivière. Il courait tout droit à l'échec. Hélas.

Nous atteignîmes Léogane sans encombre, mais la route menant à Port-au-Prince était coupée depuis deux semaines par une jacquerie, ce dont personne ne nous avait informés à notre débarquement en Haïti. Nous distinguions des champs en feu dans le lointain, et des hordes de guenilleux munis de piques et de coutelas défilaient le long des routes en hurlant :

« *Sé Papa Désalin nou vlé!* » (Nous voulons notre père Dessalines!)

Le père de la nation n'était plus de ce monde depuis bien soixante-dix ans, mais son souvenir s'était conservé dans les légendes paysannes comme celle d'un homme qui avait vaincu l'armée de Napoléon et instauré l'État libre et indépendant d'Haïti. Mon marquis semblait fasciné par ce début de révolution et ne voulut pas entendre raison : il se mit à cravacher son cheval, pressé de continuer sa route. Je tremblais aux cris de guerre que poussaient autour de nous mille voix exaltées. Les bandeaux rouges que les insurgés avaient attachés autour de leur tête et leurs faces couvertes de poudre blanche les faisaient ressembler à des membres de quelque secte à qui on venait d'annoncer l'imminence de l'apocalypse. Ils hurlaient des chants dans une langue que je n'avais jamais entendue auparavant, sans doute de l'africain. Lorsque celui qui, coiffé d'un bicorne napoléonien, baillait les ordres agrippa les rênes de la monture de Châteaureynaud et lui fit le geste de mettre pied à terre, le marquis garda tout son calme. Les autres m'insultaient, me couvrant de crachats :

« *Nègres modi! Sa ou-ap ak youn Blan?* » (Négresse maudite! Que fais-tu en compagnie d'un Blanc?)

Ils agitaient sous mon nez leurs piques et leurs coutelas

comme s'ils étaient prêts à me découper en trente-douze mille morceaux. Je récitai en mon for intérieur le « Je vous salue, Marie », en espagnol, et fermai les yeux. Ma dernière heure était sans doute venue et j'eus une pensée pour ma petite Adèle — que je m'entêtais à appeler « petite » quoiqu'elle approchât désormais des trente-cinq ans —, regrettant qu'elle ne m'eût pas dit un seul mot lorsque nous nous séparâmes. Elle savait que je désapprouvais son internement en hôpital psychiatrique et que j'avais maintes fois dissuadé Hugo d'accepter ce que les médecins présentaient comme une décision inéluctable. Apprendrait-elle jamais les circonstances de ma mort ? Hugo m'avait donné congé, s'estimant quitte avec ma personne dès l'instant où il eut déposé sur mon lit une enveloppe contenant quelques milliers de francs. Je n'étais à ses yeux qu'une Négresse sans instruction que le hasard avait placée sur la route de sa fille chérie. Mon rôle était désormais terminé. Et je ne méritais même pas un vers, pas une ode, en guise de merci-beaucoup. Michel Audibert avait vu juste.

« Rassure-toi, Gamba et moi avons trouvé un accord ! Descends de cheval, ma fleur des îles ! »

La voix de Châteaureynaud me réveilla de ma rêverie. Il savait à quel point j'avais horreur qu'il me traitât en faible femme et en doudou. La langueur tropicale ne seyait pas aux pacotilleuses qui devaient lutter pied à pied, chaque jour que le Bondieu faisait, avec les chienneries d'une existence aventureuse. Nous ne connaissions pas la douceur des siestes en hamac, l'après-midi, à l'ombre des vérandas. Ni les gestes câlins d'époux énamourés ou de marmaille affectueuse. C'est que nous ne faisions qu'aller-venir. Le temps passé à terre nous était toujours compté. En mer, par contre, il s'éternisait, nous plongeant dans une hébétude contre laquelle nous devions lutter si nous ne voulions pas être forcées par quelque quartier-maître qui entendait exercer son droit de cuissage. Vendre, acheter, revendre, négocier, marchander, brocanter : tel était notre destin.

Gamba exigea de mon marquis qu'il lui rédigeât en beau grand français la proclamation qu'il ferait au balcon du Palais national, une fois que sa troupe de dépenaillés serait entrée, victorieuse, à Port-au-Prince. Il vocalisait des expressions, à mes yeux ampoulées, telles qu'« anéantissement de la tyrannie », « fin du règne des thuriféraires stipendiés du gouvernement », « instauration du pouvoir plébéien » ou, plus prosaïquement, « nouvel ordre moral », toutes expressions qu'il avait entendues, des années durant, de la bouche d'un élève qui récitait ses leçons d'histoire, le fils du riche commerçant mulâtre de Léogane auquel il avait servi de valet. Faussement sérieux, le marquis de Châteaureynaud notait tout, demandant à Gamba de parler moins vite. Ils étaient tous deux assis sur un banc hâtivement constitué d'une planche posée sur deux roches, entourés par la meute vociférante des révoltés qui continuait à nous menacer de leurs foudres. La nuit tomba et il fallut allumer des flambeaux de bambou. La rédaction de la proclamation me sembla interminable et surtout, je me demandais qui d'entre eux pourrait bien la lire lorsque le jour de gloire serait venu. Malgré la freidure qui commençait à tomber, j'étais couverte de sueur et mes doigts continuaient, à mon corps défendant, d'être agités par une vive tremblade. Une fois la corvée accomplie, mon marquis remit le papier d'un geste cérémonieux au chef des insurgés lequel le tourna et retourna en tous sens avant de s'écrier :

« *Li'l ba mwen, konpè! M-vlé tandé bel pawol sa-yo, fout!* » (Lis-le-moi, compère! Je veux entendre ces magnifiques paroles, foutre!)

La meute se calma sur-le-champ. Les tambourinaires continuèrent à frapper leurs instruments mais en sourdine, eux aussi très attentifs alors qu'ils étaient les plus exaltés. Mon marquis s'éclaircit la voix, réclama du rhum, s'épongea le front, relut en silence son texte un interminable de temps, se leva du banc pour se placer au mitan des silhouettes immobiles sur les épaules desquelles la nuit semblait peser de tout son poids. C'était une nuit radieuse, sans lune mais si claire qu'on voyait briller toutes les étoiles au firmament. J'y cherchai l'étoile qu'avait élue ma défunte mère, celle qu'en mer elle assurait la baigner de son éclat, celle pour laquelle elle chantonnait jusqu'à l'approche du devant-jour, mais ne la trouvai point. Gamba se mit sur ses jambes à son tour. Sa nervosité m'inquiéta. Heureusement, Châteaureynaud comprit qu'il aurait été dangereux pour nous de ne pas bailler satisfaction à ce Nègre râblé, à la tête ronde comme une boule de billard et aux pommes-figure couturées de cicatrices. Mon homme se lança :

« Aux valeureux citoyens de la République d'Haïti, première république noire de l'ère moderne,

« Aux noms de nos ancêtres dont la bravoure et la grandipotence n'avaient d'égales que celles de Gengis Khan, Alexandre le Grand et Jules César — sans commune mesure donc avec celles qu'aurait soi-disant démontrées ce petit chien sans graines de La-Peau-d'Oignon ! —, avec la protection d'Ogoun-Ferraille, dieu du tonnerre, de Legba, qui ouvre toutes les barrières et d'Erzulie-Fréda, notre vénérée mère des loas, moi, Gamba Ier , dignitaire de la Loge du Grand Occident, bedeau de l'église Saint-François-d'Assise de Léogane, docteur ès sciences profanes et occultes, décoré de la médaille de l'Aigle Teuton par Sa Majesté l'empereur Guillaume II, j'annonce au peuple rassemblé devant le Palais national que l'heure de l'anéantissement de la tyrannie mulâtre a sonné. J'ordonne aux thuriféraires stipendiés de ce vilissime gouvernement, présentement dissous, de plier armes et bagages et de gagner de leur propre chef les prisons de la République où ils seront traités avec tous les égards dus à leur rang.

« Frères nègres, dont les pères sont nés en Guinée, et qui n'ont cessé de souffrir en silence comme si l'ignoble institution esclavagiste n'avait pas été jetée bas à l'aube de ce siècle, comme si le sang versé ne méritait pas la moindre récompense, moi, Gamba Ier, descendant en ligne directe de notre Grand, de notre Sérénissime Jean-Jacques Dessalines, je vous annonce l'instauration immédiate du pouvoir plébéien. Que tous les gueux, les guenilleux, les dénantis, les orphelins de père et de mère, les femmes abusées, les vieux-corps abandonnés à leur sort, se lèvent en cette heure splendide et crient d'une seule et même voix : Vive l'empereur Gamba Ier ! Vive la Nouvelle République impériale d'Haïti-Thomas ! Vive le Nouvel Ordre moral !

Fait le 12 décembre 1873
en la ville de Port-au-Prince
rebaptisée Fort-Dahomey »

Une salve de hourras accueillit ces vibrants propos et mon marquis, très solennel, remit la proclamation au chef des insurgés qui le remercia d'une accolade. Toute la nuit, on bambocha aller-pour-virer, on se saoula au clairin, on dévora des bananes pesées et du grillot de cochon, on forniqua dans les halliers, car cette petite armée, aux uniformes disparates, comportait un bon tiers de femmes. Ce soir-là, je cédai pour la première fois au marquis de Châteaureynaud, sans doute parce que j'étais encore sous le coup de l'émotion. Je m'étais pourtant promis d'attendre notre installation à l'Habitation Grand'Rivière, là-bas, dans la plaine de l'Artibonite. L'homme se montra très doux, très appliqué, ce qui me fit le plus grand bien. Cela me changea de la brutalité du père Hugo. J'en vins alors aux confidences. Il n'en crut pas ses oreilles. Châteaureynaud ne me posa aucune question. Il écouta, bouche bée, le récit de mes mésaventures en compagnie d'Adèle depuis que j'avais recueilli cette dernière à la Barbade des années plus tôt. Toute la nuit, je lui parlai de ce terrible voyage jusqu'à l'île de Grenade au cours duquel la fille du poète faillit être violée par des marins ivres, de notre long séjour à Saint-Pierre de la Martinique pendant lequel j'avais remué ciel et terre pour que les autorités françaises acceptent de la rapatrier, de l'internement d'Adèle à la Maison coloniale de Santé et des traitements scélérats que lui infligèrent deux médecins blancs nouvellement débarqués dans le pays, de la Bohème et des folles soirées de L'Escale du Septentrion, de la passion non réciproque de la jeune femme pour un certain lieutenant Albert Pinson, officier de Sa Majesté britannique, qu'elle avait voulu rejoindre à Halifax, au Canada, cela sans en avertir ses parents alors exilés dans l'île de Guernesey, de mon arrivée à Paris et de ma confrontation avec le plus grand poète de l'univers, dissimulant, bien sûr, nos accointances charnelles. De l'internement probable d'Adèle à l'asile de fous de Saint-Mandé, chose qui me chiquetaillait le cœur, oui.

« Et voici que je rentrais tranquillement dans mon Archipel, lorsque le destin m'a fait rencontrer Son Excellence le marquis de Châteaureynaud ! Ha-ha-ha ! »

L'homme se mit à me considérer tout autrement. Une profonde déférence envers ma personne émanait désormais de chacun de ses gestes. Il me servit même du Mme Céline Alvarez. Madame ! Autour de nous, les insurgés se réveillaient péniblement de leur nuit de paillardise. Deux-trois tambours se mirent à ronfler, puis prirent leur ballant sous les doigts agiles — on aurait juré les battements d'aile d'un oiseau-mouche — d'un géant nègre qui portait, autour du cou, des amulettes vaudoues. Bientôt tout ce monde-là fut sur pied et, au moment où le soleil pointa le nez au-dessus des mornes, fusèrent des « Vive Gamba Ier ! » et « Vive la Nouvelle République impériale d'Haïti-Thomas ! ». Le chef des insurgés était aux anges. Il s'était drapé dans une dignité toute neuve. Le haut-de-forme et le costume noir élimé dont il s'était paré faisaient un contraste du plus haut comique avec ses pieds nus aux orteils largement écartés. Il manda Châteaureynaud auquel il fit une accolade démonstrative, avant de lui remettre un objet que je n'identifiai pas du premier coup. Je vis mon marquis le remercier avec chaleur et l'instant d'après, on nous rendait nos chevaux. Personne, par contre, ne prit ma hauteur. Je ne représentais rien à leurs yeux. Juste une Négresse servilement attachée aux basques de son maître, sans doute.

Nous galopâmes en silence dans le petit matin bleu. La nature semblait nous sourire. Au flanc des mornes abrupts, l'explosion écarlate des flamboyants ponctuait notre équipée, à-quoi-dire un hymne indéfiniment répété, un hymne à notre gloire, à notre amour naissant. Nous faisions de courtes haltes au bord de ruisseaux à l'eau diaphane, de ceux qu'affectionnent les Manman D'leau, ces créatures mi-femmes mi-poissons qui possédaient le don de charmer les imprudents. Mon marquis avait tout prévu. De temps à autre, il consultait une carte sur laquelle il avait dessiné à l'encre rouge un itinéraire qui nous permettrait de contourner la capitale, Port-au-Prince, probablement à feu et à sang, puisque, aux dires de Gamba, la révolte avait gagné le centre du pays. Nous nous arrêtions le soir à l'ombre de quelque arbre au feuillage imposant et nous dînions d'un bout de cassave et d'une timbale de clairin (les insurgés nous avaient offert deux bouteilles de ce rhum raide comme un coup de roche sur l'écale de la tête). Je n'avais jamais baigné dans une telle heureuseté de toute ma vie. J'en oubliais même ma chère Adèle et la funeste pente sur laquelle elle glissait inexorablement depuis qu'un jour, son regard avait croisé celui d'un officier saxon, dans l'île de Jersey.

Au cinquième ou sixième jour de notre voyage — j'avais un peu perdu la notion du temps —, un groupe d'insurgés, en plus grand nombre que celui que nous avions rencontré à Léogane, et bien mieux armés (ils disposaient de mousquets et de pistolets) nous barra le chemin, très menaçants. Mon marquis ne perdit pas son calme. Il descendit de cheval, sourd aux vociférations des Nègres qui l'entouraient, et demanda à parler à leur chef. Ils rétorquèrent qu'ils n'en avaient point. Que tout un chacun était son propre chef. Châteaureynaud leur présenta alors l'étrange objet que lui avait remis Gamba et ils reculèrent, comme terrorisés.

« *Ba yo pasé! Ba yo pasé!* » (Ouvrez-leur le passage! Ouvrez-leur le passage!) se mirent à hurler certains.

La meute s'écarta à la manière d'une vague et nous poursuivîmes notre route. J'étais tout bonnement stupéfaite. Châteaureynaud évitait mon regard, mais je lisais une lueur d'amusement dans le sien, ce qui m'agaça.

« Gamba m'a baillé un sauf-conduit..., finit-il par lâcher en talonnant son cheval qui ne trottait jamais assez vite à son gré.

— Un sauf quoi?

— Une pierre de tonnerre... enfin une pierre de foudre, si tu préfères. Seuls les grands initiés du vaudou en possèdent. Parfois, on en voit dans certains temples, sur l'autel dédié à Ogoun-Ferraille...

— Tu... connais le vaudou, toi? fis-je, abasourdie.

— Mon père m'en parlait souvent. Il lui attribuait un rôle déterminant dans la victoire des Nègres de Saint-Domingue sur les troupes de Napoléon. Celles-ci n'étaient pas des pleutres, Céline, c'était la fine fleur des grognards du Rhin! Des combattants émérites, dotés d'une bravoure incommensurable, sans une once de pitié pour l'ennemi. Ils avaient défait les Teutons, les Italiens, les Espagnols et les Slaves. Comment auraient-ils pu succomber face à des Nègres dépourvus d'armes sérieuses ? Comment, si ce n'est grâce au vaudou. Tu comprends ? »

Je pensai à ma mère qui, au soir d'une vie consacrée au culte de la Vierge Marie, s'était convertie à cette religion si décriée jusqu'à en devenir l'une des prêtresses les plus réputées de Jacmel. Lors de notre passage dans cette ville, je n'avais pas souhaité voir sa sépulture. Je voulais garder d'elle, intacte, l'image de cette femme débordante d'énergie et de générosité, qui avait lutté pied à pied avec le destin et son lot de chienneries, et m'avait initiée, dès ma plus tendre enfance, au dur métier de pacotilleuse. Carmen Conchita Alvarez vivrait dans mon cœur telle que je l'avais vue pour la dernière fois. Déjà percluse, certes, mais bien vivante. Elle représenterait à jamais pour moi l'Andalousie de ses ancêtres, cette terre qu'il m'arrivait de voir en rêve, terre couleur d'ocre et de feu. Terre de lumière verticale, aux dires de Michel Audibert, mon sibyllin poète et amant.

Le sauf-conduit donné par Gamba fit merveille. Nous parvînmes ainsi à franchir, sans encombre, pas moins de sept barrages jusqu'à l'Habitation Grand'Rivière. Dès que mon marquis vit que les mornes cédaient la place à la plaine, il eut un regain d'enthousiasme. Il criait à tue-tête, cheveux dans le vent : « C'est le pays de mon arrière-grand-père, de mon grand-père et de mon père ! Le pays qu'ils ont défriché, labouré, planté à la force de leur poignet. » Quand l'allée de sabliers centenaires qui menait à la Grand'Case fut en vue, Châteaureynaud arrêta brusquement sa monture, fit volte-face et me dit :

« Céline, tu m'as parlé du destin, n'est-ce pas ? Eh bien, il me revient soudain ces vers d'Hugo que mon père récitait, le soir, à la veillée. Écoute :

Heureux l'homme, occupé de l'éternel destin
qui, tel un voyageur qui part de grand matin,
se réveille, l'esprit rempli de rêverie,
et dès l'aube du jour se met à lire et prie !
À mesure qu'il lit, le jour vient lentement
Et se fait dans son âme ainsi qu'au firmament. »

Je souris. J'étais devenue assez bonne connaisseuse de l'œuvre du plus éminent poète de l'univers pour reconnaître là un passage des *Contemplations*. En plus de ne rien ignorer du vaudou, mon marquis était un fin lettré ! Qui m'aurait dit qu'un jour j'aurais gagné le gros lot à la loterie des sentiments ? Une joie si-tellement débornée m'envahit que je dépassai mon amant pour la première fois depuis qu'à Jacmel, nous avions acheté des chevaux. J'avançai au galop dans l'allée ombragée, apercevant déjà la toiture de la Grand'Case, puis la véranda blanche, en bois sculpté, du premier étage. Châteaureynaud se remit à ma hauteur et chantait de plus belle. Des êtres hagards émergèrent progressivement des buissons d'hibiscus et d'alamandas qui n'avaient pas été taillés depuis des lustres. Des Nègres âgés, vêtus de hardes, des Négresses au visage vérolé, des enfants faméliques au ventre ballonné. Ils nous observèrent stupidement, sans s'étonner de notre arrivée. À mesure que nous approchions de ce qui, jadis, fut l'une des plus somptueuses villas de la plaine de l'Artibonite, nous découvrions le désastre. L'ampleur du désastre. Des cyclones avaient ravagé tout un pan de la Grand'Case qui s'était effondré. Un figuier maudit avait même commencé à pousser dans ce qui avait dû être le salon ou le fumoir, y étalant sans vergogne ses hautes racines échassières. Mon marquis en perdit net-et-propre sa belle gaieté. Son regard s'ennuagea. Il se figea sur sa monture, telle une statue équestre, à la fois dérisoire et grandiose. Sa chemise à jabot, jadis blanche, lui collait au corps à cause de la sueur. Il était presque le mitan du jour. Je ne savais moi-même que faire. À nouveau un rêve qui s'effondrait ! Ma vie ne serait-elle jamais qu'une longue suite de déceptions et de chimères ?

« *Nou sé ki moun ?* (Vous êtes qui ?) fit un homme d'âge moyen en sortant sur le perron recouvert par du lierre.

— Le marquis de Châteaureynaud ! fit mon amant d'un ton sec.

— *Pa gen moun sa yo isit ankò ! Nou menm sé Chatoréno y-ap rélé fanmi-nou.* » (Il n'y a plus ce genre de personnes ici ! Notre famille à nous porte le nom Châteaureynaud).

Les descendants des esclaves du grand-père de mon marquis s'étaient donc approprié son nom, se contentant d'y ôter le « de ». Effaçant de leur mémoire le souvenir même des premiers Français qui avaient créé cette plantation. S'installant dans leurs meubles et leurs draps. Mais, à l'évidence, se montrant incapables de continuer à en exploiter les terres et à les faire fructifier. Ils nous proposèrent un fade rafraîchissement à base de feuilles d'oranger, à l'ombre d'une espèce de tonnelle où une antique Négresse, aveugle, prédisait l'avenir. Ceux que nous avions vu surgir des halliers, lors de notre traversée de l'allée de sabliers, s'étaient sagement alignés et attendaient que la devineuse posât une main frêle et parcheminée sur leur front tout en marmottant des sentences obscures. Le maître de maison lui parla à l'oreille. Elle tourna vers nous son regard vide et nous fit signe d'approcher. Le marquis de Châteaureynaud, tétanisé, se laissa conduire jusqu'à elle Se dressant légèrement sur son siège, la femme lui caressa le menton, les joues, le front avant de s'attarder sur son nez. Puis, elle s'écria :

« *Ou sé bien timoun a misié Dè Chatoréno ! Zot ap sanm tankou dé gout dlo. Ha, neg-mwen ! Sa ou vini chèché ? Tout bagay mouri isit ! Pèsonn p-ap planté kann ni kafé ankò, riviè-a li-menm li vin sek ak fo toujou monté pli wo pou koupé bwa-chabon.* » (Tu es bien le fils de M. de Châteaureynaud ! Vous vous ressemblez comme deux gouttes d'eau. Ah, mon ami ! Qu'est-ce que tu es venu chercher ? Tout est mort ici ! Personne ne plante plus ni canne à sucre ni café, quant à la rivière, elle est asséchée et il faut grimper toujours plus haut pour trouver du bois à charbon.)

Une tristesse immense s'empara de mon amant. Le fringant gentilhomme que j'avais rencontré à l'embarquement au Havre, l'aventurier sans peur et sans reproche qui venait de traverser la moitié du pays à cheval, affrontant victorieusement l'ire des insurgés de Léogane, celui qui rêvait — fier de son titre de propriété flambant neuf, dûment estampillé « République d'Haïti » — de redonner vie à la plantation qu'avait créée au siècle dernier son aïeul, s'était transformé en un spectre. À présent, il accusait son âge, sans doute à cause des deux rides d'amertume qui creusaient l'entour de sa bouche. Je ne savais, pour ma part, que faire ni que dire. Cette nuit-là, nous couchâmes dans l'ancienne chambre de ses parents dont les volets avaient été arrachés par le vent et dont la toiture coulait. Nuit d'insomnie pour moi. Nuit au cours de laquelle ces vers d'Hugo, tant de fois récités par Manuel Rosal à L'Escale du Septentrion, ne cessèrent de me cogner l'esprit :

Le pouvoir du Temps se déploie
jusques sur l'ouvrage des dieux,
cité d'Hector, superbe Troie
où sont tes remparts orgueilleux ?

Au matin, je découvris un cadavre à mes côtés. Le marquis de Châteaureynaud s'était enfoncé son poignard à crosse argentée dans le mitan de la gorge...

16

« Il s'est donc résolu à me faire interner, moi sa fille adorée, sa petite Dédé ! Hormis pendant les tout premiers jours de mon retour en France, quand il s'enchantait de me voir bien vivante, là, devant lui, me palpait les joues et les bras, m'étreignait et m'emmenait en promenade sur les quais de la Seine, mon père ne parvint jamais à franchir le mur invisible qui me séparait d'autrui. Que ces stupides médecins de la Maison coloniale de Santé, à Saint-Pierre de la Martinique, puis ceux de Saint-Mandé fussent incapables de comprendre que je n'étais point folle et qu'il y avait une part de moi qui était demeurée intouchée par le mal d'amour, passe encore ! Mais lui, l'élu des Muses, le visionnaire, l'enchanteur des mots, l'amateur d'invisible qui aimait à faire tourner les tables, comment se pouvait-il que jamais, au grand jamais, il ne sut établir un lien, fût-il ténu, entre cette chose terrible, dépourvue de nom, qui s'emparait de lui pour guider sa plume et ma propre transe ? Je suis attristée à la seule idée de savoir que l'image qu'il gardera de moi sera celle d'une pauvresse, aux talents gâchés, qui passe le plus clair de ses journées à délirer, refusant de s'habiller, de se coiffer, de recevoir le monde et même parfois de s'alimenter. Une loque humaine! Hugo n'a pas prononcé ces mots mais à son regard, je devine que telle il me voit. J'essaie de lui faire comprendre qu'en moi existent deux âmes, l'une tourmentée qui se meurt d'amour à petit feu, l'autre sereine, aussi sereine qu'une aube qui ne finirait jamais, qui ne deviendrait jamais matinée, puis journée, mais il reste aveugle à mes efforts. Je lui fais honte! Je lui fais horreur! Pourtant, tout ce que je lui demande, c'est ce qu'il appelle lui-même "un échange d'âmes", le même qu'il eut le jour où son ami-frère Alexandre Dumas l'accompagna à Anvers où il s'apprêtait à prendre la route de l'exil vers les îles anglo-normandes. Je me remémore ces vers sublimes qui, à force d'avoir été lus et relus, font désormais partie intégrante de moi-même :

Je montai sur le paquebot fumant,
la roue ouvrit la vague, et nous nous appelâmes.
— Adieu! — Puis, dans les vents, dans les flots,
dans les lames,
Toi debout sur le quai, moi debout sur le pont,
Vibrant comme deux luths dont la voix se répond,
Aussi longtemps qu'on put se voir, nous regardâmes
L'un vers l'autre, faisant comme un échange d'âmes...

« Je les imagine s'étreignant, s'embrassant longuement et soudain :

Une brume couvrit l'onde incommensurable,
tu rentras dans ton œuvre éclatant, innombrable,

multiple, éblouissante, heureuse, où le jour luit;
et moi dans l'unité sinistre de la nuit.

« Après le départ de Céline Alvarez, il accepte que sa Juliette monte jusqu'à ma chambre pour me faire un peu de lecture, ce qui ne m'est point désagréable, car la maîtresse de mon père possède une voix aux tonalités argentines qui jure avec l'imposance de ses formes. Surtout, elle sait faire montre de patience. Elle attend que je cesse de déblatérer contre l'humanité, que j'arrête le flot d'insanités qui jaillit de ma bouche pour approcher sa chaise du chevet de mon lit, me demandant si elle peut allumer la lampe. Sans doute Juliette doit-elle croire que je la voue aux gémonies parce qu'elle avait pris la place de ma mère dans le cœur d'Hugo. Si elle savait ! Les injures que je profère ne lui sont point destinées en propre : elles s'adressent à toutes les femmes qui ont eu l'insigne chance de trouver le bonheur en amour. Bonheur ! Mot qui m'est étranger, qui résonne étrangement dans ma tête. Mot qui m'arrache des hurlements.

« Hugo avait toutefois mesuré à quel point Céline Alvarez Bàà avait réussi à m'approcher, à approcher au plus intime de ma souffrance — moi, dans l'unité sinistre de la nuit ! — et je l'entendais maugréer quand elle posait sa lourde main noire sur mon front et qu'aussitôt je me calmais. J'entendais la voix du poète : “maudite sorcière ! Négresse infernale !” Ma protectrice ne s'en offusquait point. Elle faisait, dans ces cas-là, mine de ne pas bien entendre le français. D'ailleurs, elle lançait à mon père en espagnol : *¡ la niña merece un poco de descanso, señor !* (La petite a besoin d'un peu de repos, monsieur !), cela d'un ton qui ne souffrait aucune réplique et il savait qu'ils devaient tous les deux m'extraire du fauteuil où je m'étais recroquevillée, pour me monter à l'étage, dans ma chambre. C'est que Céline ne m'a jamais jugée ! Elle n'a jamais cru ceux qui clamaient que la fille de Victor Hugo n'était qu'une pauvre dérangée mentale. Dès le tout premier jour où elle m'avait recueillie sur les quais de Bridgetown, en l'île de Barbade, elle a cru en moi et surtout s'est dévouée à ma personne sans jamais rien espérer ni réclamer en retour. Elle a accepté de m'accompagner dans la grisaille de l'hiver parisien, d'y séjourner des mois durant, délaissant du même coup son métier de pacotilleuse, ses voyages, ses amants, sa vie faite de pleine et entière liberté. Son grand rêve aussi : celui d'aller se recueillir sur la tombe de sa mère, Conchita Alvarez, dans la ville de Jacmel, au sud d'Haïti. Céline a tout abandonné pour moi et cela m'est encore aujourd'hui un grand mystère. Qu'avait-elle découvert en moi qui eût pu la pousser à larguer les amarres de sa vie à elle, à défier son propre destin et à cheminer dans les dédales du mien ? Oui, quoi ? »

Il y a de la folie dans le culte d'un seul et unique amour. Pour ma part, je n'avais jamais été douée dans la vénération d'un seul homme et l'aurais-je d'ailleurs voulu que mon métier de voyageuse perpétuelle me l'interdirait. Ni ma grand-mère, que je n'ai point connue, décédée de fièvre jaune à l'orée du fleuve Paramaribo, en terre hollandaise, tout au début du siècle, alors que j'étais encore dans les langes, ni ma mère, Carmen Conchita Alvarez — que les dieux de l'Afrique-Guinée protègent son âme! — ne me l'ont enseigné. D'ailleurs prononçaient-elles seulement ce mot? Amour, *amor*, *love*, *lanmou*, quel que fût l'idiome dans lequel il traversait leurs lèvres pleines de défi, était toujours teinté d'une sourde raillerie. Il désignait le plus souvent un sentiment provisoire, éphémère, quoique violent parfois. Ainsi j'avais vu de mes yeux vu ma mère se battre pour un homme à diverses reprises et en divers lieux de l'Archipel. Se battre à coups d'injuriées, à coups de bâton ou de couteau, en se servant de charmes maléfiques ou de boissons subtilement empoisonnées. Il y a cette terrible racine de la barbadine que l'on met à tremper dix-sept jours durant dans une bouteille de rhum et qui coupe la caquetoire de la plus effrontée des rivales. Au-delà de ce délai, il devient un breuvage mortel qui sectionne net le fil de votre cœur. On peut tout aussi bien faire fondre dans du gin un clou prélevé sur un cercueil, ce qui prend etcetera de temps, mais qui prive l'adversaire qui en boit de tout jugement. Alors, je me suis forgé une morale, à vrai dire fort commune chez nous autres, pacotilleuses : il faut beaucoup aimer pour ne point s'exposer à souffrir. Dans chaque île, sur chaque empan de terre ferme, j'avais un amant qui espérait ma venue et me rassasiait de tendresse à chacune de nos rencontres. Qui me témoignait de son ardeur charnelle aussi. J'étais pour ainsi dire toujours comblée. Pas de place pour le chagrin d'amour. Ni pour la rêverie nostalgique. Il est vrai que partout la pudibonderie bien antillaise nous traite de péripatéticiennes, de vive-la-joie, de femmes-de-tout-le-monde, de briseuses de ménages, de goules et d'autres qualificatifs peu glorieux. Je n'en ai jamais eu cure. Tout ce que je sais c'est que je portais un amour égal à chacun de mes amants de quelque complexion, religion ou classe sociale qu'ils fussent. Et eux aussi de savoir que toute entreprise de jalousie à mon endroit était une pure perte de temps, car une fois qu'ils m'avaient accompagnée sur le port et que j'avais embarqué, ils n'avaient plus aucune prise sur moi. D'ailleurs, aussitôt que le bateau levait l'ancre, je les oubliais. Sans effort. Comme naturellement. Mon esprit voguait déjà vers ma prochaine destination et donc les bras qui m'accueilleraient bientôt dans deux jours, trois semaines ou parfois quelques mois. C'est que nous autres, pacotilleuses, n'annoncions pas notre venue. Pas à chacune de nos escales en tout cas. Ma mère avait une antienne bien à elle :

« Femme a parfois besoin de repos, foutre ! Un homme est une charge, un poids qu'il ne faut pas toujours charger sur sa tête sinon... »

Pourtant, je l'avoue : j'ai aimé l'homme Victor Hugo. Pas la première fois. Car il m'avait traitée en simple Négresse. En esclave. Comme M. Verdet à Saint-Pierre, il s'était élevé contre le fait qu'Adèle insistât pour dormir tout contre moi avant de s'incliner devant cette implacable vérité : sa fille avait besoin, vitalement besoin, de la noirceur de ma peau, de sa chaleur humide, de son musc. J'étais la seule personne encore capable d'apaiser, pour un court moment certes, ses tourments. La deuxième fois, Hugo me reçut en grande dame. Il est vrai qu'il avait entre-temps changé puisqu'il était redevenu le poète adulé non seulement des gens de bien mais du peuple français lui-même. Des ouvriers, des artisans, des petites gens, des exilés. Il avait cessé de s'adresser à moi à l'aide de phrases qui ne souffraient aucune réplique ou à maugréer entre ses dents, me croyant hors de portée de sa voix, de « maudite Négresse des îles ! ». Entre-temps, il est vrai, il avait appris à mieux connaître Jeanne Duval, sombre beauté originaire de l'île Maurice, qui enchantait les nuits de son camarade-poète Baudelaire. Il ne cessa de me vanter la vivacité de son esprit et ses charmes à nuls autres semblables sans qu'une seule fois il ne permît que nous nous rencontrions, chose que j'ai amèrement regretté. À la vérité, il se méfiait de Baudelaire qu'il qualifiait de réincarnation de François Villon, un poète du Moyen Âge dont pourtant il récitait les vers lorsqu'il s'installait dans son baquet pour sa grande toilette du soir et me demandait de lui frotter le dos à l'aide d'une brosse rugueuse qui lui écorchait parfois la peau. Il déclamait « La ballade des pendus » jusqu'à emplir toute la maison de sa grosse voix, ce qui avait le don de terroriser sa valetaille.

« Ah ! La Duval ! faisait-il, songeur, quel monstre de beauté ! »

Au poète, final de compte, j'avoue désormais préférer le dessinateur. Dans le galetas, où je retrouve, inchangée, la paillasse faite de hardes usagées où j'avais passé tant de nuits à écouter les reniflements et les hoquets de ma pauvre petite Adèle, où tant de fois le vieux bonhomme était venu se répandre en moi, est rangé tout ce qu'il a produit depuis vingt ans en matière d'art pictural. Me surprend grandement une peinture sur bois, au cadre triangulaire, représentant « La Belle, le Chevalier et la Bête ». Sur une sorte de piédestal, la première tend une fleur au second dans un geste de profonde vénération, vénération qui vire à l'idolâtrie chez ce dernier lequel, agenouillé, lui tend la tête de la troisième qu'il vient sans doute de trancher. En arrière-plan, ce qui reste de la Bête : une créature filiforme au cou démesuré et aux pattes crochues qui semble encore prête à attaquer. Curieux dessin ! Je n'arrive pas à m'en détacher. Hugo avait-il peint là le rêve inabouti de sa fille ?

J'ai aimé donc Hugo d'amour. D'amour à l'européenne. La deuxième fois où je suis revenue au chevet d'Adèle. Et cela m'a surprise moi-même. Je n'y étais point préparée. Le poète m'avait habituée à sa voracité : il se jetait sur moi sans crier gare, me dévêtait jusqu'à déchirer mes vêtements, me plaquait contre une table, un buffet ou à même le parquet et me violentait sans jamais que ses yeux croisent les miens. Ces étreintes pouvaient durer quelques minutes ou une bonne heure, cela dépendait de l'humeur d'Hugo et surtout de sa santé qui commençait à décliner. Il se plaignait de la goutte et redoutait l'arrivée de l'hiver.

« Dans ton pays de soleil, là-bas, il paraît que les hommes restent verts jusqu'à cent vingt ans ? me lançait-il, en espagnol, une fois ses pulsions assouvies. Est-ce vrai ou s'agit-il d'une légende de Nègres, ma bonne Alvarez ? Allez ! Pour une fois, dis-moi la vérité ! »

En matière de verdeur, il n'avait pourtant rien à envier aux gens de chez nous. Je l'avais maintes fois surpris à se glisser au petit jour dans la chambrette de Blanche Lanvin, petite servante à peine sortie de l'enfance, et à lui faire l'amour, en silence. Celle-ci ne bougeait ni ne se plaignait. Cela faisait, semble-t-il, partie des devoirs de sa charge. L'après-midi, il arrivait aussi à Hugo de recevoir des duchesses désargentées ou des poétesses en mal de célébrité qui s'offraient également à lui.

Fort-de-France / Case-Pilote
(Juillet 2003-avril 2005)

ÉPILOGUE

À MA FILLE ADÈLE

Tout enfant, tu dormais près de moi, rose et fraîche,
Comme un petit Jésus assoupi dans sa crèche ;
Ton pur sommeil était si calme et si charmant
Que tu n'entendais pas l'oiseau chanter dans l'ombre ;
Moi, pensif, j'aspirais toute la douceur sombre
Du mystérieux firmament.

Et j'écoutais voler sur ta tête les anges ;
Et je te regardais dormir ; et sur tes langes
J'effeuillais des jasmins et des œillets sans bruit ;
Et je priais, veillant sur tes paupières closes ;
Et mes yeux se mouillaient de pleurs, songeant aux choses
Qui nous attendent dans la nuit.

Un jour mon tour viendra de dormir ; et ma couche,
Faite d'ombre, sera si morne et si farouche
Que je n'entendrai pas non plus chanter l'oiseau ;
Et la nuit sera noire ; alors, ô ma colombe,
Larmes, prières et fleurs, tu rendras à ma tombe
Ce que j'ai fait pour ton berceau.

Victor Hugo, « Les quatre vents de l'esprit »

CONTES CRÉOLES DES AMÉRIQUES, *contes*, Stock, 1995.

LA VIERGE DU GRAND RETOUR, *roman*, Grasset, 1996.

LA BAIGNOIRE DE JOSÉPHINE, *roman*, Mille et Une Nuits, 1997.

LE MEURTRE DU SAMEDI-GLORIA, *roman policier*, Mercure de France, 1997 (Prix RFO).

L'ARCHET DU COLONEL, *roman*, Mercure de France, 1998.

RÉGISSEUR DU RHUM, *récit*, Écriture, 1999.

LA DERNIÈRE JAVA DE MAMA JOSÉPHA, *récit*, Mille et Une Nuits, 1999.

CANNE, DOULEUR SÉCULAIRE, Ô TENDRESSE !, *album*, en collaboration avec David Damoison, Ibis Rouge, 2000 (Prix du Salon du Livre Insulaire d'Ouessant).

LE CAHIER DE ROMANCES, *récit*, Gallimard, 2000.

BRIN D'AMOUR, *roman*, Mercure de France, 2001.

LA DISSIDENCE, *récit*, Écriture, 2002.

NUÉE ARDENTE, *roman*, Mercure de France, 2002.

LE BARBARE ENCHANTÉ, *roman*, Écriture, 2003.

LA PANSE DU CHACAL, *roman*, Mercure de France, 2004.

Traductions

UN VOLEUR DANS LE VILLAGE, *récit*, de James Berry, Gallimard-Jeunesse, 1993, traduit de l'anglais (Jamaïque), Prix de l'International Books for Young People.

AVENTURES SUR LA PLANÈTE KNOS, *récit*, d'Evan Jones, Éditions Dapper, 1996, traduit de l'anglais (Jamaïque).

LES VOIX DU TAMBOUR, *roman*, de Earl Long, Éditions Dapper, 1999, traduit de l'anglais (Sainte-Lucie) en collaboration avec Carine Gendrey.

Composé et achevé d'imprimer
par la Société Nouvelle Firmin-Didot
à Mesnil-sur-l'Estrée, le 16 août 2005.
Dépôt légal : août 2005
Numéro d'imprimeur : 74494.
ISBN 2-7152-2540-7/Imprimé en France.

132237